2024-25年版

請求もれ
&査定減
ゼロ対策

完全シャットアウト技術＆
チェックリスト
812

医学通信社

ii

はじめに

　患者の意識の向上，医療過誤，病院倒産，不正請求による保険医療機関取り消し，新型コロナウイルス感染のため中止となっていた厚生局による指導・監査の強化再開等，昨今の医療機関を取り巻く環境はますますきびしさを増してきております。また，入院患者の在院日数短縮，外来患者の受診控え，コロナ補助金の終了，マイナ保険証導入やセキュリティー対策強化の必要性等による支出増もあり，多くの医療機関が大きな減収・減益となっています。

　これら変化する環境のなかで，医療機関の収入の大半を任されている医事課職員の意識は，変わってきているのでしょうか。何かしなければならないとの気持ちはあるにしても，日常業務のほかに，コロナ対応，ワクチン対応などに追われ，また業務内容が細分化されるなかで，保険請求全体を見渡すことがむずかしくなったこともあり，何をどのようにすればよいかわからないと考えている方が大半ではないでしょうか。

　入院・外来とも包括請求が多くなるにしたがって，レセプト自体は簡略化されていますが，データとして診療内容は報告されているため，その元となる一つひとつの行為（請求）の重要さは以前と比べて変わるものではありません。また，他の部署との連携も重要となってきます。そのなかでまずは，医事課としての業務の基本に戻って，我々がすべき保険請求について，もう一度考えてみるべきではないでしょうか。あわせて，保険請求をしたら終わりではなく，公費の理解，審査対策や未収金への対応も求められます。

　我々の行っている保険請求業務は，医師をはじめとする医療者の行為を，点数表に基づき正しく請求することにあります。「正しく」請求するということは，過剰請求はもちろん，過少請求，すなわち「請求しなければならない行為を請求しない」ということもあってはならないのです。社会保険診療報酬支払基金や国民健康保険団体連合会から審査の基準がホームページに示されていることなども確認しながら，正しい請求を目指さなければなりません。

　本書では，これら過剰請求・過少請求を防ぐための方策として，カルテや伝票類の作成・記入の仕方や点数表の解釈，レセプトの点検の視点，症状詳記の記載方法，ひいては本来，収入の一部である未収金回収の方策などをまとめました。

　これまで院内に引き継がれていた算定ルールやレセプトチェックシステムの内容を見直す資料として，また，他の医療機関で行っている保険請求の方法を参考とするため，さらには，保険請求業務の流れを見直す資料として，利用いただければ幸いです。

　本書は，医学通信社『月刊／保険診療』に掲載しました「"請求もれ対策"大全集」に大幅な加筆・修正を加え，1冊の本にまとめたものです。本書の出版に当たり，『月刊／保険診療』編集部のみなさまに多大ご協力いただきました。心からお礼申し上げます。

2024年10月

望月稔之

もくじ

第1章
請求もれ・査定減"ゼロシステム"100

▶ ▶ ▶ 請求もれ・査定減を減らすための近道は，"間違いが起きにくい仕組み"を作っておくことです。伝票やコンピュータシステム，人員配置から教育，心構えまで──。工夫を凝らせば，その効果は想像以上です。医療情報システムが普及している昨今，さまざまな方法による対策が施されていますが，元来のチェック内容について確認することが基本となることを理解してください。

① コンピュータシステム（レセコン,オーダリング等）による請求もれ対策

Point 1　独自にカスタマイズしてチェック機能を高める

　プログラムは制度上で規定されているものしか入っていないので，病院で独自にカスタマイズして請求もれのチェックをかける方法がある。

　例えば，時間外加算や救急医療管理加算では，コンピュータのシステム上で，時間外の初診の場合には最初から加算点数を参照できるようにしておく。検査と画像診断の時間外緊急院内加算については一部例外が点数解釈上あるため，「点数を算定しますか」という警告メッセージを画面上に出すなどの工夫も必要だろう。なお，救急医療管理加算では，患者の状態や医学的根拠等の記載が必要なので注意を要する。

　さらに，小児科を標榜する医療機関における時間外等加算の特例など，細かな点でもチェックがかかるシステムにしておくとよい。また，各医療機関での加算もれにも対策が必要である。

Point 2　ロジックの組み方が悪いともれの原因となる

　例えば，外来診療料をいったん算定したあとに，本当は初診だったと判明したとする。当然，初診料に変更するわけだが，外来診療料に包括されている処置等が再生できないと，もれになってしまう。

　新たにロジックを組むと別料金となる。費用がかけられない場合は，このようなコンピュータの弱みをあらかじめ把握し，マニュアル化してチェック項目を決めておくことで，ある程度対応できる。

　システム作りには十分な打ち合わせと不測の事態に対応できるようにシステムを作る必要がある。2科目初診料やリハビリの再診にも対応できるロジックを構成する。

Point 3　よく行われる医療行為ははじめからセット化しておく

　よく行われる医療行為は，それに伴って使用される薬剤や材料をセットで登録しておく。

　例えば，コードの「70-001」は胃の透視のセット番号とし，そこにはいつも撮る枚数の手技料，フィルム料，デジタル撮影，薬剤等を登録しておくといった具合だ。「使用量」の項目だけは，はじめに規定値を入れておいて，変更もできるようにしておくとさらに便利である。

　材料についても，例えば気管内チューブ挿管などは，伝票に「挿管」だけがチェックしてあっても，当然「チューブ」も併せて請求するものであるから，セット化しておいてよいだろう。

　セット化は「どの項目を」「どのように」するかがポイントである。使用する薬剤・材料も変更になることがあるので，現場との連絡体制も強化しておく必要があるだろう。また，セットされたものであっても，実際の伝票等，薬剤の量，種類や材料などとのチェックは行うべきである。突然，医師の好み等で材料が変わっていることも多い。この積み重ねにより，パスの参考にもなる。

Point 4　長期投与の最善策は「警告」システム

　医師の裁量により長期投与は可能だが，長期投与が認められない医薬品を長期投与しようと入力した

場合，「警告」が表示されるシステムも多い。「禁止」は入力不可だが，「警告」の場合は無視して入力可能である。ゴールデンウィークや年末年始は，薬名にかかわらず長期投与が可能であるため「禁止」にはできないためである。

　しかし，現在は長期投与不可のものが少なくなったので，個々の医療機関で指定薬品チェック表を作っていくことでも十分対応できる。ただし，長期投与可能でも屯用服用では回数が制限されるので注意すること。また，投与に対する詳記が必要なものなどもあるので，チェックすること。

　そのほか，向精神薬系の報告を忘れずに行うようチェックする仕組み，改定による対象薬剤の変更等をチェックする仕組みも必要である。

Point 5　エラー項目を設定する

　コンピュータのシステムにより可否は異なるが，あらかじめコンピュータ上でエラー項目を設定できる場合は，患者番号を打ち込めば，コンピュータが画面上でレセプトの不備を知らせてくれるよう設定しておくとよい。これにより，毎月末にチェックをかけ，引っかかってくるものを中心に再点検することで，効率化が図れる。

　処方せんの診療科もれ，病名もれなど多岐にわたりエラー項目を設定することができるレセプトチェックシステム（ソフト）もあり，各医療機関のシステムの機能をフル活用することが重要である。

　また，前項で触れたとおり，今後のレセプト電算データによるレセプトチェックも同様な扱いであるので，いかにシステムを有効利用するかである。また，外来レセプトも算定日情報が付記されているので，修正等を含めて確実に算定日に入力すること。

　DPCなど包括請求が増加している現状でも，正確な行為入力は必須である。レセプトで請求する内容だけではなく，実際の医療行為の入力も行われなければならない。医療行為の入力は残し，保険請求とは別にしなければならないことも多い。その際，チェックシステムの活用も考えておく。

　今後，複雑なチェックがさらに必要となることが見込まれるため，その対策も考えておく必要がある。

Point 6　ロジックは最大公約数にしておく

　一方で，カスタマイズによる不都合もある。診療報酬の解釈はアバウトな部分が多いし，完全なロジックを組もうとすれば複雑で膨大なシステムになってしまう点だ。

　将来的な地域連携を考えると，最大公約数にとどめておくべきだという考え方もある。カスタマイズが過ぎると，連携できなくなることもあるし，オリジナル部分がトラブルの原因にもなりかねない。

Point 7　コンピュータの弱点を知り，人間との役割分担を明確にする

　コンピュータ導入に当たっては，一般的なシステムを導入するのか，カスタマイズを行うのか，その費用対効果も含めて十分な検討が必要である。複雑な計算はできるが，人間が簡単にできるところをコンピュータでやろうとすると膨大なお金がかかることもある。コンピュータを利用する部分と人間がやる部分を明確に区分けしたうえで導入すべきだろう。

　コンピュータに頼りすぎると，個人の点数算定能力の低下にもつながる懸念があるし，コンピュータを過信すると重大なミスに気付かないままになるので注意すること。

　最近では，医事業務もほとんど機械化され，点数算定のしくみ（基本）も理解していない職員が増加している。改定時には，複数の職員でマスターはもちろん，算定ロジックのチェックを行う必要がある。また，医事課だけではなく他部署との連携も必須となっている。

Point 8 DPC導入では適切なシステムを構築する

DPCを実施する場合，どの診断群分類コードを選択するかにより，請求金額が大きく変わる。従来の医事システムや電子カルテ・オーダリングシステムだけでなく，DPCの傷病名を確定するためのシステムを構築する必要がある。また，新しいデータ提出内容にも対応できるようにすること。

Point 9 統計システムは費用とのバランスを考慮して導入する

各種統計データを解析できるシステムもあるので，自院と他院のベンチマークにより，本質的なコストもれ対策が可能となる。導入費用とのバランスを考慮して検討すること。

基本的にすべての病院が原則オンライン請求となっているので，これらのシステムによっては，ベンチマークや他医療機関のレセプトの構成比等の比率で，自院の改善にも役立つと思われる。

また，厚生労働省等より提供されるDPC等のデータも改善の指針として活用すること。

Point 10 マスタの間違いを発見するため，担当者を配置する

コンピュータを信用しきってはいけない。改定時にメーカーがマスタを更新するが，そこに誤りがある可能性もあるのだ。

実際，保険者から固定点数に誤りがあると指摘された例もある。2～3カ月後に発覚するということもあり，その間，請求誤りが発生していることになる。例えば，酸素の補正係数が間違っていて年間300万円の請求もれになったという例もあり，逆に診療報酬改定で変更がないようにみえても，マスタが変更されている場合もあるので併せて注意する。

また，各地方厚生支局への届出が簡素化されても，適時調査時にチェックされるため，届出事項のチェック義務は自院にあることを忘れないようにする。

プログラムのミスは常にあり得る。コンピュータのマスタをチェックするために，診療報酬に精通した担当者を決めておいたほうがよい。しかし，1人のチェックには限界がある。可能ならば1人でなく複数の担当者を作ることで，より完全なものとなる。また，レセプト電算マスタの有効期限や正式名称にも注意が必要である。

Point 11 薬価マスタにも担当者を配置する

薬価改定時は，薬品マスタの改定を『薬価の自動変換システム』を利用して行う方法があるが，登録コードの不備，登録単位の相違等で正しく変換が行われないことがある。

このため，自動変換後の確認が必要である。この場合，見落としもあるため，薬品マスタの担当者だけでなく，担当者以外の者も点検するとよい。今後，一般名処方も増加してくるので，この対応にも注意したい。できれば，薬剤部の担当者にもチェックしてもらうべきである。

また，許可病床200床以上の医療機関では妥結率に係る提出義務もあり，採用薬剤の変更が多くなると思われる。さらに，後発品への変更も引き続き確認が必要である。

なお，2024年改定より診療報酬改定は6月施行，薬価改定は4月施行となったが，次回の改定時期については注意が必要である。

◆2 伝票システムの工夫

1. オリジナル伝票の工夫

Point 12　伝票は医療機関ごとにオリジナルを作成する

　病棟システムによって使いやすい伝票書式も異なる。したがって，伝票は医療機関ごとにオリジナルな伝票を作るべきである。

　伝票作成の手順は，①診療サイド（医師・看護師等）に診療内容の一覧を出してもらう，②そのなかから医事サイドで請求できるものに絞る，③伝票内のどこに配置（印字）するかというたたき台を作る，④両者（診療サイド・医事サイド）で十分に話し合いをし，調和のとれた伝票を作成する。

　医療機関によっては，保険請求できないものは伝票に記入しないと決めつけず，すべてのコストを把握するため，行った行為や使った物のすべてを記載させている場合もあるため，記載のしやすさを十分考慮する必要があるだろう。現在では，ほとんどの医療機関がオーダリングを行っていると思うが，伝票を使用する場合，医師が請求内容を理解していると考えてはいけない。

Point 13　医事課と医療者の両方が使いやすいフォーマットを作る

　伝票のフォーマットは，医事課が入力しやすいものは現場が記入しにくく，現場が記入しやすいものは医事課が入力しにくいという相対関係がある。

　①伝票を機能別に分け，②注射せん，処方箋以外の伝票は基本的にチェック方式にし，③項目をよく使うもの順に並べ，④入力コードも併記して印字する——こと等により，このデメリットをなくし，医事課の入力ミスと現場の記入もれの両方を減らすことができる。そのため，特に薬剤等の規格や単位数に注意する。

　また，現場からの聞き取りをして，常に使いよい形式を検討することが必要であろう。

Point 14　伝票の種類を減らし，差別化を図る

　できるだけ伝票の種類を少なくすることも入力ミス防止につながる。処置伝票などを科別で作っている医療機関も多いが，あまり細分化してしまうとチェック時にわかりにくくなるというデメリットが発生するからだ。科別に作成するにしても，他科との共通内容はできるだけ同じ位置に配置すべきだろう。

Point 15　伝票に載せる項目の取捨選択が業務効率化の決め手となる

　判型を大きくすると，伝票は1枚で済むが，盛り込む内容が多くなりすぎてチェックする箇所がすぐに見つけ出せず，かえってわかりにくくなるというデメリットもある。伝票の様式作りには，チェックする側と入力する側の要望を上手く採り入れる必要がある。

　なお，伝票の判型は，カルテに合うよう，A4かA3が一般的である。

Point 16　伝票には「空欄」を作る

　伝票に印字された項目が，必ずしも診療のすべてではない。ぎっしり詰まって余白のない伝票では，項目外の診療内容を記入できない。限られたスペース内に余白を設けるのは，むずかしいことだが，ぜひ作っておきたい。この空欄の使用方法を看護部・コメディカルへ周知する方法もよく検討しておく。

Point 17　耳鼻咽喉科や眼科では，月単位の検査・処置伝票を作る

　耳鼻咽喉科や眼科，リハビリテーション科では，定型的な診療行為をすべてリストアップしたチェック方式の伝票を取り入れやすいが，一方で，もれが発生しやすく，算定制限もあるので，チェックしやすいものにする必要がある。そこで，耳鼻咽喉科や眼科の入院患者に対する検査・処置については，看護部が月単位で伝票を起こし，実施の有無にかかわらず，すべてを月末と退院時に医事課に回してもらいチェックするシステムが有効である。

　外来においても，日単位および月単位の伝票を作成し，その内容を医師にチェックしてもらう体制が取れれば，レセプト点検にも役立つチェック表となる。

　もちろん，これ以外の診療科でも運用の仕方で入院・外来を問わずに月単位の伝票が作成可能だろう。しかし，伝票の運用方法が複雑にならないように考慮する必要はある。

Point 18　処方箋と注射箋はセット化&複写式で入力間違いを予防する

　処方箋と注射箋はチェック方式化がむずかしく，入力間違いも多い。これに対しては，①あらかじめセット化できる項目はセット化し，②伝票を複写式にする——ことで間違いを減らすことができる。

　処方箋は多くの医療機関が複写式を採用していると思われるが，複写式のメリットは，会計と処方という2つの流れの同時進行が可能になることで，外来会計での待ち時間を短縮できることにある。

　入院では，特に注射において，注射箋記入後の投薬内容の一部変更が多い。この場合の医事への連絡方法は，医療機関ごとでルールを作っておくことが必要である。また，医師の考えている手技と，保険請求の手技料が異なる場合がある（手術も同様）。医事課の理解も必要である。

　院内の情報伝達方法を確立しておくと，オーダリング導入などの運用変更時にも対応がしやすい。特に注射に関する情報の流れは，オーダリングシステム導入時に最も頭を悩ますことになる。新規入替え時，更新時にも注意が必要である。今後のIT化へ向けて対策を考えて，もれのないシステム構築を検討する必要がある。

2. 様々なケースでの伝票記入法

Point 19　緊急の診療行為には簡易伝票の作成か看護記録の複写で対応する

　緊急的に発生した処置・手術等でどの薬剤・材料を使用したのかは，後で当事者の記憶に頼るしかない。また，複数の人間が携わっていることもあり，責任の所在もわかりにくい。救急外来などには，救急処置チェックシート（臨時伝票）のような簡易にチェックできる伝票を作成しておくとよい。

　簡易伝票の作成以外では，重症者看護記録の複写を処置伝票の代わりに医事課に回すという方法もある。重症者に対しては，「指示伝票」ではなく「結果の記録」を利用するやり方だ。新たに医事課用に伝票に起こすと転記もれの可能性もあるし，看護側の手間を省くという面でもメリットがある。また，看護記録は診療の記録が時間順に記載されているので，伝票のもれも発見できるというメリットもある。重症度，医療・看護必要度の記録にも活かすとよい。

今後の看護必要度は，データでの提出（計算）となるので，記録は必須である。

Point 20　口頭の指示内容もすべて医事課に流れる仕組みにする

　臨時（休日，深夜など）の診療では，医師が口頭で指示を出すことが多いため，看護記録には書かれていても，伝票にはなっていないことが多い。まず，医師の口頭指示をいかになくすかの工夫が必要だが，実際に口頭指示が行われた場合への対応として，その指示内容がうまく医事課に流れる仕組みを作り，医事課で伝票に起こして医師にサインをもらうようにする。

　臨時伝票の作成や重症患者の伝票を区別することも工夫の一つである。また，救急管理加算算定時の必要なデータ等の把握にも利用できるようにする。最近は救急患者（救急車を含む）のカウントも重要となっているため，統計ができるようにしておきたい。

Point 21　処置などで失敗した材料も伝票に記入する

　処置などで失敗して捨てられる材料は意外に多い。それは伝票に現れてこないため請求されないままになるが，診療報酬上は請求が稀に認められることもある。失敗したものも含めて記載してもらい，医事課で請求する・しないを振り分けるようにすべきである。

　在庫管理上，多少労力はいるだろうが，医療における実際の損益を確実に出すことは，請求もれだけでなく，今後，原価管理をするうえでも必要になってくる。

Point 22　リハビリの実施記録表とレセプトを照合する

　リハビリの請求は複雑なため，毎月作成する患者の個人票を一覧にしたリハビリ実施伝票（**図表1**）をレセプトと照合したり，日ごとのリハビリ実施報告をする——等の工夫が必要である。

　①リハビリ伝票の項目や実施日，②リハビリの単位数の算定状況，③発症日，④算定限度日——等を摘要欄に記載する。

　リハビリは，主に心大血管疾患リハビリテーション料，脳血管疾患等リハビリテーション料，運動器リハビリテーション料，呼吸器リハビリテーション料，廃用症候群リハビリテーション料に大別され，傷病名によりリハビリ限度日数も異なるので，状態と対象の疾患に十分注意する必要がある。場合によっては，減額請求を要する。

　また，コメディカルの協力を強く求めて，医療機関全体で請求もれ防止に取り組むことも必要である。各部署での配慮の積み重ねが，年間の請求もれを減少させる。

Point 23　退院券で退院日の診療内容を把握する

　退院日に行った診療は，カルテがすでに会計に回っており，医療者の手元にないなどの理由から請求もれになりやすいので，特に対策を講じておく必要があるだろう。

　病棟より医事課へ通知する退院券（**図表2**）に退院当日の診療（処方，注射，処置，他科受診等）の有無を記載してもらうとよい。特に医学管理料や在宅医療の項目は，医師等が何気なく行っていることでも点数算定できることが多い。そのため，退院券に退院時に算定できる医学管理等（退院時リハビリテーション指導料や在宅療養指導管理料など）のチェック欄を設け，退院療養計画書・退院証明書の発行もれを再確認できるとさらによいだろう。しかし，伝票の複雑化につながる懸念もあるので，運用を工夫することが重要である。

ゼロシステム

図表1　リハビリテーション実施伝票

リハビリテーション実施伝票

令和　　年　　月　　日発症（起算日）
　　　　　　　　月　　日～　　月　　日

【理学療法】

		1	2	3	4	5	6	7	8	9	10	31
	15歳未満											
800300	心大血管疾患リハビリテーション　1単位											
800301	単位											
800302	早期リハビリテーション加算											
800303	脳血管疾患等リハビリテーション　1単位											
800304	単位											
800305	早期リハビリテーション加算											
800306	廃用症候群リハビリテーション　1単位											
800307	単位											
800308	早期リハビリテーション加算											
800309	運動器リハビリテーション　1単位											
800310	単位											
800311	早期リハビリテーション加算											
800312	呼吸器リハビリテーション　1単位											
800313	単位											
800314	早期リハビリテーション加算											
800315	ホットパック・水治・低周波・超音波											
800316	頸椎牽引・腰椎牽引											
800317	平衡機能検査											
800318	退院時リハビリ指導料											
800319	退院前訪問指導料											
401232	装具採型料、義肢装具											
401233	装具採型料、四肢切断											
401234	装具採型料、体幹装具											

【作業療法】

		1	2	3	4	5	6	7	8	9	10	31
	15歳未満											
800320	心大血管疾患リハビリテーション　1単位											
800321	単位											
800322	早期リハビリテーション加算											
800323	脳血管疾患等リハビリテーション　1単位											
800324	単位											
800325	早期リハビリテーション加算											
800326	廃用症候群リハビリテーション　1単位											
800327	単位											
800328	早期リハビリテーション加算											
800329	運動器リハビリテーション　1単位											
800330	単位											
800331	早期リハビリテーション加算											
800332	呼吸器リハビリテーション　1単位											
800333	単位											
800334	早期リハビリテーション加算											
800335	摂食機能療法											
800336	心理検査（容易）1											
800337	心理検査（容易）2											
800338	心理検査（容易）3											
800339	人格検査1											
800340	人格検査2											
800341	人格検査3											
800342	発達・知能検査1											
800343	発達・知能検査2											

（入院用）

図表2　退院券

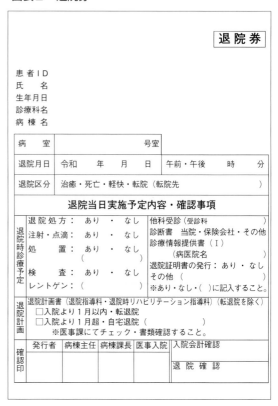

退院券

患者ID
氏　　名
生年月日
診療科名
病棟名

病室			号室

退院月日	令和　　年　　月　　日	午前・午後　　　時　　　分

退院区分	治癒・死亡・軽快・転院（転院先　　　　　　　　　　）

退院当日実施予定内容・確認事項

退院時診療予定
退院処方：　あり・なし　　他科受診（受診科　　　　　）
注射・点滴：あり・なし　　診断書　当院・保険会社・その他
処　　置：　あり・なし　　診療情報提供書（Ⅰ）
　（　　　　　　）　　　　　　（病医院名　　　　）
検　　査：　あり・なし　　退院証明書の発行：あり・なし
レントゲン：（　　　　）　　その他（　　　　　　　）
　　　　　　　　　　　　　　※あり・なし・（　）に記入すること。

退院計画
退院計画書（退院指導料・退院時リハビリテーション指導料）（転退院を除く）
□入院より1月以内・転退院
□入院より1月超・自宅退院（　　　　　　　　　）
※医事課にてチェック・書類確認すること。

確認印	発行者	病棟主任	病棟課長	医事入院	入院会計確認
					退院確認

Point 24　短期滞在手術の記録を医事課でも活かす

　外来での手術を行う際，患者さんに対し，手術後に起こりうる症状やその対処法等について情報提供を行う必要がある。その記録は医事課でも管理して，手術当日はもちろん，翌日以降の処置等の実施情報も確実に得ることで請求もれ防止や患者サービスにうまく活かすことができる。

3. 材料使用時の伝票

Point 25　使用頻度の高い材料には，材料伝票を作成する

　外科，整形外科，眼科等の手術材料や特殊検査の材料など使用頻度が高い材料については，あらかじめ専用の材料伝票を作成し，名称，カタログ番号，入力コード等を印字して，チェック方式にすると便利である。医師，看護師に自由に記入してもらうと，人により商品名が異なったり，必要な事項が記入されなかったりするので注意しよう。

Point 26　資材課との連携を図り，材料のラベルと一体化する

　医療材料にはラベルが付いているので，医療材料使用時には，必ずラベルを伝票に添付するようにす

るとよい。このラベルによって，血管造影，血管内手術の際のカテーテルや整形外科の髄内釘など，単価が高いものの請求もれを防止できる。

ラベルには，メーカー，商品名，規格，材料価格基準の分類等も記されており，メーカーへの問い合わせの必要が生じた際など，役立つことが多い。

高額な医療材料については納入書か購入伝票の写しをもらっておくなど，資材課との連携を図るとよい。その際には，資材課で材料価格基準の分類をしてもらい，細かな請求に対応することが有効である。

また，ラベルではなくバーコードに全情報をもたせておく方法も有用だが，「機器導入コスト」と「請求もれ防止によって生まれる利益」とのコストバランスを考えてシステムを導入する必要がある。

4．オーダリング導入施設における伝票

Point 27　投薬・注射は薬剤師がカルテを見て伝票記入を行う

オーダリング導入前の施設では，入院の投薬・注射については，薬剤師が，処方する際にカルテを見ながらコンピュータ上で伝票を作成する方法が有効である。

医事課での入力も，手書き伝票を見ながら行うより正確になるし，払い出し元が作った伝票であるため，もれの発生率が少なくなる。また，オーダリングを導入する際も，投薬の過去歴のデータ管理ができていることで，スムーズに進むだろう。また禁忌情報も判断できる。

薬剤師の人材とコストバランスを十分考慮し検討する必要があるが，今後，オーダリングや電子カルテの導入を考えている場合には，その前段階として導入する価値がある。

Point 28　部分オーダリングの施設では，伝票，会計カードをうまく併用する

オーダリングを導入している施設でも，放射線や生体検査等についてはまだ稼働していないなど，部分的導入であるケースが多い。未実施部分の診療については，伝票やカルテ，科別の会計カード（**図表3**）によって補わなくてはならないわけだが，いかに簡易に入力できるかという点と，オーダリングとの入力バランスを考えて伝票を作成する必要がある。また，将来的にオーダリング化されることを想定し，移行のしやすさも考慮して伝票や会計カードを作成する。なお，医療機関ごとに会計カードの必要事項は異なるので，適切な事項を考えること。

Point 29　オーダリング構築中の医療機関

オーダリングの完全導入には大変な費用がかかる。どの部分にオーダリングを導入するかを的確に選択して，紙（伝票）でのオーダとオーダリングシステムの同時運用の構築をすることが重要である。また，今後の自院の計画を加味して適切なシステム構築すること。

5．カルテの記入方法

Point 30　転記回数はできる限り減らす

カルテと伝票の使い分けがうまくいっていないと，両方に同じ内容を記入しなければならず，余分な手間が生じる。転記作業は，その回数が増えるほど記載もれ・転記ミスの原因となり，時間の無駄でもあるので，改善が必要だ。特に複数の人間が転記するような伝票は，なるべく少なくしたほうがよい。

図表3　会計カード

ゼロシステム

会 計 カ ー ド

患者No.	●●●●●●	再来

発 行 日	令和6年	7月	8日
生 年 月 日	昭和52年	3月	29日

氏 名　　△△　△△

性別　女

出 力 時 刻　　8：32

受付No.　9：00—0007

発行No.　0232—1

診療科名　内科

診療内容　診察

　　　　6歳未満・妊婦

保険者番号	保険区分
記 号 ・ 番 号	

確 認 日	年	月	日
最終来院日	年	月	日
前回退院日	年	月	日

	公 費 1	公 費 2
負担者番号		
受給者番号		

併 診	
科 名	受付番号

一部負担金	減免区分名称	委託区分名称

予約科コード

外来未収金1 ……………0　　　　入院未収金1 ……………0　　未収金合計1 ……………0

999999	《　手術その他　》	
334879	洗浄赤血球液–LR「日赤」200mℓ（　）袋	
339118	洗浄赤血球液–LR「日赤」400mℓ（　）袋	
999999	《　検査　》	
665195	血糖（日内変動）	回

999999	《　指導　》		
145005	在宅自己注射指導管理料		
000049	注入器加算		
999999	血糖自己測定		
140001	在宅酸素療法指導管理料		
999999	（SpO$_2$　　%PaO$_2$　　）		
000266	外来栄養食事指導料		
999999	《　他の機関よりの読影　》		
999999	単純・躯幹・四肢・造影・断層		
999999	CT・MRI		
999999	《　文書・診断書　》		
956003	診断書	通	
999999	診療情報提供書（Ⅰ）	通	通
000827	傷病手当金	通	
000499	紹介状持参　（あり）		

Point 31　カルテと伝票の機能分担を明確にする

　カルテに対して伝票はどういう役割を果たすのかがあいまいなまま運用されていると，うまい流れができず，無駄な作業やツールが生じる。

　重要なのはカルテの様式で，運用方法に応じて必要最小限の伝票を作成する。カルテには指示内容とその結果，治療方法を書く。検査や放射線は伝票を起こし，伝票の一片をカルテに貼付する。これにより指示内容をカルテに残すことができる。

Point 32　カルテ記入の補助として，ゴム印等を活用する

　カルテには診療パターンをゴム印で押せるように用意しておく。伝票の記載もれやカルテの読みとりによるもれが防止できるメリットがある。しかし，カルテ記載上，すべてゴム印で記入することが了承されているわけではないので注意したい。紙カルテの場合は，定型なし指導料の書式を作成し，コストとカルテの記載もれ防止に役立てることも考慮して作ることが有効である。当然，電子カルテであれば，定型のない医師別パターンを作成することも有効だ。間違っても画一的にはせず，患者個々の記載になるように注意すること。

　なお，カルテの読みとりについては，医師の文字が読みとれないものである場合には改善してもらう必要があるが，同時に医事課職員の医療知識の向上も不可欠である。また，電子カルテの記載フォーマット（テンプレート）は画一的にならないように注意すること。

Point 33　カルテに検査等の結果を記載する

　カルテに検査等の結果を書いてもらうことも検査等の請求もれ防止に役立つ。たとえ伝票がなくとも，カルテをチェックすることで，その項目を請求することができ，請求もれ対策になる。また，2016年改定では，レセプトへの検査値記入や投薬開始日記入が必要な項目が増えたが，さらに2020年改定でも記載するものが増加している。さらに，「他の検査で代替できない理由」を詳記する検査項目が設けられるなど複雑化しており，日々のチェックが必要不可欠となっている。

６．伝票の保存方法

Point 34　伝票類は１カ所に集めて保管する

　医事課で請求に使用するカルテ・看護記録・伝票等は，患者単位で１カ所に集めて保管する。点検を行う際，一元性という意味で有効である。医療機関によって保管方法は異なると思うが，いかに効率性を高めるかが重要である。

Point 35　伝票は捨てない

　医事で行うレセプト点検のときに入力済の検査伝票は必要である。請求が終わるまでは破棄しない。また，この伝票はレセプト点検後に破棄することになるが，こうした診療情報の廃棄にあたっては，個人情報保護法にも再度注意が必要である。

７．DPC・包括点数と伝票

Point 36　DPC導入を考える医療機関の伝票

　急性期病院としての生き残りを考えている医療機関においては，DPC導入を職員全体に認識させるための勉強会や，DPCに適した伝票の導入を，早急に構築しておくべきであろう。

　DPC準備病院であるうちに，院内への意識付けと今までの請求方法からの転換を十分検討する必要がある。DPC対象病院になったときには，確実なものが構築できていることが重要である。また，DPCへの参加は，診療報酬改定時だけなので，十分な検討を行う。また，病院群の再編も今後見込まれるので，次回改定時には確実な準備を行うこと。現在，DPC対象病院でない場合は，注意が必要である。

Point 37　包括点数を算定している医療機関の伝票

　回復期リハビリテーション病棟入院料，地域包括ケア病棟入院料といった包括点数での算定を行っている医療機関でも，包括されている点数項目の実施状況が具体的にわかるシステムを構築し，いかに効率よく利益を上げられているか，あるいは損失が出ていないかといった把握を可能にしておく必要が，今後ますます強まる。同様に，基本的に包括であるDPC対象病院では必要不可欠である。

　また，2024年改定で新設された地域包括医療病棟でも同様に，包括と出来高のチェックが必要である。

ゼロシステム

③ カルテ・伝票・レセプトのチェック

1. チェックの基本

Point 38 診療から請求までの流れは定期的にチェックする

　医師の指示した内容や診療内容のすべてが，伝票になって医事課まで来ていることが基本的に必要である。そのため，診療録→伝票→請求の各工程が的確に行われているか，その調査を時々行うことも必要である。

　具体的には，①診療録に診療内容が記されているか，②診療内容が伝票に記されているか，③伝票に記された内容を医事課が的確に請求しているか——を，診療録・伝票・請求内容（プリント）の三者の照合によってチェックするという方法である。

　いかなる方法（オーダリング，電子カルテ）を用いていても定期的なチェックは必要だろう。

Point 39 カルテは必ず医事課に回す

　診療報酬点数に疎い医師や看護師が伝票に記入するのだから，医事課の専門的なチェックを通さないで会計入力をしてしまうと，どうしても請求もれが生じる。伝票や会計カードだけではわからない，カルテを見なければわからない診療情報というものがあるからだ。そういう意味で，医事課にカルテが来ないということは怖いことである。

Point 40 入力後にミスがないかをまずは自分で確認する

　診療行為を入力したら，まずは，入力者自らが"正しく入力したか"を確認する。

　例えば，薬剤であれば，品名・規格・数量を正しく入力したかをチェックする。手術伝票であれば，術式・時間外加算・麻酔の種別・感染症加算の有無・術後の酸素吸入などを正しく入力したかをチェック。このような各項目を，各伝票，各会計カード等で確認する。

　これにより入力間違いや入力もれが防止され，レセプト点検の効率化につながる。オーダリング導入後のチェック体制の確立にも重要である。

Point 41 チェッカーを導入する

　"チェッカー"とは，カルテ内容と請求画面・伝票・会計カード（日計表，月計表）等を照合する役割の者をいう。

　照合により伝票や会計カードの記入もれを拾うだけでなく，保険請求上の不備の訂正，病名のチェックなども行う。また，カルテ読みとりに疑問点があれば診療部門へ問い合わせ，カルテの完備に貢献する。

　保険請求に精通したスタッフを充てる必要があるため人材確保が難題ではあるが，今後，医事課出身の診療情報管理士を養成することで，カルテ管理とチェッカーの役割を同時に担える人材を確保できるのではないだろうか。病院によっては，診療情報管理士がカルテを見て内容をチェックし，医師にフィ

ードバックするようなシステムが実行されており，今後特にDPC導入を検討する医療機関では必要不可欠である。

　なお，チェッカーのレベル維持とレベルアップのための取組みにも力を入れなくてはならない。また，改定ごとに通知が多くなっているので，その読込みが必要である。

　また今後，支払側のチェックではAIも導入されていくと思われるので，こちらも対応を考える必要があるだろう。

Point 42　チェック者の能力を引き上げる

　請求もれが多いか少ないかは，医事課のチェック者の能力と，チェックにかける時間によるところが大きい。請求もれチェックには，医療に対する知識が不可欠であるから，これからの医事課員は医療の側に近づいた勉強がさらに必要となるだろう。院外・院内の勉強会への参加・実施を計画的に行うことなどが求められる。

　能力のある人は，レセプト紙面を見るだけでおかしい点に気付く。紙面で確認して，おかしいところだけ画面に戻ってみるようになれば，時間的ロスも減る。チェッカーのみによるチェックだけでは不十分な場合もある。

２．効率的・効果的なチェック方法

Point 43　ポイントを絞ってチェックする

　レセプト点検をする際にポイントを絞ることは，時間効率の面からも有効である。

　例えば，注射に関し，高濃度の薬剤（高カロリー輸液）を使用している場合はIVH（中心静脈栄養）だが，低濃度だと注射手技が判断できないこともある。IVHと点滴では点数がずいぶん違い，チェックする意義もあるので，伝票に戻って確認する。

　このようにチェックポイントを絞れば，医事課の経験が少なくレセプトチェックに慣れていない人でもチェックが可能となる項目があるので，工夫次第で人材の有効活用になる。

　また，医事課職員のレベルアップを，事例等をとおして行っていくことも重要である。

Point 44　もれやすい項目は，算定患者リストを打ち出して，照合する

　レセプトの請求作業が始まる毎月初めに，初診の時間外加算，入院患者の救急医療管理加算・時間外緊急院内検査加算・時間外緊急院内画像診断加算等の算定患者リストを打ち出して，チェックする方法もある。

　これらの項目は併算定することが多い。各項目算定者リストを並べて，患者名の重複を確認するとよい。ここで名前にもれがあれば，算定もれの疑いが高いということになるので，改めてレセプトに戻って請求もれの確認を行う。

　ただし，この方法は人手がかかり時間効率が悪い等の指摘もある。

Point 45　薬局の払い出しと請求分を突き合わせる

　入院で使用している薬剤については，使用量が多いものを中心に，月に払い出された分のリストを出し，薬局の払い出しと請求分の突き合わせを行って，請求もれをチェックする。

ゼロシステム

Point 46 仮レセプトを打ち出す

仮レセプトを出力し，それで確認する方法は有効。実際，導入している施設は多い（カルテチェックを行っている医療機関では少ないだろうが）。

医事課員の目は実際のレセプトの形に慣れている場合が多く，コンピュータ画面ではイメージが湧かず，判断が鈍ることがあるからだ。仮レセプトでこうしたミスを減らすことができるだけでなく，月末直前に打ち出すケースが多いので，間違いがなければそのまま本レセプトにすることも可能である。

一方，費用がかかり，ゴミが出るというデメリットもある。仮レセプトを打ち出すメリットとコストのバランスを十分考慮すること。なお，もちろん仮レセプトはただの"ゴミ"ではない。廃棄の際は個人情報に十分な注意が必要である。

Point 47 連続性をチェックする

レセプトは，連続性を見ることも重要である。ある特定の日だけ抜けがあったら，それはおかしいと思って確認するべきだろう。例えば，入院において，ドレナージが1日だけ抜けているような場合は間違いなくもれだと考えられる。

連続性を確認するためには，1カ月分全体の流れを見ることが重要である。手書きレセプトの場合は，会計カード等で連続性を確認する。

なお，このチェック方法は，「創傷処置」の術後等，算定日数に限度があるものの確認にも有効である。

Point 48 担当以外のレセプトをチェックし合う

基本的に自分が入力したものは間違っていないと思いがちだが，必ずと言っていいほどに凡ミスはあるもの。レセプトのチェックに担当者を決めている場合は，必ず入力者以外の人によるチェックが必要である。

担当を替えてチェックを行うことは，請求不備・もれ等の確認だけでなく，双方にとってよい刺激にもなるので大事なことだと思われる。

Point 49 医療の内容を理解する

医療の中身を知っていればレセプトやカルテの問題点を見抜き，不明な点を医師等に質問することができる。中身が理解できていなければ，誤入力や誤転記といった表面的なミスしか見つけ出せないだろう。

3. 医事課以外の職員によるチェック

Point 50 薬剤師が処方箋とカルテを突き合わせてチェックする

外来において処方箋が出たところで，薬剤師がカルテと照合して間違いがないかをチェックする「処方監査」を行っている医療機関も多いが，これにより，禁忌・長期投与などもチェックすることができる。長期投与の規制が緩和されて以降，薬に対する内容チェックなど薬剤師本来のチェック機能が重要になっている。特に2012年度より始まった突合点検，縦覧点検により査定されることもあるので，徹底したチェック体制を構築する必要がある。

Point 51　担当医師による毎日のレセプトチェックを

　仮レセプトを，担当医師に日々チェックしてもらう方法もある。仮レセプトを医師に渡す場合には，その日の診療行為（検査，投薬，注射等）をソートしてプリントアウトする。十分有効な方法ではあるが，医師の時間的余裕といった別の問題もありそうだ。

4．コンピュータの活用

Point 52　コンピュータで，請求もれをチェックする

　今後，電子カルテを導入する医療機関では，クリティカルパスやコスト管理も含めた総合的なシステムを構築することが勧められる。縦覧点検に対応して，6カ月程度の期間のチェック対策をコンピュータでチェックできるとよい。

Point 53　パソコン等使用のチェッカーの導入

　レセプト電算データを使用した，パソコンシステムによるレセプト点検を一次点検として導入することも，①人材不足，②省力化，残業時間の減少，③人間の眼によるチェックもれ——に役立つのではないだろうか。支払側（保険者）では，パソコンシステムによるチェックを導入している。また，支払基金を中心として，幅広い電子チェックが進んでいる。レセプト電算導入時やオーダリング導入時に検討をしてみるとよいだろう。人の目によるチェックだけでなく，システムチェックの精度も上げていく必要がある。

　人件費とのバランスを考慮して導入し，より精度の高いレセプト提出になるようにすることが重要である。

Point 54　オンライン請求の導入の義務化（磁気電算処理）による審査機関のレセプトチェックの厳格化

　コンピュータシステムによるレセプトのデータチェックが可能になったことで，レセ電算での平均請求額等もわかるようになっているので，自院で蓄積したデータや，全国の施設と比較可能なデータを使用し，自院についての細かな分析を行うことは必要不可欠である。

　全医療機関がオンライン請求になったため，今後，審査の厳格化が進んでいく。6カ月の縦覧点検やコンピュータシステムのレセプト点検が導入されており，自院での分析を行い対応策を立てる必要がある。

　また，支払基金，国保連合会のホームページでは，請求に関する注意事項やルールが公表されているので，活用してもらいたい。

Point 55　DPC対象・準備病院

　厚生労働省のホームページでは，各調査データが公表されており，自院の分析にも有効に活用できる。同じ疾患でも治療内容のどこが違うかを確認することが，本質的なコストもれ防止策としても有用である。2年間の準備でシステム構築もしていくことが重要である。

ゼロシステム

④ 医療者のカルテ・伝票の記載方法等の改善

1．医師

Point 56　指導を行ったら，必ずその旨をカルテに記載する

　指導管理に関する行為をカルテに書くことを徹底させることが重要である。医事課からのアピールが大事である。

Point 57　病名を必ず入れる

　疑い病名は，疑いが晴れた場合は，転帰欄を「中止」にする。確定した場合は，日付はそのままで「疑い」を消す。疑いが晴れた場合でも病名は残しておかないと，実施した検査が減点されてしまう可能性があるので注意する。

　また，「部位不明・詳細不明コード」（9コード）での分類やワープロ入力の傷病名も減少させること。

Point 58　保険請求上の術式名を書く

　聞いたこともない術式やオリジナルな術式名称を使う医師もいるが，カルテには保険請求上の術式名を書くよう教育を徹底する。また，点数表は医事課職員に配付するだけでなく，手術室にも置く等の配慮をし，点数表を常に確認してもらうようにする。

Point 59　複数手術・複雑な手術には術式の詳記が必要

　複雑な手術には，必ず手術内容の詳記を添付することも必要である。なぜ，2つの手術が必要だったのかが支払側に伝わるようにする。また，コストもれとは別の話だが，年間の手術件数を把握しておくことも，今後の施設基準の取得を考えたり自院の位置づけを知るうえで重要である。

2．看護師

Point 60　看護師の伝票記入法を統一する

　伝票への記入は，看護師が行うことが最も多いので，記載の統一は医師以上に，看護師に徹底すべきである。

　薬剤はどう記載するか。材料はどこに書くか。欄がいっぱいで書ききれなくなったときはどこに書くか等を統一する。

Point 61　看護記録もチェック方式にする

　温度板に，食事や排便の状況，基本処置などの項目があらかじめ全部印刷されていて，看護師はチェックするか数字を書き込むだけで済むものがある（図表4）。こういった書式を使うとチェックも簡単だ。また，オーダリングや電子カルテの導入時にも，こういうシステムが構築されていることが重要である。

　なお，書式は1週間を見通すことができるものが望ましい。

3. その他

Point 62　医師と看護師，コメディカルの医療行為記録は同じところに記入する

　看護計画が書かれたカーデックスがカルテと一緒にないと見落しが発生する。リスクマネジメントの面からも，すべての記録を同じ場所に記載していく方法が採られてきている。

図表4　温度板（体温表）

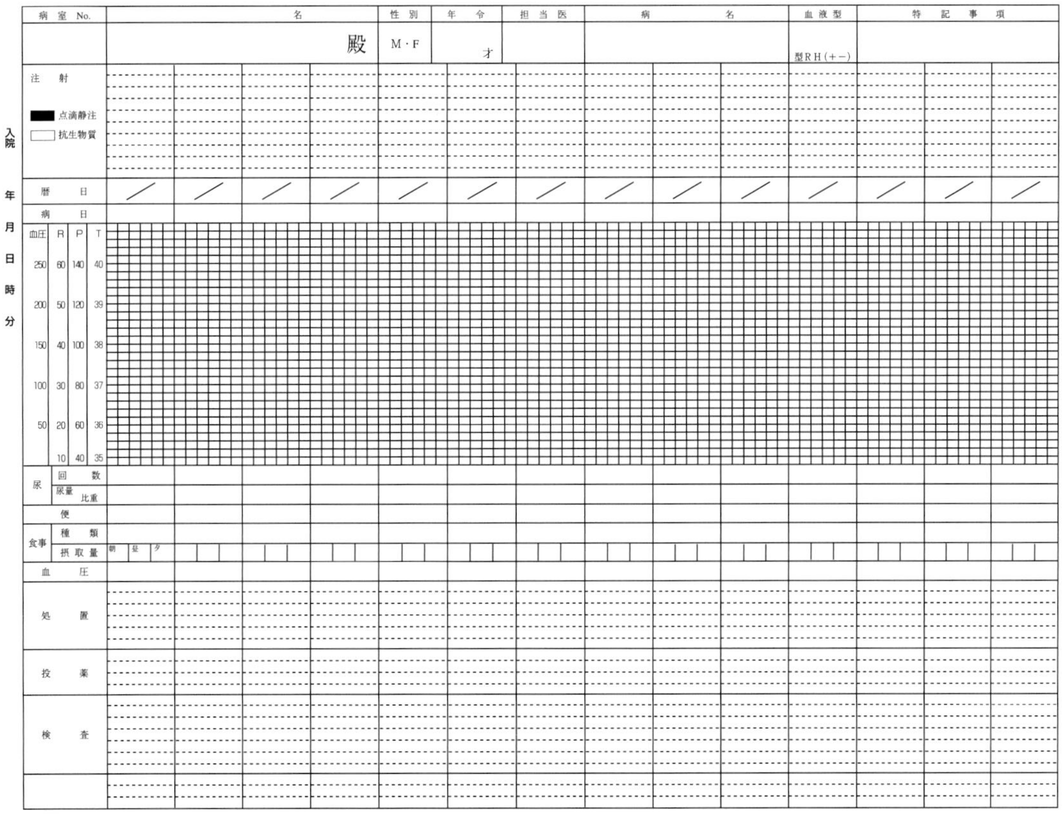

ゼロシステム

5　薬剤・材料の在庫管理システム

1．薬剤管理システム

Point 63　「注射薬1本渡し方式」で，払い出し・使用・請求を一致させる

　翌日に使う注射薬のオーダーを前日の夕方に締め切り，薬剤科が薬品を揃えて病棟に搬送する「注射薬1本渡し方式」を採っている医療機関がある。オーダーのあったもののみを渡し，オーダーと払い出し・使用と請求を一致させることで，請求誤りともれ防止が目的だ。

　ただし，例外的に緊急に使用する薬については定数配置をするなどして，緊急時にも対処できるようにする。

Point 64　「病棟定数」を把握し，在庫の無駄をなくす

　薬剤の「病棟定数」等の管理により，在庫の無駄をなくすことも請求もれ防止につながる。

　「病棟定数」とは，一定期間に病棟で使用する薬剤と材料の種類（臨時処方箋や臨時注射箋）のことで，「薬局定数」は定期の処方箋や注射箋。これらを把握していないと，近くにあれば便利というので大量の薬剤と材料を病棟に置きがちである。その結果，購入ばかり増えて，使用がないデッドストックが増えてしまう。定数を把握すれば，薬局に何をどれだけ置けばいいかもわかる。1〜2日の量と種類が把握できれば，定期的に補充すればよく，最小限の在庫で済む。

　請求もれと定数管理を行う等の構造を変化させることが重要である。

2．保険医療材料管理システム

Point 65　高額な品目を中心に管理する

　医科の特定保険医療材料には告示として229項目（2024年9月1日現在）あるが，実際には少数の品目が売上げの9割を占めているものである。それらの品目について，重点的に在庫の棚卸しをし，数字が合わなければ使った患者をピックアップしてチェックすると効率がよい。

　高額薬剤については，薬剤師が中心になって管理すると機能的ではないだろうか。実際は各医療機関の実状に応じて高額な品目のもれを防ぐことが重要である。

　一方，高額な材料は資材（用度）課でチェックさせる方法もある。材料にはシールが貼ってあるが，払い出されたらシールを伝票に貼ってもらい，伝票にシールが貼ってあれば使ったことになる——といった仕組みを作るなど，他課にも協力してもらうとよい。

Point 66　購入時には製品説明を受け，情報を共有化する

　新しい検査機器などを購入したときには，それがどのような検査をするものか，どのように使うのかといった点について，医事に知らせる体制が必要である。

　特定保険医療材料についても，どういう手技で使う材料かを知っていれば，伝票やカルテに材料の記

載がない場合の確認の目安になる。

Point 67　材料は一部をSPD方式で管理

　医療機関によっては，業者委託により，全部もしくは一部をSPD方式（Supply Processing and Distribution: 物流管理の中央化，外注化）で管理している医療機関がある。使用に際しては，材料についている商標ラベルを利用する。ラベルと伝票を突き合わせてチェックする。

　なお，このラベルだが，伝票に貼ったり患者ごとに袋に入れるなど，施設によって様々である。手間と効果を考え，よりよい方法を採ればよいだろう。

Point 68　在庫管理システムとオーダリングシステムをドッキングさせる

　在庫管理システム（払い出しシステム）とオーダリングシステム（発生源入力方式）をつなげると，材料の請求もれは1％になるというシミュレーションがあるが，これには導入費用がかかる。

　バーコード対応をしていても，もれは5％あると言われているので，システム導入のメリットは高そうだが，システム導入コストともれ減少による収益増のバランスが取れていないと意味がない。

Point 69　材料は必ず資材（用度）課を通して購入

　材料を購入する場合は必ず資材（用度）課を通して購入するようにしたい。

　医師が勝手にメーカーに連絡して材料を購入する医療機関もあると思うが，伝票が回ってきた際，医事コードがない材料が記載されていると，請求の有無を確認するだけで時間をとられてしまうという問題がある。

　材料メーカーにも医師から直接依頼があった場合は，資材課に連絡するように依頼しておくとよいだろう。

Point 70　材料の更新・新規登録は資材（用度）課に任せる

　材料マスターを利用している場合，材料の更新・新規登録等はすべて資材（用度）課に一任したほうがよい。新しい材料が入った時点で医事のマスターにも登録されるようにするなど，医事課との機能分化を図る。

ゼロシステム

⬦**6** 院内の組織改革と職員教育

1. 全職員へ

Point 71　診療報酬改定時にはしっかりと説明会を開く

改定時の説明会を十分に行うことが重要である。また，変更内容があれば，リアルタイムに勉強会を行い，速やかに各部署，各診療部に伝達することである。できれば，各部署へ「診療報酬点数表」の配布も行うとよい。また，最近の改定では，疑義解釈が多く出るので，その注意も必要である。

今後ますます増えるであろう施設基準に対する適時調査等についても全職員に周知する。厚生局のホームページには，過去の適時調査に関する資料が掲載されている。院長をはじめ，各所属長に必ず目を通してもらえるようにする。対応を誤ると，適時調査や個別指導等へとつながる場合もある。

Point 72　制度変更時は，資料を配付し言葉で説明する

病院の方針が変わったときや点数改定時には，資料を回したりミーティングを行ったりすることが必要である。全職員に対し，細かな内容を口頭と資料で同時に説明することが一番わかりやすい。

Point 73　コスト意識をもたせる

「コスト意識」は請求もれ防止の第一歩だ。各医療行為がいくらになるかわかってもらうため，病棟に主な診療行為の点数を張り出す。医師のなかには「保険医」としての認識がない人もいるので，保険医としての教育を行う必要がある。『レセプト総点検マニュアル』（医学通信社）等が参考になる。

Point 74　トップの姿勢が影響を与える

もれ防止には，発生源の医師の意識が大事である。それを仕切るのは病院長である。トップがどのような姿勢で臨むかで，他医療機関との差が出ると言えるだろう。

Point 75　診療部門や他の事務部門との連携が大事

医師，コメディカル部門，看護部との連携を高めることが必要である。また，事務部門でも資材（用度）課等から医事課へ連絡するシステム作りをすることも大切だ。

2. 医師に対して

Point 76　非協力的な医師，コメディカルも巻き込んでいく

保険検討会など院内の勉強会を，あえてそれに非協力的な人を委員長に据えることで関心をもってもらうというのも一つの方法だろう。

「患者の治療に役立つ」,「自分も楽になる」という2点が医師にとってのキーワードである。それをデータで示して納得してもらうことが必要不可欠である。医師の多くはデータをみれば納得する。

Point 77　算定状況を調査し,結果を数字で示すことで理解を得る

例えば,退院患者のうち退院前訪問指導料の算定要件となる1カ月を超えて入院した人は何人いたか,それに対して実際何件請求したか——など,月々の算定状況を診療科別に出し,保険検討会などで公表することで,医師の意識づけを高めることができる。

また,他の医療機関で作成したエックス線フィルムの診断料やCD-R化された画像データ等の算定状況についても,科別に示すことで,伝票への記載を促す効果がある。

Point 78　病名欄に医学管理料算定可の意味の印を押し,認識させる

医学管理料が算定できる患者のカルテ病名欄に,医学管理料を示すマークを付けて医師に認識させるのも一つの案である。例えば,難病外来指導管理料の対象疾病なら(難),ウイルス疾患指導料なら(ウ)のハンコを押すなどして,医師に認識をもたせること。

Point 79　医学管理料一覧表を作って医師に配付する

どういう主病のときにどの医学管理料が算定できるのかという一覧表を医師に配付することで,診療録の記載を促し,もれ対策とする。また,悪性腫瘍特異物質治療管理料や特定薬剤治療管理料のように,検査との区別がつきにくい医学管理料については,説明文も必要である。

Point 80　定期的な算定が認められている検査は実施を促す

定期的に算定が認められている検査等については,項目別に一覧表を作成し,保険検討会などで配付する。医学的にみて月1度は検査が必要だと認められているからこそ点数がついているわけで,「必要がないからやらない」というよりは,「定期的な検査をすべき」という解釈を理解してもらうべきだ。

また,薬剤によっては,検査を定期的に施行していない場合,漫然投与と判断されて薬剤が減点されることもあるから,それについても実例を挙げて説明する必要がある。これらを行わないと縦覧点検での査定となることも考えられる。また,向精神薬等の漫然投薬への対応にも注意したい。

Point 81　医師には個別対応を

集めて一斉に教育しようとしても,なかなかうまくいかないのが医師だと言われている。保険委員会などで発表するのと並行し,症状詳記等のコメントを書いてもらうときには,それがなぜ必要なのかという理由を書いて渡すなど,一つひとつフィードバックしながら,個別に教育していくことが効果的だ。

Point 82　DPC対応課の設定

DPCは医事課だけで導入できるものでなく,診療情報管理室等と連携して導入することになる。そこには,医師,看護師の協力は不可欠であるし,薬剤部による薬の管理の仕方も重要である。病院全体で導入準備を行い,対応することが大切だ。この細かな組織作りがコストもれ防止への近道となる。

また,DPCのコード決定は医師が最終確認者であるが,医事課と診療情報管理室が連携するか,もし

くはまったく別の課を設けてチェックする必要があるDPCでは，病名のつけ方によって算定する点数が異なる。診療行為が正しく入力されていなければ，正しい病名が判別できない。

　なお，DPC実施時は，退院患者の対応を考慮し，医療連携や在宅医療の充実を図る必要がある。

3．看護師へ

Point 83　看護師長会へ報告する

　明らかに看護サイドの記載不備によるもれだというものをピックアップして，看護部長（看護師長）に毎月提出し，数カ月に1度，看護師長会等で報告するとよい。病棟ごとに時系列でもれ状況を表にして示すことで，どの病棟の成績が悪いか一目でわかるし，その推移から努力の結果も読み取りやすい。看護師長を通して看護師へ伝達されることにより，看護師個々へのもれの意識づけになる。

　また，重症度，医療・看護必要度のチェック体制の構築も忘れずに行いたい。特に，Hファイルについての精査を依頼すること。必要度Ⅱへの流れのなかで，具体的な行為は，データとして表れることになる（人による判断のずれがなくなる）。

Point 84　看護師にレセプトを見せて知ってもらう

　看護師はレセプトを見る機会が少なく，診療報酬を知らないことが多いが，レセプトを見せると興味をもち，結構熱心に見る人が多い。日常行っている自分のどんな医療行為が算定できるのかに関心をもってもらったうえで，それでは伝票にどう書けばいいのか，と話を進めると理解を得やすいだろう。医事課としては，看護師にどうやって請求に興味をもたせるかが課題である。

4．医事課員へ

Point 85　請求もれを統計的に示す

　請求もれは数字にしにくいが，医師には数字で訴えないと効果がない。何か目に見えるものを出すことが重要である。例えば，「レセプトを調べた結果，特定疾患の病名が全体で○件あったが，実際に医学管理料が請求されたのは○件だった」というように，具体的な項目について数字を入れて示す。数字にしにくい材料のもれについても，せめて，払い出しと請求の差くらいは提示して，伝票に「材料シールやバーコードシールを忘れずに貼ること」等を促すことができるようにすることが必要だ。

Point 86　他医療機関の数字も提示

　院外の医療事務勉強会や各種データバンク等で他院のデータを収集して，自院のデータと比較分析できるようにすることは，今後の医事課では大変重要な役割になる。現在，DPC病院はほとんどのデータが公開されている。

Point 87　医事課と医療者のコミュニケーションで

　医師と積極的にコミュニケーションをとろう。ある程度臨床の知識をもったうえで質問すると，いろいろと教えてもらえるようになる。コミュニケーションは「もれ防止」につながる大切な手段である。

Point 88　チェックの結果は院内の勉強会に活用する

　チェックの結果,不備があったレセプトは,請求後に検討勉強会を開いて,担当者に発表させる機会を与えるとよい。全体の知識の向上や個々のレベルアップに役立つ。

Point 89　診療報酬に対する十分な知識を得る

　請求もれ防止の基本は,まず,医事課員が診療報酬について十分な知識をもっていることだ。日頃から点数表をよく読み込んでおく必要がある。

　医療機関は医事課員に1人1冊,点数表を配付するなどし,個々人が点数表を読める環境を整えるべきだろう。そこから先は個々の勉強いかんによることになる。また,点数改定後も細かに変更があるので,厚生労働省のホームページ等で常に新しい情報を得ることも忘れないようにしたい。また,外部の他医療機関を含めて情報を得ることも忘れずに。

Point 90　コンピュータに頼りすぎず,点数表を見る習慣をつける

　電算化が進み,点数表の知識がなくても業務を行える医事課員が多くなってきている。しかし,それはただコンピュータの操作ができるだけであり,細かな内容を理解しているのではないため,例えばマスターの間違いに気づかず,請求もれを引き起こしているケースも多い。また,将来的に管理者になれる人材が一握りになってしまう懸念もある。

　対策としては,手書きレセプトの練習を勉強会などでやること。また,点数表を見る癖をつけること。そして,どういうものがもれやすいかを理解させるために,レセプトと伝票類との突き合わせを行うなどして練習することが大事だろう。

Point 91　職員のモチベーションを高める

　個々のレベルアップには,いかにモチベーションを高められるかが課題となる。そのための手段として,診療報酬請求事務能力認定試験など,公的試験に合格すると月々の手当を支給するという方法を採っている医療機関もあるようだ。業務に対する知識を得るだけでなく,受験が実力を知る尺度にもなり,また一つのことを達成する経験をすることもできる。

Point 92　診療情報管理士の資格取得

　DPC対象病院はもちろん,出来高請求の病院もDPC導入を視野に入れておくべきである。その際,医事課員も診療情報管理士の資格を取得していると,たいへん役立つ。医療機関としても,資格取得へ向けた職員の育成,サポートが必要である。医事課職員に,どれだけの診療情報管理士がいるかも,今後の生き残りの重要なポイントになるのではなかろうか。

Point 93　介護保険について

　これまで医事課では医療保険に絡む業務が中心だったため,介護保険のことを知らない職員も多いが,地域包括ケアが推進され,医療と介護の緊密な連携が求められるなか,介護保険・介護報酬に関する知識も必要不可欠である。2024年同時改定での介護報酬改定の情報など,今後の流れも把握しておきたい。

◇7 人員基準・施設基準見直し

Point 94　人員基準見直しは医事課が発信する

　各人員に関係がある各施設基準を医事課が発信すべきである。看護部からそういった情報や意見を引き出し，医事課で試算し，3カ月平均を出すなど数字にして把握することが大切である。

Point 95　シミュレーションで検討

　人員基準，施設基準は病院の現況と照らし合わせて確認する必要がある。シミュレーションを行い，包括点数と出来高点数を比較して検討することも，医事課として必ず実施していかなければならない。改定前後は慌ただしいため，いかに短時間で正確なシミュレーションができるかも大切である。

Point 96　人，もの，場所を常に意識する

　看護基準などの「人」，機械や設備などの「もの」，それに「場所」を常に意識し，いかにしたら施設基準をクリアできるかについて考えることが重要である。ただし，無理をしないこと。

Point 97　診療報酬改定時には施設基準を熟読すること

　点数改定時には，施設基準を熟読して理解し，多くの施設基準の取得を目指すことが重要である。
　施設基準に関しては，適時調査や個別指導を想定し，保険診療のルール（健康保険法），療養担当規則，診療報酬に定められた要件をすべてクリアされていることを常に注意すること。
　また，厚生労働省の事務の簡素化に伴い，ほとんど人員異動届出をする必要がなくなったが，これは自院での管理が必要になったということなので，続けて注意が必要である。

Point 98　マーケット調査をする

　一般企業では当たり前に行っているマーケット調査。医療機関でも，診療圏の住民の年齢層，入院・外来別での患者来院状況等の把握が必要不可欠である。

Point 99　医師別・手術別等の点数（平均点）を他院と比較する

　診療平均点を医師別，手術別等で出し，それを他院と比較することで，自院の診療環境や診療水準を把握できる。こうしたことが，施設基準見直しの参考になる。

Point 100　平均在院日数や稼働率等のデータを整備する

　平均在院日数やベッド稼働率，1床当たりの診療報酬——等の数値は，すみやかに情報を出せる状態にしておくこと。今後は，より詳細なデータ収集と解析能力が求められる。厚生労働省等から公表されているデータとの比較が必須となると思われる。

第2章
レセプトチェック技術

▶▶▶限られた時間のなかで，すべてのレセプトをチェックするのは無理があります。注意して見るべきポイントがわかっていれば，効率的に間違いが見つけ出せるでしょう。そのポイントをまとめました。

① レセプトチェックのための重要ポイント50

この章では，レセプトチェックをするときの基本的なポイント（視点）を挙げていく。

まず，①では，レセプトチェックで確認しておくべき重要ポイントについて述べる。

次に，②において，請求もれを見つける細かいチェックポイントについて述べていきたい。

最近はレセプト電算化の影響もあり，レセプトチェックシステムを導入する医療機関が増加している。

チェックシステムを使用するにあたり，点数算定のルールはもちろん，医学的な判断基準も必要となる。その基準として，この章の内容を理解してもらいたい。

1. 2つの側面から行うレセプトチェック

レセプトチェックは，「診療報酬＆記載要領に沿ったチェック」と「診療内容に沿ったチェック」の2つの側面から行わなければならない。

「診療報酬＆記載要領に沿ったチェック」とは，①診療報酬上で定められたルールに沿った点数の算定をしているか，②「明細書の記載要領」で規定された内容に沿った記載がなされているか——を確認するものである。

一方，「診療内容に沿ったチェック」とは，傷病名，診療開始日と摘要欄から推測される「診療内容」とレセプトの内容が一致しているかどうかの確認である。

2. 診療報酬＆記載要領に沿ったレセプトチェック

多くの医療機関では，医事会計用のレセプトコンピュータ（以下レセコン）やオーダリングを導入しているため，診療行為を入力（選択）すれば自動的にレセプトができあがって印刷されてくる。例えば，検査項目を入力すると，その検査に付随する検査判断料が併せて算定・記載されたり，点滴薬剤が入力（選択）されれば，年齢や量に合わせた手技料が自動的に算定・記載される——といったような具合だ。

そのため，ここでは，「摘要欄に記載する順番」や「算定項目の書き方」についてではなく，レセプトから判断できる「点数算定上の誤り」や「コメント不足」，「単純な回数の誤り」——等を中心に述べていきたい。以下に掲げる項目は，それぞれが重複している部分もあることを承知願いたい。

 Point 1　レセプトの頭書きの誤記載はないか＝算定誤りや返戻につながる可能性がある

保険者番号，公費番号，受給者番号，氏名，性別，生年月日の記載もれがないことを確認する。年齢による事項（負担金上限額など）や，単純な性別誤り，負担割合の誤りなどが多く見受けられるが，これらの間違いは算定点数や加算点数，一部負担金の間違いにつながるだけでなく，返戻の対象となるので注意したい。そもそもは，保険証からの転記（特に負担割合），入力ミスによるものが多い。

Point 2　主傷病が明らかにされているか＝今月の最重要病名はどれか

複数の傷病名がある場合は，主傷病と副傷病が区別されていなければならない。その表示の方法としては，①主傷病と副傷病の間を点線で区切る，②主傷病名の前後に（主）と記載する，③主傷病名を○

で囲って明らかにする――などがある。主傷病はDPCの請求とは異なり1つである必要はなく，DPC対象のレセプトを除いて入院患者のレセプトでは複数の主傷病名が必要になることがある。DPC対象レセプトの場合，コーディングと傷病名の不一致がないかを再度確認すべきである。

　なお，DPCレセプトにおける主傷病名は必ずしも医療資源最傷病名と一致するとは限らない。DPCレセプト上の主傷病名は一入院期間における臨床経過上の主傷病となるためである。したがって，どちらかというと医師が記載する退院時要約（サマリー）の主傷病名に近いと言える。以下の例で言うなら，基礎疾患の気管支喘息がDPC上の主傷病となる。

> **【例】**：気管支喘息の基礎疾患のある患者が，気管支肺炎を併発し入院したような場合は，2つの傷病名とも主傷病と考えられる場合もある。DPCの場合は医療資源を多く使用したもの（このケースでは気管支肺炎）が主とする。

　なお，主傷病は，月ごとに変更されてもよく，前月のものと異なっていてもかまわない。ただし，DPCの場合の医療資源最傷病名（コーディング）の変更は，会計に直結するため注意願いたい。

Point 3 疑い病名の診断がなされているか＝2カ月続けて確定診断が出ないというのは考えにくい

　傷病名欄に，疑い病名（〜の疑い）や症状・状態（〜痛）の記載が残っていないかをチェックする。

　疑い病名や症状・状態の記載は，検査等の結果が出ていないために確定診断を付けられない患者に対して用いる。速やかにその傷病名の確定や症状の原疾患を診断しなければ，治療方針を立てることができないことを考えると，疑い病名や症状・状態の記載が傷病名欄に長く残っていることはない。

　何かを疑って検査をしたが，特段の異常が認められなかった場合は，転帰欄に「中止」と記載するか，月をまたいでいる場合には疑い病名自体をレセプトから削除する方法をとり，余計な傷病名が傷病名欄に残らないようにしなければならない（図表1）。

　傷病名が多いレセプトは，重点審査の対象となってしまうため，できるだけ傷病名の少ない（すっきりした）レセプトにしておくことが必要である。

図表1　疑い病名がある場合の記載例

レセプト（令和6年5月分）

傷病名	診療開始日		転帰	保険	診療実日数
（1）アレルギー性鼻炎（主）	（1）	6年　5月　7日			1日
（2）聴神経鞘腫の疑い	（2）	6年　4月　2日	中止	公費①	日
（3）伝音難聴，左耳垢栓塞	（3）	6年　5月　7日		公費②	日

Point 4 当月治療を行っていない傷病名は記載しない＝病名整理を行う

　一般的に短期間で治癒する傷病名が何カ月も残っていないかを確認する。また，当月治療を行っていない傷病名はレセプトの傷病名欄に記載する必要がない。入院のレセプトになると，当月には治療行為がない傷病名が残っていたことが原因で減点や返戻を受けることがよくある。

　傷病名整理がされていない医療機関はレセプト点検をしっかり実施していないとみなされ，審査機関において要注意医療機関として審査がきびしくなる恐れがあるので注意が必要だ。

> **【例】**：上部消化管出血の病名がついている患者に，プリンペラン（消化機能調整剤）という注射薬を使用し，減点される例がある。プリンペランという注射薬には，消化管出血，穿孔や器質的閉塞のある患者に対しては使用してはならない（いわゆる禁忌）との制約があるために減点されたものだった。この事例では，上部消化管出血が当月治癒したのであれば病名転帰欄にその日付を記入し，前月のうちに治癒していたならば当月のレセプトには傷病名を載せなければよい。

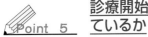

Point 5　診療開始日と初診料の関係が正しいか＝古い傷病名は正しく処理されているか

　初診料を算定しているのに傷病名欄の診療開始日がその月以前になっていると，返戻の対象となってしまう（図表2）。以前治療していた傷病がすでに「治癒」もしくは「中止」になった後，再び診療を開始したために初診料を算定したケース。この場合，初診料の算定は可能だが，前回の傷病名について転帰欄に「治癒」や「中止」の記載・登録を行わなかったために生じたものである。今回の受診日を確認し，新たな診療開始日の記載が必要である。

図表2　診療開始日と初診料の関係が正しくないレセプト

レセプト（令和6年6月分）

傷病名		診療開始日		転帰	診療実日数	保険	1 日
（1）アレルギー性鼻炎（主）	（1）	6年　6月　7日				公費①	日
（2）急性上気道炎	（2）	6年　5月　2日				公費②	日
（3）伝音難聴，左耳垢栓塞	（3）	6年　6月　7日					

⑪	初　　診	時間外・休日・深夜	1回　　291点	公費分点数
⑫ 再診	再　　診	×	回	
	外来管理加算	×	回	
	時　間　外	∨	回	

6月に初診料が算定されているのに，
診療開始日が5月になっている

レセプトチェック技術

ポイント
チェックリスト
指摘事項

Point 6　診療実日数と基本診療料の回数がイコールであるか＝基本診療料がもれなく入力されているか

　基本診療料とは，初診料，再診料，入院料等のことをいうが，原則的に，この基本診療料の算定回数と診療実日数はイコールでなければならない。

　外来レセプトで診療実日数と初・再診料の合計数に違いがある場合として，①同一日に初・再診を行った場合の同日再診，②外来で訪問看護指示料等を算定した場合（再診料を算定できない）——などが考えられる。基本診療料と算定回数が異なるケースでは，摘要欄にその理由等のコメントを記入したほうがよい（記載事項が規定されているものもある）。

　一方，入院レセプトでは，外泊がある場合を除き，必ず診療実日数と入院基本料や特定入院料の合計がイコールでなければならない。レセコンの仕組みによっては，入院基本料と特定集中治療室管理料，地域包括ケア病棟入院料などの特定入院料が同日に入力された場合に，1日に2つの基本診療料が算定されてしまい，診療実日数と入院料等の基本診療料の回数がずれることがあるので，注意が必要だろう。

Point 7　入院履歴や入院期間によって算定の可否を判断しているか＝この入院期間中に算定はできるか

　入院歴や入院期間によって算定の可否が異なる項目は，特に注意しなければならない。

　すべて出来高の場合とDPCの場合においては，入院期間の考え方が異なっているため，入院歴だけに気をとられないように注意する。

　2020年改定時に，DPCでは一連とはならないが，入院料の通則で一連となる場合のDPCにおける再入院時の取扱いについて，入院基本料等加算の算定可否が明確化されたので注意が必要だ（図表3）。

> 【例】：診療録管理体制加算は，初回入院の患者にしか算定できない。入院患者に対する診療情報提供料も退院日にしか算定できない。逆に生化学的検査の初回加算は入院のつど算定できるので，同月2回の入院があれば2回とも算定することができる。

図表3　再入院時の加算の取扱い

> ○　入院期間が通算される再入院時は算定できず、入院中に一回のみ算定が可能とされている加算等の内、DPC/PDPSにおいて出来高で算定するものについて、入院期間が通算される再入院の場合は算定できないことを明確化する。

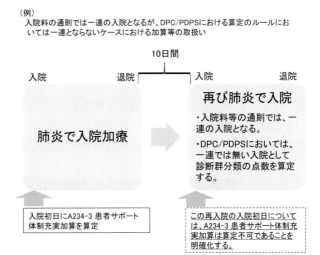

入院期間が通算される再入院時は算定できず、入院中に一回のみ算定が可能とされている加算等の内、DPC/PDPSにおいて出来高で算定するもの

区分番号	名称
A200-2	急性期充実体制加算
A204-2	臨床研修病院入院診療加算
A205	救急医療管理加算
A205-2	超急性期脳卒中加算
A205-3	妊産婦緊急搬送入院加算
A206	在宅患者緊急入院診療加算
A212	超重症児(者)入院診療加算・準重症児(者)入院診療加算
A231-3	依存症入院医療管理加算
A232	がん拠点病院加算
A234-3	患者サポート体制充実加算
A236-2	ハイリスク妊娠管理加算
A237	ハイリスク分娩等管理加算
A246	入退院支援加算(1を除く)
A247-2	せん妄ハイリスク患者ケア加算
B004,B005	退院時共同指導料1,2
B006-3	退院時リハビリテーション指導料
B014	退院時薬剤情報管理指導料
B015	精神科退院時共同指導料

（例）
入院料の通則では一連の入院となるが、DPC/PDPSにおける算定のルールにおいては一連とならないケースにおける加算等の取扱い

Point 8　「1日につき」と規定されている診療行為が診療実日数を上回っていないか＝算定回数がオーバーしていないか

　「1日につき」と規定されている診療行為は，同日に2回行った場合でも1回しか算定できない（図表4）。したがって，仮にその点数を毎日算定したとしても，合計算定回数が診療実日数を超えることはあり得ない。この場合は，①1日に2回算定してしまった，②基本診療料をなにかの理由で算定し忘れた——のどちらかである。

　診療実日数が多いと，レセプト上では誤算定がわからなくなってしまうこともあるが，逆に診療実日数が少なければ目立つので注意しなければならない。

> 【例】：喀痰吸引の点数は「1日につき」と規定されている。入院患者に1日2回以上の吸引を行った場合に，実際に喀痰吸引を行った回数だけ算定（入力）してしまうと，その算定回数が診療実日数を超えてしまうケースがある。

図表4　1日につき算定する診療行為の算定回数が診療実日数を超えたケース

傷病名	(1) 気管支喘息	診療開始日	(1)　6年　6月　24日	転帰	診療実日数4日に対して，超音波ネブライザが5回算定されている	診療実日数	保険	4 日
							公費①	日
							公費②	日

⑪	初　診	時間外・休日・深夜	1回	291 点	公費分点数	⑧	＊超音波ネブライザ　24×5
	再　　　診	×	回				
⑫	外来管理加算	×	回				

Point 9　「加算」に対する手技料等が算定されているか＝加算の元となる点数はどれか

　加算点数は原則基本点数があって初めて加算できるもので，加算点数のみを算定することは基本的にない。したがって，加算点数のみを算定している場合は，①手技料等の算定が抜けてしまっている，②本当に加算点数しか算定できないケース——のどちらであるかを確認する必要がある。

【例】：②の例としては，在宅療養指導管理材料加算がある。在宅酸素療法指導管理料＋酸素濃縮装置加算を算定している患者に，鼻腔栄養の指導を行い経管栄養チューブを処方した場合，在宅成分栄養経管栄養法指導管理料の算定は併せてできないが，その栄養管セット加算は別に算定できる。

Point 10 　加算点数を正しく算定しているか＝生年月日の入力ミスも加算点数の算定誤りの原因に

　年齢加算は，レセコンに生年月日を誤って入力してしまうと点数算定も当然間違えてしまう。レセコンでは，ほとんどの年齢加算が自動算定されるシステムになっているため，令和・平成・昭和を間違えるという単純なミスで，とんでもない算定誤りにつながってしまう。また，人工腎臓の障害者加算はどの条件に当てはまるのか等，加算できる期間や条件に誤りがないかをチェックする必要がある。

Point 11 　「算定期間」に制限がある場合に正しく算定されているか＝算定期間が少し長くないか

　術後の創傷処置や熱傷処置，リハビリテーションなど，算定の期間があらかじめ定められている項目の期間に誤りがないかをチェックする。

【例】：入院患者の術後の創傷処置J000「1」（100cm^{2}未満）および熱傷処置J001「1」（100cm^{2}未満）は，手術日を第1日目として14日以内しか算定できない。また，熱傷処置は，初回の処置を行った日から2カ月間算定できるが，初回処置日から2カ月を超えてしまった場合は，通常の創傷処置の点数しか算定できない。リハビリテーションは，原則，算定日数上限が定められているため，特段の理由がない限り，13単位の上限を超えて通常の点数を算定することはできない。

　算定期間を間違えないためにも，初回算定日が前月である場合には，摘要欄に必要な日付を入れておくべきだろう。また，記載要領で日付を入れることが義務付けられているものもある。

Point 12 　「算定回数」に制限がある場合に正しく算定されているか＝同月に2回も算定できないのでは

　1月に1回の算定と規定されている点数で，複数回算定されていないかを確認しなければならない。

【例】：脳性ナトリウム利尿ペプチド（BNP）やヘパリン血中濃度測定は1月に1回しか算定できない。

　複数月に1回が算定条件の点数については，その月のレセプトだけではわからないため，判断がむずかしい（図表5）。しかし，縦覧点検を行っている審査機関ではすぐに判明してしまう。複数月に1回の検査を実施した場合には，摘要欄に前回の実施日（初回の場合は初回である旨）を記載することが規定されている場合があるので，チェックすること。

【例】：骨塩定量検査などは4カ月に1回を限度として算定が認められているが，単月のレセプトチェックでは複数月のチェックはできない。そのため，摘要欄に前回実施日の記載が必要である。

図表5　期間の定めがある診療行為があった場合の記載例

(60) ＊尿一般	26×1
＊尿沈渣（鏡検法）	27×1
＊末梢血液一般	21×1
＊B-TP，B-BUN，B-クレアチニン，B-UA，B-Tcho，B-TG，B-BIL／総，B-AST，B-ALT，B-ALP，B-LD，B-γ-GT，B-ナトリウム及びクロール，B-カリウム，B-カルシウム（15項目）生化学的検査（Ⅰ）10項目以上	103×1
＊B-NTX（前回実施：11月18日）	156×1

「包括点数」に含まれているものを算定していないか＝これは算定できるのか

特定入院料では，臨床研修病院入院診療加算や地域加算など限られた入院基本料等加算しか算定できない場合が多いが，包括されている救急医療管理加算や診療録管理体制加算が誤って算定されていることがある。一方，医療安全対策加算等は，特定入院料でも加算できるので注意する。DPCの場合，ほとんど包括であるが，逆に算定できるものまで包括にしていないか，再度チェックしてもらいたい。

> 【例】：特定集中治療管理料に算定可能な入院基本料加算は以下のとおりである。
> ①臨床研修病院入院診療加算，②超急性期脳卒中加算，③妊産婦緊急搬送入院加算，④医師事務作業補助体制加算，⑤特定感染症入院医療管理加算，⑥難病等特別入院診療加算（二類感染症患者入院診療加算），⑦地域加算，⑧離島加算，⑨精神科リエゾンチーム加算，⑩がん拠点病院加算，⑪医療安全対策加算，⑫感染対策向上加算，⑬患者サポート体制充実加算，⑭重症患者初期支援充実加算，⑮報告書管理体制加算，⑯褥瘡ハイリスク患者ケア加算，⑰術後疼痛管理チーム加算，⑱病棟薬剤業務実施加算2，⑲データ提出加算，⑳入退院支援加算（「1」の「イ」および「3」に限る），㉑認知症ケア加算，㉒精神疾患診療体制加算，㉓せん妄ハイリスク患者ケア加算，㉔排尿自立支援加算，㉕地域医療体制確保加算

対になるものの回数があっているか＝手技料とその薬剤・器材料のバランスが悪いのでは

手技料と器材等がセットで算定されることの多い項目で，それぞれの算定回数に違いがある場合は，確認が必要である。それぞれの数が必ず一致するとは限らないが，算定回数は算定誤りを発見する目安にはなる。材料等の算定だけある場合は，手数料のもれがないかもチェックする。

> 【例】：酸素吸入や人工呼吸の回数と酸素加算（酸素料）の数が一致していない場合や，点滴の薬剤料と手技料の数が合っていないケースが考えられる。また，人工腎臓の手技料と人工腎臓に使用されるダイアライザーの数も基本的には同じにならなければならない。

摘要欄に必要なコメントが記載されているか＝規定されていなくても，コメントを入れたほうがよい場合も

「明細書の記載要領」において，摘要欄に算定日を記載しなければならないと規定されているものがある。そのもれがないことを確認する。一方，記載要領での規定がない場合でも，算定の根拠を示すために積極的に算定日やコメントを記入したほうがよい場合もある（**図表6**）。

図表6　摘要欄へのコメントの記載例

レセプト（令和6年6月分）

（超音波検査部分）
(60) ＊超音波検査（断層撮影法）（その他）　350×1
＊甲状腺腫の経過フォロー目的でエコー施行。前回（令和5年11月）と比較して左は5×3×3ミリ→4×4×3ミリと縮小傾向。右は2×2×3ミリ→3×3×4ミリと増大傾向を認めた。今後も定期的にフォローが必要である。

レセプトチェック技術

ポイント
チェック
リスト
指摘事項

Point 16　「主たる検査のみ」の規定がある検査の算定誤りをしていないか＝算定してもよい場合は，それとわかる記載の方法をとっているか

「主たるもの」のみ算定可と規定されているものを複数算定してしまっていないか確認する。

> 【例】：D007「3」HDL-コレステロール，「3」総コレステロールおよび「4」LDL-コレステロールを併せて測定した場合は，主たるもの2つの所定点数を算定するものと規定されている。

この規定がある場合でも，同時に行っていなければ両方を算定できることもあるが，レセプト摘要欄に同じくくりで記載してしまうと，「同時に行った」とみなされ査定の原因となりやすい。レセプトの記載方法に工夫が必要だろう。

『診療点数早見表 2024年版』（医学通信社，p.449〜p.453）に『主たる検査のみ』規定されている検査項目一覧が掲載されているので参考にされたい。

Point 17　2つの検査結果より，検査値が導き出される検査を算定していないか＝この検査，計算で結果がわかってしまうのでは

ある検査結果から別の検査の結果が推察できる場合は，算定できない。すべてが同時に算定されている場合は，項目数を減らして請求しなければならない。

> 【例】：総鉄結合能（TIBC）と不飽和鉄結合能（UIBC）と鉄（Fe）のうち2つの検査値がわかれば残りの1つの値がわかる。

Point 18　併算定できない項目（検査を除く）を算定していないか＝同時に算定はできないのでは

併算定ができない旨の記載があるものについては注意しなければならない。

> 【例】：人工呼吸と呼吸心拍監視は同一日には算定できない。また，在宅酸素療法指導管理料を算定している患者に外来における酸素吸入の手技料を併せて算定することはできない。

Point 19　「逓減制」が正しく算定されているか＝月内逓減制または実施回数，実施期間による逓減制のある項目では

入院・外来の別なく，通算して逓減される項目には注意をしなければならない。「特別な関係」にある医療機関同士の算定にもこの逓減制が適用されるので，注意が必要だ。

> 【例】：心電図やエコーなどの検査やCTやMRIなど，同じ月に同一の検査を行った場合に，2回目以降の算定点数が逓減される項目がある。

Point 20　注射の薬剤量による正しい手技料が算定されているか＝点滴の注射料は1日の総量で

点滴注射の手技料は1日における注射薬剤の総量で何を算定するかを決めることになる。

> 【例】：200mLの補液と100mL生食の内容である場合に，仮に朝のみ1回だけの注射であれば，300mLの注射量となり点滴の手技料を算定することはできない（外来患者であればG004「3」手技料が可）。もし，朝・晩の2回の注射であれば，総量が500mLを超える（合計600mL）ため，点滴の手技料を算定する。入院中の患者のみではなく，外来で同日2回の場合も同様である。

明細書の記載要項では，入院の注射はその薬剤料を「1日分ごと」に記載することが規定されている。

医療機関によっては実際に施行した注射ごとに入力・表示をしたり，抗生剤だけを別に表示させたりしているが，手技料の回数や注射量が確認しにくくなってしまう。

Point 21　伝票入力が1期間分丸ごと抜けていないか＝ちょっと物足りないレセプトになっているのでは

　伝票入力をしている医療機関では，入院患者の会計に1週間または10日ごとの「継続伝票（月計表）」を使用していることが多い。電子カルテを使用していればあり得ないことだが，継続伝票が1枚まるごと入力されていない場合（忘れられたり，紛失したりした場合）が稀にある。また，電子カルテであっても，システムによっては実施入力や実施の会計取り込みがなければ同様である。

　例えば，①リハビリが治療の中心である入院患者のレセプトであるにもかかわらず，妙にリハビリの回数が少なかったり，②点滴や中心静脈注射の回数が少ないにもかかわらず，食事を算定している日数がない場合などは，伝票やカルテを確認すべきだろう。

Point 22　高齢者の点数が区別されているか＝70歳以上75歳未満の患者（前期高齢者）には特に注意が必要

　療養病棟に入院している65歳以上の患者の入院基本料は，他の患者とは異なる。めまぐるしく変わる医療制度の内容を正しく理解し，対応していかなければならない。

Point 23　一部負担金と請求点数があっているか＝診療内容を会計後に訂正していないか

　後期高齢者の患者はもちろん，一部負担金や公費負担金が間違いなく印字されているかを確認する。金額の印字がされていれば，さらにその金額の確認も行う。

　レセコンによっては，会計が終了したあとで内容の一部を変更すると，レセプトの点数と患者の負担金額が合わなくなってしまうことがある。さらに，健保組合等から「医療費のお知らせ」が患者へ通知されるため，そこで差異が生じていると，後でトラブルになりかねないので注意が必要だ。

　なお，市町村民税非課税などの低所得者世帯をはじめとして，「限度額認定証」が発行される。その場合には入院一部負担金だけでなく食事や生活療養の標準負担額も減額されるので，特に注意したい。

3．診療内容に沿ったレセプトチェック

　「診療内容に沿ったレセプトチェック」とは，レセプトの傷病名と摘要欄に記載された診療内容に整合性があるか，また，傷病名に対する診療内容が摘要欄から読みとれるかどうかの確認である。つまり，診療の流れが読みとれるレセプトになっているかどうかを判断し，傷病名に対する診断根拠や処置・検査などの必要性，手術や点滴などの治療経過が理解できるかどうかを判断しなければならない。

　また，DPCや包括のレセプトは，その診療内容がレセプトに記載されない。入力時の注意と傷病名や入院目的を念頭にチェックを行い，想像力を発揮してもらいたい。レセプトに記載されている内容をヒントに傷病名のもれやコーディングの誤りについてもチェックすることが必要である。

> 【例】：膀胱にバルーンカテーテル留置を行った場合を考えてみる。バルーンカテーテルを留置する際，キシロカインゼリーをバルーンチューブに塗ってから尿道にバルーンを挿入していくのが一般的である。医師・看護師からみれば常識的な行為で，伝票には「バルーン留置」としか記入しなかったとする。このような不完全な伝票では，会計担当者が手技の手順を理解できていない場合は，請求もれが発生する可能性が高い。しかし，ここで，診療の実際をイメージしながらレセプトチェックができれば，薬剤料や材料料のもれに気付くことができる。

レセプトチェック技術

ポイント
チェックリスト
指摘事項

「診療内容に沿ったレセプトチェック」には，医療知識が必要になる。バルーン留置の手技料だけしか記載がなされていないレセプトをみて，材料がないのになぜバルーン留置の手技料が算定されているのかという「疑問」が湧かなければ間違いが発見できないからだ。

請求もれが起きる背景には，2つの大きな問題がある。1つ目は，手技の実際を知らないために伝票に記載されていることしか保険請求できないこと。2つ目は，医師や看護師等，医療実施者が保険制度をよく理解しておらず，伝票等に記載もれがあること。上記の例で言えば，医療実施者は，バルーンを留置したときに使用薬剤や材料も当然，伝票等に記載しなければならなかった。さらに，材質等によって材料の価格が異なることから，「何を・どこに・どれだけ」使用したのかまで記載しなければならなかった。逆に言えば，医事課が，何を記載しなければいけないかを伝えていないことになる。

Point 24　当月発症の傷病名に対して，診断根拠となる検査等が行われているか

傷病名の確定は医師でなければできない。治療行為の過程で，傷病名が変化したり，医師の経験や問診，触診等で診断を下したため，検査が行われていないことも往々にしてある。

しかし，医事課の立場としてみれば，減点のないレセプトを作成するためにも，傷病名欄に記載されている傷病名の診断根拠を確認する必要がある。特に当月発症の傷病名に対する患者の身体的所見，検査やレントゲンがあるかどうかのチェックを行うべきだ。

> 【例】：肺炎で入院していた患者に，塩酸バンコマイシンの点滴投与がなされていた場合は，MRSA感染肺炎の病名が考えられる。そこで，医事課職員は，MRSA感染肺炎と診断するための根拠は何かを考えなければならない。多くの場合，胸部レントゲン撮影を行い，併せて喀痰培養同定検査とその結果に基づいた薬剤感受性の検査が行われていることを，レセプト上で確認する。逆に，そのような検査がない場合には，カルテの内容を確認したり，医師に診断根拠を尋ねる必要があるだろう。確認によって，培養検査が行われているにもかかわらず検査料を算定していなかった──ということがわかることもある。

Point 25　抗生剤の長期投与について，十分な症状詳記とその内容を証明する検査があるか

注射用マキシピームやメロペンなどの抗生剤は，原則14日間の投与とすることが定められている。しかし，その薬剤を使用する十分な理由があれば，14日を超えて使用することができる。そのためには，その薬剤が治療上必要であることを症状詳記で説明し，その内容を裏付ける検査等がレセプト上になければならない。単に「難治性であったため」という理由では，審査する側にその薬剤が必要であった理由を十分説明できていない。

傷病名によって必要な検査が変わってくるが，医師の記載した症状詳記の内容をよく理解し，なぜ投与期間が長期になったのかを判断したうえで，必要な検査等がレセプトにあるかどうかを判断してもらいたい。加えて，詳記には必要な検査のデータを記載する必要がある。

同様のことが，抗生剤の多剤投与時にも言える。単に重症感染症の病名をつければ算定できるというものではないため，症状詳記と患者の病態に合わせた検査等が必ず必要となってくる。

Point 26　使用した薬剤の規格・適用はあっているか

同じ薬剤でも規格単位が違うと保険上の適用が変わるものがある。同じく造影剤も規格・単位によって適用・用法が違う。また，同種同効薬（先発品と後発品など）でも保険適用の範囲が異なることもある。医師は，薬剤の成分を考えて投与を行うため，ときに使用薬剤（商品）の保険上の適用からはずれることがある。その場合は，いくら成分名が同一であっても保険上の算定が認められないため，あらか

じめ医師に保険上の適用について説明しておかなければならない。

> 【例】：①塩酸バンコマイシン散は，MRSA感染症に対して使用する場合に，MRSA腸炎が適用となるが，
> 注射用塩酸バンコマイシンは逆にMRSA腸炎に対する適用がない。
> ②ウロキナーゼは３種類の規格・単位があるが，静注用６万単位は，発症後５日以内の脳血栓症お
> よび発症後10日以内の末梢動・静脈閉塞症に対して適用となり，冠動注用12万単位と静注用24万
> 単位は，発症後６時間以内の急性心筋梗塞における冠動脈血栓の溶解に対する投与が適用となる。

　また，支払基金からの通知で，医薬品の適応外使用に関わる保険診療上の取扱いとして，適応外使用しても査定されない旨の情報が対象となる薬剤ごとに記載されているので確認されたい。

> 【例】：ベラパミル塩酸塩（ワソラン錠）後発品あり
> 　原則としてベラパミル感受性心室頻拍，片頭痛，群発性頭痛，肥大型心筋症に対して処方した場合，
> 当該使用事例を審査上認める。

レセプトチェック技術

ポイント
チェック
リスト
指摘事項

Point 27　症状詳記の内容とレセプト算定内容が合っているか①

　実際に行った診療内容と保険算定の項目・内容がずれてしまうことがある。

> 【例】：吐血の患者に対してその原因を調べるために内視鏡検査を行った例。医師の記入する伝票には胃
> 内視鏡検査の項目に印が付けられ，医事課には会計用としてその伝票が回ってきた。医事課では，内
> 視鏡検査を行ったものとして検査料で算定した。しかし，実際には検査に引き続き止血術を行っていた。
> この場合，医師の作成した症状詳記では止血術を行った旨の記載があるにもかかわらず，レセプトで
> は内視鏡検査の算定しかされなかった。

　上記のような場合でも，会計に回ってきた伝票に記載されている薬剤やその他の記載（内視鏡検査時に使用された薬剤に止血剤が含まれていたり，止血用のクリップが使用されていたりする）から，実際にどんな診療が行われたかを想像できれば，誤りを防ぐことができる。

Point 28　症状詳記の内容とレセプト算定内容が合っているか②

　高額な材料を使用した場合に，症状詳記に医師が「どこに・何を・何本」使用したかを記載することがある。特にPCI〔経皮的冠動脈インターベーション＝経皮的冠動脈ステント留置術及び経皮的冠動脈形成術（PTCA）〕や人工関節置換術などを施行した場合には，材料を必要とした理由を明らかにするために細かく記載していることが多い。医事課では，症状詳記に記載された材料がすべて請求されているか，また使用された材料の規格や本数が合っているかをチェックしなければならない。

> 【例】：PCI時に使用されたステントやバルーンカテーテルの本数が，詳記に記載された本数と合わな
> い場合やサイズが異なる場合などは，カルテや伝票を持参して医師に確認しなければならない。
> 　また，股関節の手術を行った際の材料は，その使用した材料によって関節置換の手技を算定す
> る場合と骨頭挿入術の手技を算定する場合があるため，症状詳記に医師が記載した手技とレセプト
> で算定した手技および材料のすべてが合致していなければならない。

Point 29　診療内容と算定した点数が合っているか

　内視鏡を使用したポリープ切除や止血術は，その部位や目的によって点数が異なる。

【例】：消化管の止血術に関しても，上部消化管と下部消化管では，算定する項目が異なってくる。上部消化管では内視鏡的消化管止血術で算定し，下部消化管（直腸を除く）であれば小腸結腸内視鏡的止血術で算定する。止血術を行った部位を間違えたために誤算定をしてしまうことがある。

一方，行った手技と部位が同じでも，算定する内容が異なる場合があることを念頭においておきたい。

Point 30 手術室会計伝票に書かれた術式名から，正しい手術料や麻酔料が算定できているか

外科系の診療科にとって，手術料は請求点数のなかで大きなウエイトを占める。この手術料が正しく算定されているかどうかによって，医師と医事課の関係がある程度想像できる。

通常，手術料の算定は会計伝票を見ながら医事課が行う。そのため，会計伝票に書かれている手術手技名をもとに，医事課員が点数表を開き，手技料を決めているのではないだろうか。しかし，手術手技料の算定にあたっては，伝票に書かれた手術名からだけではなく，実際の手術記録や使用した材料，麻酔チャート等も併せて確認し，医師と医事課担当者で何を算定すべきかを確認する必要がある。

【例】：①下腿骨骨折と書かれていたならば，通常は骨折観血的手術（K046「2」・18,370点）を算定してしまう。しかし，実際には脛骨・腓骨骨折で内外両側から皮切を行い，手術を施行していたとすれば，18,370点×2の点数が算定できる。②複数の指に対する手術であれば，すべての指を併せて同一手術野とするか，それとも指1本1本が手術野とされるのかという判断（通知）によって，算定する点数が大きく変わる。③靱帯断裂縫合術と靱帯断裂形成手術では，どちらの手技を算定するかによって点数の差が大きい。

加えて，手術料の算定は加算項目が多い。年齢加算はもちろん時間帯加算，感染症患者に対する観血的手術加算，腹腔鏡下（胸腔鏡下）の超音波凝固切開装置等加算などがある。さらに，複数手術の特例は，同一手術野や同一病巣であっても手技料を2つ算定することができる（50/100の点数ではあるが）。

麻酔料に関しても，麻酔チャートを見ながら，低血圧麻酔や低体温麻酔の手技料が算定できるケースがないか等を考えながら算定すべきである（Point38参照）。

材料に関しても，医師が持参したり，手術のたびに業者から材料を取り寄せて行うことがある。この場合，伝票に使用された材料が正確に記載されていない場合は，請求もれとなる可能性が高いため，必ず，業者からの納品書等を確認しながら材料の算定をすべきである。

また，施設基準によっては，所定点数の算定の可否にもかかわってくるので，自院の施設基準も頭に入れておかなければならない。

Point 31 患者の来院時間・施療の実施時間を確認したか

150点以上の処置と手術に関しては，その処置や手術の開始時間によって算定する点数に加算がある。いわゆる時間帯加算である。「診療報酬」や「記載要領に沿ったチェック」にも関連する事項であるが，患者の来院時間や曜日，その処置や手術を行うまでの診療の流れや所要時間をある程度理解しておかなければ，加算算定の可否に気付きにくいものである。

【例】：①骨折の患者のギプス包帯について，時間内に来院した患者であっても，レントゲン撮影や処置に時間を要し，診療時間外の時間にギプス包帯を行ったものであれば加算ができる。
②時間外に来院した患者に対して，診断のための検査を施行し，引き続き手術を行った場合は，その手術開始時間が深夜であれば深夜加算が算定できる。
③手術に関しては，入院中の患者であっても休日・深夜の緊急手術であれば加算ができる。

Point 32 検査は目的に沿って段階的に行われているか

　悪性腫瘍に対する腫瘍マーカーの検査は，診断の指標にはなるが単独検査で診断確定をすることはできない。通常，内診で行える検査を除き，画像診断を併用したり内視鏡などで生検を行ったりして診断を下す。腫瘍マーカーの検査を行って悪性腫瘍の疑い病名があるときは，他の検査が行われているか，また，検査日の都合で後日（翌月）画像検査を予定しているならば，そのコメントが記載されているかを確認しなければならない。

　そもそも検査は，①問診・聴診等の診察の結果，ある疾病が疑われたとき，②診断や今後の治療計画を考えるため——に行うものである。したがって，基本的スクリーニング検査を行い，その結果に従って，①さらに詳細な検査や診断のための検査，②治療方針を決定する検査，③経過観察のための検査——と，検査の種類・内容は段階的に行われている。検査の回数は医師の判断によるところが大きいが，検査が目的に沿って段階的に行われているかどうかをレセプト上で確認してもらいたい。

　また，検査だけでなく，画像診断にも注意が必要だ。例えば，腰痛を訴える患者に対して，エックス線を実施せずに，CTやMRIを第一選択として施行してしまうケースである。身体診察（触診や下肢伸展挙上テスト等）を行ったうえで検査が必要と判断され，まずは腰椎の並びや骨の変形を見るためエックス線を実施して，それでも診断がつかない場合にCTやMRIを行うという流れが理想的である。もちろん，脳梗塞や脳出血等，CTやMRIでなければ診断不可能な疾患が疑われる場合はこの限りではない。

Point 33 急変時・死亡時の診療内容は

　患者の急変時には，患者の生命を第一と，様々な治療行為が試みられる。したがって，そこで行われた治療内容がすべてもれなく伝票に記載できているとは限らない。あとになってから医師や看護師が記憶に基づきながら記載することがあるため，100％正確な記録になっていないことが多い。

　医事課職員は，このような場合に，医師の記録したカルテや看護記録の内容から伝票記載がもれていないかを確認する必要がある。そのためにも，医事課職員は，救急処置にはどのような行為があって，実際に何をしているか想像できるようにしておいてもらいたい。

　一方，患者が亡くなってしまうときも請求もれが発生しやすい。医師は救命のために，心臓マッサージや各種点滴（強心剤や昇圧剤など），人工呼吸やカウンターショックなどあらゆる治療を施す。したがって，これらの行為が請求されているレセプトは，それなりに内容の濃いものになっている場合が多い。救命措置を行ったにもかかわらず，その費用がレセプトに反映されていないケースが，稀ではあるが見受けられる。また，傷病名の転帰欄に死亡と記されているレセプトであっても，何もしていないレセプトもある。無理な延命をしないことが医師と家族の間での決め事になっていることもあるが，このような場合であっても，カルテを確認してチェックする必要がある。

　また，救急患者が処置室，手術室等で死亡した場合は，救急専用病床（A205救急医療管理加算またはA300救命救急入院料を算定する病床に限る）に入院したものとみなされるので，知っておこう。

Point 34 自分が審査する立場になって内容を確認しよう

　傷病名欄から想定される診療行為からはずれる処置や検査が行われていないかをチェックする必要がある。特に関連がないと思われるものが算定されている場合は，傷病名がもれていたり，逆に誤入力などで実際には行われていない行為が請求されている可能性がある。例えば，入院中の患者に対し，他科からの依頼で眼科・耳鼻科等の医師が診察を行い処置や検査が行われたようなケースでは，依頼された他科の医師がカルテに診断名を記入し忘れてしまうことがある。主治医も，他科医師にその部分の治療を任せてしまうため，病名がカルテに記載されないままになり，その結果，行われた行為がレセプトで

は請求されているにもかかわらず，傷病名の記載がないということが生じる。

Point 35　高額レセプトの日計表に注意しよう

　35万点以上の高額なレセプトには日計表（カレンダー式のもの）を添付しなければならない。レセプトでは合計回数しか示されないが，日計表を見れば何日に何回と表示されるため，思わぬ算定ミスが露呈してしまうことがある。また，高額注射薬剤などの使用日が，症状詳記と日計表でずれていることもある。したがって，日計表を添付する診療内容の濃い高額レセプトは，レセプト，症状詳記，日計表の3つをよく突合し，矛盾がないようにチェックしておかなければならない。

　電子化された現在では，DPC対象病院などレセプトに付随してデータを送ることになる。高額レセプトだけでなく，すべてのレセプト（できれば外来も）に注意してもらいたい。

Point 36　食事の費用を確認しよう

　脂質異常症で服薬している通院患者が，骨折で入院したような場合，主治医である整形外科の医師は，内科における病状について深く確認していないことがある。採血のデータより，特別食が必要な場合であっても常食（普通食）をオーダーしていることがあるため，患者の入院時において医事課職員は，入院時病名以外にも，治療を要する継続病名について注意を払いたい。主治医に連絡することにより特別食を提供できることがある。入院時の栄養管理チェックで医師にフィードバックする。

Point 37　退院時の加算の算定もれに注意しよう

　当月あるいは当月以前に算定した点数でも，退院時に加算のみが算定できる項目もある。A246入退院支援加算は，退院支援計画書を作成した患者が退院した場合に算定できるが，退院支援計画書の作成が当月とは限らない。

　また，B014退院時薬剤情報管理指導料も算定もれが起きやすいので注意したい。退院時薬剤情報管理指導料を算定した場合，同一日にB005退院時共同指導料2（「注1」の規定により，入院中の保険医療機関の薬剤師が指導等を行った場合に限る）の算定はできないので注意が必要だ。

Point 38　正しい麻酔料を算定しているか

　麻酔料（全身麻酔）の算定上の注意点は，①一連の麻酔であっても，その手技（種類）によって時間計算をする，②麻酔が困難であると定められた患者であるかどうか，③硬膜外麻酔併施加算の時間加算，④「通則」の時間外加算等における「所定点数の範囲」──である。

　①については，事務連絡に事例があるため再度確認をしてもらいたい。また，④については，「所定点数」に硬膜外麻酔併施加算等も含めて計算するので注意したい。

　また，麻酔時の体位による麻酔点数の加算は，麻酔すべての時間が伏臥位であったりすることはない。麻酔のチャートを確認しながら，それぞれの区分で時間計算をして，算定する必要がある。

Point 39　DPC出来高算定のもれはないか

　DPCにおいては，診療行為がすべて包括されているわけではなく，手術料や麻酔料などは出来高で算定することになる。ほとんどが包括になるからといって，日頃の入力，確認作業を怠ってしまうと，算定できる項目を算定しなかったり，コーディングの誤りを見落としてしまう。

図表7　DPCにおける算定において実施目的の適切な判断が求められる項目

【DPCでは包括評価となるもの】

処置		
J007	頚椎，胸椎又は腰椎穿刺	317点
J008	胸椎穿刺	275点
J010	腹腔穿刺	287点
J011「1」	骨髄穿刺（胸骨）	310点
J011「2」	骨髄穿刺（その他）	330点
J012	腎嚢胞又は水腎症穿刺	350点
J013	ダグラス窩穿刺	240点
J014	乳腺穿刺	200点
J015	甲状腺穿刺	150点
J016	リンパ節等穿刺	200点

【DPCでは出来高評価となるもの】

検査		
D403	腰椎穿刺，胸椎穿刺，頚椎穿刺	260点
D419「2」	胸水採取	220点
D419「2」	腹水採取	220点
D404「1」	骨髄穿刺（胸骨）	260点
D404「2」	骨髄穿刺（その他）	300点
D407	腎のう胞又は水腎症穿刺	240点
D408	ダグラス窩穿刺	240点
D410「2」	乳腺穿刺又は針生検	200点
D411	甲状腺穿刺又は針生検	150点
D409	リンパ節等穿刺又は針生検	200点

　例えば，髄液漏のある患者で細菌性髄膜炎が疑われる患者に対して腰椎穿刺を実施した場合の腰椎穿刺をどう算定するか。それは，採取した髄液を検体として微生物学的検査等を実施しているかどうかで判断する必要がある。処置のために髄液を採取したのであれば，J007頚椎，胸椎又は腰椎穿刺317点を算定することになるが，DPCでは1000点以上の処置でなければ出来高算定はできない。また，髄液を検体として検査を実施していれば，D403腰椎穿刺260点を出来高で算定できる（DPCでは，検査第4節における診断穿刺は出来高算定の対象となる）。

　このようなDPC（包括）特有の算定スキルが求められるのである。

Point 40　DPCの病名は追加記入されているか

　DPCのレセプトにおいては，医療資源を最も要した疾病に対してコーディングが行われるが，出来高算定部分に対して主傷病名でない算定がされることがある。そのためにも，病名は入院時併存症及び入院後発症疾患の各々4つだけでなく，摘要欄に追加記入しておかなければならない。

Point 41　救急医療管理加算は医師の指示のもと，算定する

　A205救急医療管理加算「1」は，1,050点×7，「2」は420点×7を上限に入院料に加算ができる。医療内容にかかわらず，医師が入院の契機と判断した病態や状態が算定対象の項目に当てはまれば算定が可能であるため，医事課としては何としても算定したい項目である。しかし，当該点数の算定根拠が不明瞭であるケース，医事課だけの判断で算定されているケースが散見されるため，昨今の厚生局における適時調査等では返還金につながるケースも増えている。

　算定の対象としては，意識障害や呼吸不全，緊急手術が必要な状態等多数の病態や状態が設定されているが，医師が算定対象の状態であると診断し，緊急に入院を必要とする重症な患者であると認めなければ算定できないのである。適切な算定のためには，医師によるカルテ記載（**図表8-1**）や救急外来におけるコスト伝票等の作成により，該当する項目を医師がレ点チェックできるようにするなどして，算定の根拠を残しておく必要がある。

　また，救急医療管理加算の算定要件となっている状態のうち，別表（『診療点数早見表2024年度版』p.115）の2～4，6～8に該当する場合は，それぞれの入院時の状態に係る指標（**図表8-2**）をレセプト摘要欄に記載すると規定されているため，記載もれのないよう注意が必要だ。

　さらに2024年度改定では，「単なる経過観察で入院させる場合やその後の重症化リスクが高いために入院させる場合など，入院時点で重症患者ではない患者は含まれない」ことが明確化されたので，算定時には注意が必要だ。

図表8-1　カルテ記載の例

```
救急搬送
18時頃仕事から帰宅し，頭痛がひどく倒れこみ救
急要請
来院時JCS1，構音障害あり，運動性麻痺なし
BP190/101　HR80　SAT100　酸素3L
瞳孔：3.5mm　L＝R　対光あり
現病歴：高血圧，脂質代謝異常
虚血性脳血管疾患を疑いCT撮影とする
頭部CT：びまん性硬膜下血腫
頭部CTA：前交通動脈瘤5mm，上向き
DX：前交通動脈瘤破裂によるSAH　緊急手術へ
救急医療管理加算1：ケ）緊急手術，緊急カテー
テル治療・検査又はt-PA療法を必要とする状態
```

図表8-2

入院時の状態		指標
2	意識障害又は昏睡	JCS
3	呼吸不全	P/F比
4	心不全	NYHA
6	ショック	平均血圧
		昇圧剤利用有無
7	代謝障害（肝不全）	AST値及びALT値
7	代謝障害（腎不全）	eGFR値
7	代謝障害（重症糖尿病）	JSD値，NGSP値及び随時血糖値
8	広範囲熱傷，顔面熱傷又は気道熱傷	Burn Index，気道熱傷の有無

※JCS0，NYHA1，P/F400以上，Burn Index0の場合で，当該点数を算定する場合は，緊急入院が必要であると判断した医学的根拠を摘要欄に記載することとなったため，注意が必要である。

Point 42　再診から緊急入院した患者の受付時間を確認しよう

　時間外，休日，深夜の再診後に緊急入院となった場合等の入院患者については，A001再診料の時間外・休日・深夜加算（「注5」「注6」に規定する加算），A002外来診療料の時間外・休日・深夜加算（「注8」「注9」に規定する加算）が算定可能である。ただし，再診料・外来診療料の所定点数は入院料に包括されているので注意したい。

Point 43　実施理由等の記載が求められる項目について確認しよう

　K546経皮的冠動脈形成術やK549経皮的冠動脈ステント留置術では，算定対象病変等の要件が定められており，要件を満たす医学的根拠やリスク評価の記載をしなければならない。
　また，算定対象病変等以外に対して当該手術を実施した場合には，その詳細な理由を記載しなければならない。レセプトにこのような記載が求められる診療報酬は，『診療点数早見表』の各項目のページや明細書の記載要領に書かれているので，見落としがないようにしたい。

Point 44　貼付剤処方時の記載事項にもれはないか

　外来患者に対して，1処方につき63枚を超えて貼付剤を投薬する場合，超過分の薬剤料および処方箋料は原則算定できない。ただし，医師が医学的見地から必要性があると判断した場合は，「必要理由」を処方箋およびレセプトに記載することで算定できる。また，投薬枚数にかかわらず，貼付剤を投薬した場合には処方箋およびレセプトに，「投薬全量，1日分の用量もしくは全投薬量が何日分に相当するか」を記載しなければならない。なお，ここでいう貼付剤とは，薬効分類上の鎮痛，鎮痒，収斂，消炎剤を指し，専ら皮膚疾患に用いるものは除かれる。

Point 45　栄養食事指導料の対象者等を周知しよう

　外来・入院栄養食事指導料は，特別食を医師が必要と認めた者以外に，「がん患者，摂食機能または嚥下機能が低下した患者，低栄養状態にある患者，てんかん食を摂取している患者」も対象となる。医師や管理栄養士にはその旨を周知し，適切な指導を実施し増収につなげたい。

　また，医師から管理栄養士への指示事項には，熱量・熱量構成，蛋白質量，脂質量の三大栄養素についての具体的な指示のほか「その他の栄養素の量，病態に応じた食事の形態等」についても具体的な指示が求められている。この点も併せて，医師，管理栄養士に周知したい。

Point 46　算定の根拠は診療録に記載されているか

　診療報酬の算定においては，検査，処置，手術など，医師の指示および医療の実施を根拠として請求するものがほとんどであるが，項目によっては算定要件において規定された内容を診療録へ記載することが求められる。

　例えば，悪性腫瘍と確定診断された患者に腫瘍マーカー検査を実施した場合，算定現場ではもれなくB001「3」悪性腫瘍特異物質治療管理料を算定していないだろうか。同管理料においては，「腫瘍マーカー検査の結果及び治療計画の要点を診療録に記載する」とされているので，診療録には下記のような記載が求められる。

> 【例】直腸癌術後で補助化学療法実施中の患者
> 　　　腫瘍マーカー；CEA：11.4，CA19-9：41.0
> 　　　　　現在のレジュメンで化学療法継続とし，次回の腫瘍マーカー検査の結果によってレジュメンの変更を検討する。

　算定における診療録の記載要件等については，医師の多くがほとんど知らないのが現状である。医事課員が医局会などで，医師へレクチャーする必要があるだろう。

Point 47　DPCにおいて適切なコーディングがされているか

　適切なDPCデータ作成の観点から，「部位不明・詳細不明コード」の使用割合が10％未満であることが，(2024年改定により「保険診療係数」が廃止され) DPC対象病院の基準とされている。

　一方，ICD-10が2003年版準拠から2013年版準拠に変更されたことで，詳細不明コードに該当する傷病名も新たに示された（図表9）。急性膵炎のほか，心房細動や痔核等はコーディングの際に注意が必要である。

　適切な傷病名でコーディングを行い，診断群分類の選択を誤らないようにしたい。例えば，硬膜下血

図表9　ICD10の2013年版準拠により分類が増えた疾患（一例）

【2003年版】	【2013年版】
K85 急性膵炎　⇒	K850　特発性急性膵炎
	K851　胆石性膵炎
これまでは慢性膵炎以外はすべてK85急性膵炎にコードされていた。	K852　アルコール性急性膵炎
	K853　薬剤性膵炎／ステロイド誘発性膵炎
	K858　術後膵炎／ERCP後膵炎／感染性膵壊死
	K859　急性膵炎／慢性膵炎急性増悪／壊死性膵炎

腫の場合，外傷性か非外傷性かで疾患領域MDCが異なり，354点の差が生じる（実際は係数があるため，もう少し差が大きくなる）（図表10）。もし，外傷性であることに気付かずに非外傷性でコーディングしてしまうと，結果的に患者や保険者への過剰請求につながる。「慢性硬膜下血腫」と言えば，外傷性を指すことが多いが，診療録の確認だけでなく，医師への最終確認をすべきだろう。または，医師に依頼して，診療録の病名欄に「外傷性慢性硬膜下血腫」「非外傷性慢性硬膜下血腫」と記載してもらうとよい。

　DPCの運用方法は病院ごとに異なるだろうが，医事課員，診療情報管理士のどちらがコーディングのチェックを行うにしても，誤りのないようにしなければならない。

図表10　不適切な傷病名のコーディングにより診断群を誤ってしまう事例

症例：外傷性慢性硬膜下血腫／5日間の入院で穿頭血腫除去術を実施						
傷病名	診断群分類	入院期間①		入院期間①		入院期間①
慢性硬膜下血腫	S0650外傷性慢性硬膜下血腫 160100xx97x00x	1～3日	3,889点	4～8日	2,092点	9～30日　1,778点
	I620非外傷性慢性硬膜下血腫 010050xx02x00x	1～5日	3,241点	6～10日	2,113点	11～30日　1,796点

①外傷性の場合：3,889点×3日＋2,092点×2日＝15,851点
②非外傷性の場合：3,241点×5日＝16,205点　　　　　　　　　　　　　　　②－①＝354点

Point 48　「特別の関係」にある医療機関間の連携に係る算定もれはないか

　2018年の改定で，これまで「特別の関係」にある場合は算定できなかった連携に係る診療報酬の一部が算定可能となった。主な項目は，①A206在宅患者緊急入院診療加算，②A238-7精神科救急搬送患者地域連携受入加算，③A246入退院支援加算1，④A248精神疾患診療体制加算，⑤B004退院時共同指導料1・B005退院時共同指導料2，⑥C010在宅患者連携指導料，⑦C011在宅患者緊急時等カンファレンス料，⑧施設入所者共同指導料（老健入所者に係る診療料）――などである。これらは特別の関係に当たる場合も算定できるので，実施もれや算定もれには注意が必要である。

Point 49　転院の有無で評価が区別されている診断群についてコーディングの誤りや確認もれはないか

　2022年度の改定により，医療内容の標準化が進んでいる疾患であって，手術が定義されていない診断群分類において，他院からの転院の有無により評価を区別することとなったため，以下の診断群（**図表11**）で手術なしの症例には注意が必要だ。

図表11　他院からの転院の有無で評価が区別される診断群

診断群	手術・処置等
050030　急性心筋梗塞	手術，処置等なし
050050　狭心症, 慢性虚血性心疾患	手術，処置等なし
	手術なし，心臓カテーテル法による諸検査あり
	手術なし，心臓カテーテル法による諸検査＋血管内超音波検査等あり
050130　心不全	手術，処置等なし
160800　股関節・大腿骨近位の骨折	手術なし

Point 50　DPCで一連となる7日以内の再入院の取扱いに誤りはないか

　2018年改定では，以下の2項目について，一連となる7日以内の再入院として取り扱うこととなった。
①前回入院の「医療資源を最も投入した傷病名」と今回入院の「医療資源を最も投入した傷病名」から決定される診断群分類番号（14桁）の上6桁が前回入院と今回入院で一致した場合
②今回入院の「入院の契機となった傷病名」に診断群分類「180040手術・処置等の合併症」となるICDコードを選択した場合

　なお，前回入院の「医療資源を最も投入した傷病名」と今回入院の「入院の契機となった傷病名」の診断群分類の上2桁が同一である場合，今回入院の「入院の契機となった傷病名」にどの診断群分類にも該当しないICDコードを選択した場合の一連となる7日以内の再入院の取扱いは従前どおりである。

　この変更を念頭に置き，不要な返戻や査定を受けないような請求を心掛けたい。また，一連にする必要のないもの（計画された化学療法による再入院等）を一連としないように注意しよう。

"請求もれ・査定減"チェックリスト812

　下記のリストは要点のみを記載し，必要な条件をすべて列挙したものではありません。また，診療報酬の解釈については十分に注意を払っておりますが，内容が点数表の告示・通知の域から相当踏み込んだものもあるため，各都道府県の審査機関の見解と必ずしも一致しない部分もあることをあらかじめご承知おきください。

1．初診料・再診料・外来診療料

A000 初診料・A001 再診料算定の原則

1．原則

　初診料，再診料，外来診療料は医師の診察料であるため，診察を行った際にはいずれかが算定できる。

2．診察の結果，該当する疾病がない場合

　初診料は算定できる。

3．検査後に別の医療機関で精密検査を実施

　初診料は算定できる。

4．医科と歯科の同一日受診

　診療報酬体系が別であるため，それぞれ初診料または再診料，外来診療料が算定できる。

5．入院中の患者が他科に受診した場合

　初診料・再診料は入院に含まれ，別に算定できない。

6．入院中の患者に対診を行った場合

　対診を行った保険医が勤務する保険医療機関で，当該患者の初診料または再診料が算定できる。

7．検査，画像診断等の結果のみ聞きに来た場合

　検査の数値や結果表を渡されるのみでは再診料は算定できないが，検査結果をもとに医師が医学的に判断・診察を行った場合は算定できる。

8．初・再診料等の加算

　初診料，再診料，外来診療料を算定しない場合（包括される場合含む），加算は原則算定できない。

9．すべての傷病の治癒または中止後の受診

　すべての傷病が治癒したあとは，その後同日の受診であっても初診料を算定できる。

10．開業後の同一患者の継続診療

　病院の勤務医が開業し，新たな診療所で同一患者に診療を行った場合，あらためて初診料が算定できる。

11．同一法人の保険医療機関における診療

　保険医療機関に入院していた患者が，退院後に同一法人である別の保険医療機関を受診した場合，別の医師が医学的に初診行為を行ったものについては，初診料が算定できる。また，再診料等も同様である。

12．喘息・てんかん等の発作時のみの診療

　喘息・てんかん等において，継続治療せずに発作時のみ受診した場合，1発作ごとに初診料を算定できる。

13．転帰の必要性

　初診料算定時の傷病が治癒したあと，同一月に別の傷病で受診した場合は，あらためて初診料が算定できるが，転帰欄の表記がないと，再診料に減点される。

【ワンポイント事例解説】

病名：	(1)（主）COVID-19の疑い，	(2)（主）高血圧症				
診療開始日	(1) 令和6年7月1日	転	中止	診療実日数	保	2	日
	(2) 令和6年7月16日				①		日
	(3)						
	(4)				②		日
	(5)	帰					
⑪	＊初診料					291 × 2

解説　1回目の受診の傷病が治癒や中止により終了していることを示すために，「転帰」の表記が必要となる。同月内で初診料を複数回算定する場合，前回受診の際の投薬有無に注意し，2回目受診日まで服用していないことを確認する。

同日複数科初診

14．別々の傷病による複数科初診・再診

　同一医療機関で同一日に別診療科で他の傷病の初診行為が行われた場合，2科目に限り同日初診料が算定できる。なお，この2科目の同日初診料・再診料において各加算は算定できない。

15．同一日の再診と初診

　同一医療機関で同一日に1科目の診療科で再診受診し，その後2科目で他の傷病について初診行為が行われた場合，2科目に限り同日初診料が算定できる。なお受診する順番にかかわらず算定できる。

16．診療所での複数医師による複数科初診

　診療所であっても診療科が複数あり，同日に2科以上の診療科で別の医師が初診を行った場合，2科目の受診に限り同日初診料が算定できる。

時間外・休日・深夜加算（初診料・再診料・外来診療料共通）

17．休日の取扱い

　原則，日曜日および国民の祝日，年末年始（12月29・30・31日と1月2・3日）を休日とする。

18．振替休日の診療

　休日加算が算定できる。

19．休日の深夜帯における急患の診察

　休日加算ではなく，深夜加算を算定する。

20. 休日診療日の時間外の算定

休日を診療日としている場合であっても，定めた診療時間以外は休日加算等を算定できる。例えば，日曜日の午前9時～午後5時を診療時間としている場合，午後10時～午前6時は深夜加算を，午前6時～9時および午後5時～10時は休日加算を算定できる。

21. 土曜日の取扱い

休診としている場合，午前6時～午後10時までは時間外加算が算定できる。診療日としている場合，定めた診療時間内は時間外加算の算定はできない。

22. 午前診療と午後診療の間

例えば，午前9時から午後0時および午後4時から午後7時を診療時間としている場合，午後0時から午後4時の間は時間外加算が算定できる。

23. 年末年始の診療

小児科標榜医療機関における6歳未満の患者については，診療時間内でも休日加算が算定可能である。

24. 時間外，休日，深夜の再診後の緊急入院

A001再診料，A002外来診療料は算定できないが，A001の「注5」「注6」，A002の「注8」「注9」に定める時間外等の加算は算定できる。その際には，摘要欄に加算名称を記載する。

【ワンポイント事例解説】

×	⑫	＊外来診療料	
		深夜加算	496×1
○	⑨⓪	＊深夜加算（外来診療料）（入院）	420×1

解説　時間外等の再診後に緊急入院になった場合，加算のみが算定できるが，その際は診療区分「12」ではなく，入院料の「90」で算定する。

レセプト電算上においても，通常の再診料（外来診療料）の時間外等の加算とは別にマスタが用意されているので，留意されたい。

この事例の場合，上段では外来診療料が入院料に包括されるため，加算も包括されてしまうレセコンも多い。入力方法等をベンダーに確認しておかないと，請求もれとなる可能性もある。

25. 救急告示病院・診療所による時間外診療

時間外に急患を診察した場合は，時間外加算ではなく時間外特例医療機関加算が算定できる。

26. 時間外特例医療機関による時間外診療

休日加算や深夜加算に該当する時間帯に診療を行えば，休日加算や深夜加算を算定できる。

小児科特例時間外等加算（初診料・再診料・外来診療料共通）

27. 小児科標榜医療機関での6歳未満の受診

夜間，休日，深夜を標榜診療時間としていても，夜間・休日・深夜加算が算定できる。夜間・休日・深夜加算（時間外等加算と同点数）が算定できる。

28. 小児科以外の6歳未満の患者

小児科の患者でなくても算定できる。

29. 急性疾患や急性増悪等の緊急性の有無

緊急性がない受診であっても算定できる。

30. B001-2 小児科外来診療料の併算定

併算定できる。

夜間・早朝等加算（初診料・再診料共通）

31. 算定要件

施設基準を満たす診療所において夜間・早朝等を「診療時間」として初診・再診を行った場合に算定できる。

32. 診療時間内の往診

対象時間に往診を行った場合も加算が算定できる。

33. 電話再診の場合

電話再診でも算定できる。

機能強化加算

34. 算定要件

地域包括診療料等の届出医療機関（許可病床数200床未満の病院または診療所）において初診を行った場合に，すべての初診料算定患者に算定できる。

35. 時間外等の受診

時間外等加算，夜間・早朝等加算と併算定できる。

36. 同一月に複数回の初診料を算定する場合

初診料を算定するたびに加算できる。

電話再診

37. 外来管理加算および地域包括診療加算

電話再診では外来管理加算および地域包括診療加算は算定できないが，乳幼児加算や時間外・休日・深夜加算は算定できる。

38. 家族等に指示した再診の場合

看護に当たっている家族等から電話やFAX・メールで治療上の相談を受け指示した場合も再診料が算定できる。加えて，患者が乳幼児の場合は乳幼児加算も併せて算定できる。

39. 医学管理等との併算定

原則，医学管理等との併算定不可。ただし，救急病院等への受診を指示し，同日に診療情報提供を行った場合，B009診療情報提供料（Ⅰ）は算定可。

外来管理加算

40. 同日再診，電話再診の場合

同日再診であっても，算定要件を満たせば外来管理加算を算定できる。なお，電話再診では算定不可。

41. 処置料が算定できない処置を行った場合

処置料を算定できない処置を行った場合，外来管理加算および使用した薬剤は算定できる。

42. 簡単な処置を行い固定帯加算のみ算定した場合

病院の外来患者で，基本診療料に含まれる簡単な処置を行いJ200腰部，胸部又は頸部固定帯加算のみを算定した場合は，外来管理加算が算定できる。

43. 併算定の可否

外来管理加算に含まれる検査に伴う時間外緊急院内検査加算は算定できないが，要件を満たす場合の外来迅速検体検査加算は算定できる。

44. 情報通信機器を用いた場合

オンラインでは外来管理加算は算定不可。

往診との関係

45. 併算定

往診料には再診料・外来管理加算，外来診療料が包括されていないので別に算定できる。

46. 時間外加算等の算定

医療機関の診療時間によっては，C000往診料の緊急往診加算は算定できないが，初診料・再診料・外来診療料の時間外加算等は算定できるケースがある。

47. 併算定できる時間外加算等

往診料の夜間・深夜加算と初診料・再診料・外来診療料の時間外加算等（時間外・休日・深夜）とは，それぞれ別々に加算できる。

医療情報取得加算

48. 医療情報取得加算

施設基準を満たす医療機関で，マイナ保険証の利用または他院からの診療情報提供がある場合，初診時は加算2（1点）を月1回，再診時は加算4（1点）を3月に1回算定する。上記以外の場合，初診時は加算1（3点）を月1回，再診時は加算3（2点）を3月に1回算定する。

なお，当該加算は2024年12月1日からは，施設基準を満たす医療機関であれば，（マイナ保険証の利用等にかかわらず）初診時は1点を月1回，再診時は1点を3月に1回算定する——とされる。

49. 診療情報等が存在しなかった場合

マイナ保険証を利用し，患者情報取得を試みるも情報が存在していなかった場合，初診時は加算2，再診時は加算4を算定する（2024年11月末まで）。

50. マイナ保険証を利用したが一部情報取得に同意しなかった場合

初診時は加算1，再診時は加算3を算定する（2024年11月末まで）。マイナ保険証の破損，利用者証明用電子証明書が失効している場合も同様。

医療DX推進体制整備加算

51. 算定限度

初診料算定時に月1回のみ算定できる（2024年9月末までは8点，10月1日からはマイナ保険証の利用率等の施設基準に応じて，加算1：11点，加算2：10点，加算3：8点を算定）。

52. 医療情報取得加算の併算定

初診時において，要件を満たせば併算定可。

A002 外来診療料

53. 同一日の再受診

外来診療料は，要件を満たせば同一日の再受診でも算定できる。同一日に別診療科で他傷病の再診行為が行われた場合，2科目に限り外来診療料を算定できる。ただし，注7～9に規定する加算は算定できない。

54. 電話再診

電話による再診では外来診療料は算定できない。

55. 包括される検査の判断料等

外来診療料に包括される検査を行った場合でも，検査の判断料および外来迅速検体検査加算，D400血液採取は別に算定できる。

56. 包括される処置に係る薬剤料や材料料

外来診療料に包括される処置を行った場合でも，使用した薬剤と特定保険医療材料は算定できる。

57. 腰部又は胸部固定帯固定の取扱い

外来診療料にJ119-2腰部又は胸部固定帯固定は含まれるが，J200腰部，胸部又は頸部固定帯加算は算定できる。

再診料加算

58. 時間外対応加算

時間外対応加算は再診料（電話再診含む）を算定するすべての患者に算定できるが，再診料が包括される点数（小児科外来診療料等）には算定できない。

59. 明細書発行体制等加算

明細書発行体制等加算は，明細書を発行しない場合（電話再診を含む）でも算定できるが，再診料が包括される点数には算定できない。

60. 地域包括診療加算

対象患者は，高血圧症，糖尿病，脂質異常症，慢性心不全，慢性腎臓病（慢性維持透析を行っていないもの），認知症の6疾病のうち，2つ以上の確定病名がある患者となる。電話再診では算定できない。

61. 地域包括診療加算と処方

院外処方（24時間対応薬局と連携要）であれば処方箋料，院内処方であれば処方料の算定ができる。なお，地域包括診療加算を算定する日に限り，7剤投与の減算の対象外となる。

62. 認知症地域包括診療加算

対象患者は，認知症以外に確定病名があり，1処方につき内服薬5種類以下，向精神薬3種類以下に該当する患者である。電話再診では算定できない。

2. 入院料等／入院基本料

再入院時の入院基本料起算日

1. 同一疾病による再入院の原則

退院後3カ月間，いずれの保険医療機関，介護老人保健施設等に入院・入所することなく，同一疾病で再入院した場合，入院起算日は再入院の日となる。

2. 退院後3カ月未満の別疾病による再入院

退院後3カ月未満でも「他の疾病」で再入院した場合，入院起算日は新たな入院の日でよい。

3. 同一疾病の治癒後再発や急性増悪による再入院

同一疾病による再入院であっても，「治癒後の再発」または「急性増悪」の場合は，入院起算日は再入院した日でよい。ただし，レセプト上でわかるような「病

名対応」または「コメント」が必要となる。

4．悪性腫瘍や特定疾患による再入院

悪性腫瘍または特定疾患の患者については，その期限が「3カ月」ではなく「1カ月」でよい。

外泊

5．外泊の日数カウント

外泊は0時から24時までのすべての時間で病室を使用していない日を1日と数える。1泊2日の外泊は，出院日，帰院日それぞれ外出扱いとなるため，2日間とも入院料等を算定できる。

6．外泊期間中の入院基本料等加算

地域加算，療養環境加算，乳幼児加算等の入院基本料等加算はすべて算定できない。

7．在宅医療に備えた一時的な外泊

在宅医療に関する指導管理が行われたうえで，一時的に外泊をする場合には，外泊初日1回に限りC100退院前在宅療養指導管理料が算定できる。

特別の関係

8．特別の関係にある医療機関に転院

転院日の入院料は両方の医療機関で算定できる。

入院中の患者の他医療機関への受診

9．DPC算定患者

DPC算定病棟に入院している患者が他の医療機関を受診した場合は，他医療機関における費用はすべて入院医療機関で請求する（他院の診療内容も考慮してコーディングする）。

10．歯科受診

医科と歯科では診療報酬体系が異なるため，歯科治療は他医療機関への受診とはならず，特に制限はない。なお，歯科では外来扱いとして請求を行う。

病棟移動時の入院料

11．移動日の算定

原則，移動先の入院基本料・特定入院料を算定する。

入院診療計画書に伴う入院料

12．入院診療計画書を作成しなかった場合

計画書を入院後7日間以内に作成しなかった場合，

入院料は算定不可。ただし，救急等で短時間のうちに死亡した場合など，作成と説明ができなかった場合はその理由をカルテに記載しておけば差し支えない。

13．再入院の場合

入院期間が通算される再入院の場合でも，当初の入院診療計画書に変更がある場合は，新たな入院診療計画書の作成・説明が必要になる。

褥瘡対策未実施に伴う入院料

14．褥瘡対策を行っていない医療機関

適切な褥瘡対策の診療計画の作成・実施・評価の体制，適切な設備が入院料の施設基準となっているため，これらが未実施の場合は入院料は算定できない。

A101　療養病棟入院基本料等

15．B008薬剤管理指導料の併算定

B008薬剤管理指導料は，投薬が包括されている療養病棟等でも算定できる。

16．退院時処方の取扱い

療養病棟，有床診療所療養病床の患者に退院時処方が出た場合，処方料・調剤料等は算定できないが，退院後に服用する薬剤は算定できる。

17．退院時の在宅自己注射の指導等

療養病棟入院基本料を算定している患者に対し，退院の際に在宅自己注射の指導を行い，注入器・注射針および薬剤を処方した場合は，当該指導料に併せて注入器加算・注射針加算・薬剤料が算定できる。

18．鼻腔栄養の算定

療養病棟で経口摂取不能な患者に流動食で鼻腔栄養を行った場合，処置のJ120鼻腔栄養は算定できないが，入院時食事療養の費用は算定できる。

19．疼痛コントロールのための医療用麻薬

投薬であっても注射であっても療養病棟入院基本料に包括されない。

20．判断料等の算定病棟から包括病棟への移動

薬剤料や検査料，検査判断料を算定する病棟で判断料を算定したあと，同月に判断料を包括する病棟に転棟した場合でも，すでに算定した判断料は算定可。

3．入院基本料等加算

A200-2　急性期充実体制加算

1．算定日数と併算定

入院日から起算して14日を限度として算定できる。ただし，A200総合入院体制加算は別に算定できない。

A204-2　臨床研修病院入院診療加算

2．基幹型と協力型

基幹型は臨床研修の管理を担う病院であり，協力型は基幹型と共同して特定の診療科のみ臨床研修を行う病院である。複数の研修医の1人が他医療機関で研修を行っている期間も算定できる。

A204-3　紹介受診重点医療機関入院診療加算

3．算定日数と併算定

入院初日に限り算定できる。ただし，A204地域医療支援病院入院診療加算は別に算定できない。

A205　救急医療管理加算

4．救急告示病院・有床診療所

救急医療を提供できる体制が整っていれば，標榜時間内であっても算定できる。

5．入院後に症状が安定してきた患者

入院初日に対象患者であれば，入院後，症状が安定化の方向にある場合であっても7日間は救急医療管理

加算が算定できる。

6. 同月内で入院起算日がリセットされた場合

同月内で入院起算日のリセットがあった場合は，その日から7日間，再度算定できる。

7. 救急患者の来院時死亡

救急患者として受け入れた患者が処置室や手術室にて死亡した場合は，入院扱いにできる。その際，対象であれば，救急医療管理加算が算定できる。

8. 算定要件の明確化

入院時点で重症患者であることが算定要件となるため，重症化リスクが高い，経過観察目的で入院させる等は明確に対象外となった。

A206 在宅患者緊急入院診療加算

9. 情報提供が遅れた場合

緊急入院した患者で，診療所の保険医から情報提供されていない場合でも，24時間以内に情報提供されれば算定できる。

10. 救急医療管理加算の併算定

A205救急医療管理加算とA206在宅患者緊急入院診療加算は，要件を満たせば併せて算定できる。

11. 特別な関係

入院医療機関が連携先の医療機関と特別な関係にある場合でも算定できる。

A207 診療録管理体制加算

12. 入院起算日リセット時の算定

同月内で入院起算日がリセットされた場合（初回入院時＝尿管結石，再入院時＝骨折など）は，別入院となるため，診療録管理体制加算が再度算定できる。

A207−3 急性期看護補助体制加算

13. 身体的拘束を実施した日

看護補助体制充実加算1の届出をしている場合でも看護補助体制充実加算2で算定する。ただし，2025年5月31日までは経過措置があるため除外される。

A209 特定感染症入院医療管理加算

14. 算定要件

感染症法上の3・4・5類感染症，指定感染症の患者に対して，適切な感染防止対策を実施した場合に，原則1入院に7日を限度として算定できる。

15. 7日以降も病原体が検出されている場合

感染性を有する病原体が検出され，他の患者に感染させるおそれが高い場合は7日目以降も算定可。

【ワンポイント事例解説】

病名：(1)(主)COVID-19肺炎
⑨ ＊特定感染症入院医療管理加算（治療室） 　チ　新型コロナウイルス感染症（特定感染症入院医療管理料）病原体検査の結果及び他の患者への感染の危険性が特に高いと判断する根拠；抗原定量検査100pg/mLと高値であり，隔離解除はまだ行えないため　　　　200×10

解説　7日を超えて算定を行う場合，レセプト記載要領にある通り，病原体検査の結果を含めて，他の患者への感染の危険性が特に高いと判断する根拠をコメントしなければならない。

16. 疑似症患者

疑似症患者に対しては，初日のみ算定できる。

17. 包括項目のある特定入院料

A300〜A303−2の特定入院料を算定する病棟に入院中であっても，包括対象外となり別に算定できる。

18. 特定感染症入院医療管理加算の併算定

A210難病等特別入院診療加算とは併算定不可。

A210 難病等特別入院診療加算

19. 算定患者の疾患等

「1」難病患者等入院診療加算は「51　特定疾患」，「54　特定医療」（難病法）の受給者であることが要件ではなく，厚生労働大臣が定める疾患に罹患している患者であれば算定できる。有床診療所でも算定可。

20. MRSA患者に算定する場合

メチシリン耐性黄色ブドウ球菌（MRSA）感染症患者に対して算定する場合は，菌の排出がなくなった後3週間を限度として算定する。

21. 難病等特別入院診療加算の併算定

「2」二類感染症患者入院診療加算は，要件を満たせば一般病棟入院基本料，特定機能病院入院基本料（一般・精神）と併算定できる。

22. 包括項目のある特定入院料

A300〜A303−2の特定入院料を算定する病棟に入院中であっても，包括対象外となり別に算定できる。

A211 特殊疾患入院施設管理加算

23. 重度の肢体不自由児（者）

身体障害者1，2級程度と医学的に判断されれば，障害者手帳を持っていなくても算定できる。

A212 超重症児（者）入院診療加算・準超重症児（者）入院診療加算

24. 入院時にすでに判定基準を満たす場合

転院等で受け入れた患者や在宅療養を行っていた患者が，前医療機関等で特別な医学的管理を要する状態が6カ月以上継続していれば，転院初日もしくは入院初日から算定できる。

25. （準）超重症児（者）入院診療加算

要件を満たせばA210「1」難病患者等入院診療加算と併せて算定できる。

レセプトチェック技術

ポイント
チェックリスト
指摘事項

A214 看護補助加算

26. 身体的拘束を実施した日

看護補助体制充実加算1の届出をしている場合でも看護補助体制充実加算2で算定する。ただし，2025年5月31日までは経過措置があるため除外される。

A219 療養環境加算

27. 重症者等療養環境特別加算の併算定

療養環境加算とA221重症者等療養環境特別加算は，併せて算定できる。

A221-2 小児療養環境特別加算

28. 月の途中で15歳になった場合

誕生日月中である同月中は算定できる。

A226-4 小児緩和ケア診療加算

29. 小児個別栄養食事管理加算

小児緩和ケアチームに管理栄養士が参加しており，患者の症状や希望に応じ個別に栄養食事管理を行った場合に算定できる。

A230-3 精神科身体合併症管理加算

30. 複数の対象疾患がある場合

同一月に複数の対象疾患を発症した場合，それぞれ対象疾患の治療開始日から15日間に限り算定できる。ただし，同時期に複数の疾患に罹患した場合，同一日に重複して算定することはできない。なお，同一月に算定できる期間は最大20日間である。

A233 リハビリテーション・栄養・口腔連携体制加算

31. 算定日数

リハビリ，栄養管理，口腔管理に係る計画作成日から14日に限り算定できる。

32. 栄養サポートチーム加算の併算定

A233-2栄養サポートチーム加算は別に算定不可。

A233-2 栄養サポートチーム加算

33. 栄養サポートチーム加算の併算定

B001「10」入院栄養食事指導料，B001「11」集団栄養食事指導料，B001-2-3乳幼児育児栄養指導料は別に算定できない。

A234-4 重症患者初期支援充実加算

34. 重症患者初期支援充実加算の算定要件

専任の入院時重症患者対応メディエーターが，治療に携わる他職種とともに，患者と患者家族等に対して治療方針，治療内容等の理解と意向表明を支援した場合に，入院日から3日を限度に算定できる。

A236-2 ハイリスク妊娠管理加算

35. ハイリスク分娩管理加算の併算定

1入院期間中にハイリスク妊娠管理加算とA237「1」ハイリスク分娩管理加算との併算定はできるが，同一日には併算定できない。

A237 ハイリスク分娩等管理加算

36. 40歳以上の初産婦

分娩予定日ではなく，現在の年齢が対象となる。

A243 後発医薬品使用体制加算

37. 後発医薬品を投与しない患者

投薬・注射の薬剤を出来高で算定する入院患者であれば，後発医薬品を投与しない患者にも算定できる。

A243-2 バイオ後続品使用体制加算

38. 算定要件

バイオ後続品はあるが適応が異なる先発バイオ医薬品，バイオ後続品を使用している入院患者に対して，入院初日に算定できる。

A244 病棟薬剤業務実施加算

39. 算定限度

療養病棟入院基本料，精神病棟入院基本料，特定機能病院入院基本料（精神病棟に限る）においては，入院起算日から8週間が限度となる。

40. 薬剤業務向上加算

届出医療機関において，病棟薬剤業務実施加算1を算定している患者に対して，週1回算定できる。

A246 入退院支援加算

41. カンファレンス実施が入院7日を超えた場合

患者の状態が悪い，家族等とも面会ができない等のやむを得ない理由で7日を過ぎてしまった場合，診療録に理由を明記しておくことで算定できる。

42. 「注7」入院時支援加算の算定

要件をすべて満たした場合は，「注7」「イ」入院時支援加算1を算定し，すべては満たさないが患者情報の把握，介護・福祉サービスの把握，入院生活の説明を行った場合は「ロ」入院時支援加算2を算定する。

43. 入院事前調整加算

コミュニケーションに特別な技術が必要な患者や強度行動障害の患者に対して，入院前に患者，家族，障害福祉サービス事業者等から情報提供を受け，療養支援計画を立て病棟職員等と共有した場合に算定可。

A246-3 医療的ケア児（者）入院前支援加算

44. 算定要件

医療的ケア判定スコア16点以上の患者に対して，入院前に医師または看護職員が患家等を訪問し療養支援計画書を策定し，入院日までに説明および文書で提供した場合に，患者1人1回に限り算定できる。

A247 認知症ケア加算

45. 認知症ケア加算の併算定

A230-4精神科リエゾンチーム加算，A247-2せん妄ハイリスク患者ケア加算は別に算定できない。

4．特定入院料，短期滞在手術等基本料

特定入院料

1．転棟前後の入院料の算定

検査等を包括していない入院料を算定する病床から包括する病床へ月途中に転棟した場合は，転棟前に算定できる判断料等は包括されない。

2．注射手技料が包括される際の薬剤料

A300～A305の特定入院料において，注射手技料は包括されるが，薬剤料は別に算定できる。

3．包括される薬剤料における残薬等

薬剤料を包括している特定入院料や入院基本料を算定している場合であっても，すでに処方されている残薬や退院時処方など退院後に服用するものとする薬剤料は算定できる。

4．算定要件に該当しない患者の取扱い

A300～A303-2の特定入院料については，届け出ているA100一般病棟入院基本料にて算定する。その際は，「注4」重症児（者）受入連携加算，「注5」救急・在宅等支援病床初期加算は算定できない。

A300 救命救急入院料

5．急性薬毒物中毒加算

「2」では，催眠鎮静剤や抗不安剤による中毒患者は対象とならない。

6．算定日数

脳卒中の場合は概ね7日間，脳動脈瘤手術の場合は手術日と翌日の2日間の算定が認められる。それを超える日数を算定する場合には，必要性を症状詳記等で対応することが望ましい。

A302 新生児特定集中治療室管理料
A303 総合周産期特定集中治療室管理料

7．算定日数の限度

厚生労働大臣が別に定める疾患を主病とする新生児の場合，出生時体重1000g未満は90日，1000g以上1500g未満は60日，1500g以上は35日まで算定できる。

8．慢性肺疾患の新生児

出生時体重500g以上750g未満は105日，500g未満は110日まで算定できる。

A303-2 新生児治療回復室入院医療管理料

9．算定日数の限度

厚生労働大臣が別に定める疾患を主病とする新生児の場合，出生時体重1000g未満は120日，1000g以上1500g未満は90日，1500g以上は50日まで算定できる。

10．慢性肺疾患の新生児

出生時体重500g以上750g未満は135日，500g未満は140日まで算定できる。

A306 特殊疾患入院医療管理料

11．脳卒中後遺症の重度意識障害者

医療区分2・1に相当する場合，「注4」により算定する。また，1日に2つ以上の医療区分に該当する場合は，最も高い点数を算定する。

A307 小児入院医療管理料

12．算定月に15歳（20歳）となった場合

誕生日月である同一月内は同管理料が算定できる。

13．算定要件に該当しない患者（「1」～「4」）

届け出ているA100一般病棟入院基本料にて算定する。その際は，「注4」重症児（者）受入連携加算，「注5」救急・在宅等支援病床初期加算は算定できない。

14．算定要件に該当しない患者（「5」）

A103「3」精神病棟入院基本料（15対1入院基本料）にて算定する。その際は，「注4」重度認知症加算，「注5」救急支援精神病棟初期加算，「注7」精神保健福祉士配置加算は算定できない。

15．無菌治療管理加算の併算定

「注5」無菌治療管理加算とA221-2小児療養環境特別加算は別に算定できない。

16．病棟薬剤業務実施加算の算定

小児入院医療管理料を算定するにあたり，要件を満たせばA244病棟薬剤業務実施加算は算定できる。

A308 回復期リハビリテーション病棟入院料

17．休日リハビリテーション提供体制加算

週7日実施できる体制が要件となっているため，「1」「2」では算定できないが，「3」～「5」の場合は平日を含めて算定できる。

18．算定要件に該当しない患者（一般病棟の場合）

特別入院基本料（A100）を算定する。その際は，「注4」重症児（者）受入連携加算，「注5」救急・在宅等支援病床初期加算は算定できない。

19．算定要件に該当しない患者（療養病棟の場合）

「1」～「4」を算定する病棟の場合は，A101「1」療養病棟入院料1「オ」入院料27を算定する。また，「5」を算定する病棟の場合は，A101「2」療養病棟入院料2「オ」入院料27を算定する。

20．包括範囲

J038人工腎臓，J042腹膜灌流，J400特定保険医療材料（人工腎臓，腹膜灌流に係るもののみ），自己連続携行式腹膜灌流液は包括されず別に算定できる。

21．入院栄養食事指導料

「1」については，B001「10」入院栄養食事指導料は包括されず別に算定できる。

A308-3 地域包括ケア病棟入院料

22．同一医療機関内のDPC対象病棟からの転入

地域包括ケア病棟入院料（一般病棟）の場合には，DPC点数表の入院日IIまではDPCで算定する。地域包括ケア入院医療管理料（一般病棟）の場合には，DPCの入院日IIIまではDPCで算定し，出来高算定の期間になったら本管理料を算定する。

23．入院期間が通算される再入院の場合

再入院時に通算入院期間が60日以内であれば60日間まで算定ができる。

レセプトチェック技術

ポイント
チェック
リスト
指摘事項

24. 急性増悪等による転棟

別の入院料を算定する病棟へ転棟した場合は，対象病棟の入院料が算定できる。その際，レセプトの摘要欄には医療上の必要性を詳細に記載する。

25. 急性期患者支援病床初期加算

急性期医療を担う病院から患者を受け入れた場合，自院，他院を問わず算定できる。

26. 算定要件に該当しない患者（一般病棟の場合）

特別入院基本料（A100）を算定する。その際は，「注4」重症児（者）受入連携加算，「注5」救急・在宅等支援病床初期加算は算定できない。

27. 算定要件に該当しない患者（療養病棟の場合）

「1」「2」を算定する病棟の場合は，A101「1」療養病棟入院料1「オ」入院料27を算定する。また，「3」「4」を算定する病棟の場合は，A101「2」療養病棟入院料2「オ」入院料27を算定する。

A311 精神科救急急性期医療入院料，A311－2 精神科急性期治療病棟入院料，A311－3 精神科救急・合併症入院料，A311－4 児童・思春期精神科入院医療管理料

28. 算定要件に該当しない患者の取扱い

A103「3」精神病棟入院基本料（15対1入院基本料）にて算定する。その際は，「注4」重度認知症加算，「注5」救急支援精神病棟初期加算，「注7」精神保健福祉士配置加算は算定できない。

A311 精神科救急急性期医療入院料

29. 非定型抗精神病薬加算

1日当たりの抗精神病薬が2種類以下の場合に算定できる。なお，頓用で使用した抗精神病薬はカウントできないが，継続使用した場合は，臨時投与した時点からカウントできる。

A314 認知症治療病棟入院料

30. リハビリテーションを行った場合

H003-2「1」リハビリテーション総合計画評価料1，H004摂食機能療法，H007-3認知症患者リハビリテーション料は別に算定できるが，その他のリハビリテーション料は包括される。

A400 短期滞在手術等基本料

31. 短期滞在手術等基本料1に包括される検査等

包括対象の検査・画像診断は，短期滞在手術等基本料1とは別の目的で行った場合，別に算定できる。その際は，レセプトの摘要欄にその旨を記載する。

32. 短期滞在手術等基本料3の原則

対象患者は全年齢であり，特別入院料等を算定する病棟を除く全病棟が対象となる。退院時処方の費用，入院時食事療養費・生活療養費を除きすべての診療行為が包括となる。なお，診療所は算定対象にならない。

入院5日目までに対象手術等を実施し，退院が6日目以降になった場合は，5日目までは本基本料，6日目以降は出来高で算定する。対象手術等を6日目以降に実施した場合は，すべて出来高で算定する。

33. 短期滞在手術等基本料3（対象外手術や複数手術の併施）

対象手術等と併せて別の手術等を行った場合，また対象手術等を複数実施した場合は算定対象外となり，すべての内容が出来高で算定できる。

5．医学管理等

1．1月に1回算定

暦月につき1回算定の意味。よって，前回算定日から1カ月を経過していなくとも，月が変わり算定要件を満たす場合は算定できる。

B000 特定疾患療養管理料

2．退院日から1月以内の算定

退院日から1月を経過しないと算定できないが，他医療機関の退院の場合は1月以内でも算定できる。

3．算定要件の1カ月の取扱い

1カ月経過の日が休日であり，その休日の直前の稼働日に治療計画に基づき必要な指導を行った場合，その日に特定疾患療養管理料を算定できる。

4．対象疾患の治療後

胃癌術後など対象疾患に「術後」が付いていても，特定疾患療養管理料の対象となる。

5．家族等に対する指導

やむを得ず，看護に当たっている家族等に対して指導を行った場合でも算定できる。

6．対象外疾患治療中に対象疾患を併発

対象疾患以外で治療中の患者が対象疾患を併発した場合，初診料算定日から1カ月以上経過していればその日から算定できる。

7．電話再診料を算定した場合

電話で療養上必要な管理を行っても，特定疾患療養管理料は算定できない。

B001「1」ウイルス疾患指導料

8．対象患者

要件を満たせば入院患者でも算定できる。

B001「2」特定薬剤治療管理料

9．特定疾患療養管理料の併算定

特定薬剤治療管理料は，B000特定疾患療養管理料と併せて算定できる。

10．てんかん指導料の併算定

抗てんかん剤投与に対する特定薬剤治療管理料1とB001「6」てんかん指導料は，併せて算定できる。

11．特例の算定

ジギタリス製剤の急速飽和，てんかん重積発作に対する注射を行った場合，所定点数にかかわらず特定薬剤治療管理料として740点を算定するが，他の薬物の血中濃度測定管理をしていれば，それは別に算定可。

12. 対象薬剤群の異なる複数の薬剤

1月に2回以上，同薬剤群の薬物血中濃度測定管理を行った場合，2回目以降は算定できないが，異なる対象薬剤群の薬剤に対して薬物血中濃度測定管理を行った場合は，それぞれ特定薬剤治療管理料1が算定可。また，要件を満たせば初回月加算もそれぞれ算定可。

【ワンポイント事例解説】

病名：慢性気管支炎，狭心症	
⑬	*特定薬剤治療管理料1 初回月加算 特定薬剤治療管理料初回算定　令和6年7月 （ニ）気管支喘息等の患者でテオフィリン製 　　　剤を投与　　　　　　　　　　750×1 *特定薬剤治療管理料1 初回月加算 特定薬剤治療管理料初回算定　令和6年7月 （イ）心疾患患者でジギタリス製剤を投与 　　　　　　　　　　　　　　　　750×1
解説	初回月加算の算定もれに注意する。

13. テオフィリン製剤の取扱い

気管支喘息にアミノフィリン（テオフィリン85％＋エチレンジアミン15％）を投与し薬物血中濃度測定管理を行った場合も特定薬剤治療管理料の対象となる。

14. 対象薬剤の請求がない月の算定

長期処方を行っており受診月に処方がない場合でも，計画的な治療管理のもと，薬物血中濃度測定管理を行っていれば，特定薬剤治療管理料1は算定できる。

15. 複数の抗てんかん剤

同月内に複数の抗てんかん剤に対して薬物血中濃度測定管理を行った場合，所定点数は2回を上限として算定できる。なお，初回月に複数の抗てんかん剤を投与した場合でも，初回月加算は1回の算定となる。

16. 4カ月目以降の減額

特定薬剤治療管理料1は，4カ月目以降のものは所定点数の100分の50で算定する。ただし，抗てんかん剤と免疫抑制剤については減額せずに算定できる。

B001「3」悪性腫瘍特異物質治療管理料

17. 1月2回以上の腫瘍マーカー

悪性腫瘍特異物質治療管理料には，腫瘍マーカー検査，当該検査に係る採血，当該検査の結果に基づく治療管理に係る費用が含まれ，1月に2回以上腫瘍マーカーを行っても，その費用は別に算定できない。

18. 腫瘍マーカー以外の生化学（Ⅱ）実施

悪性腫瘍特異物質治療管理料算定月に，D009腫瘍マーカー以外の生化学（Ⅱ）の検査を行っている場合は，生化学的検査（Ⅱ）判断料は別に算定できる。

【ワンポイント事例解説】

⑬	*悪性腫瘍特異物質治療管理料（その他・2 項目以上）（CEA，CA19-9）　400×1
⑥	*インスリン（IRI）　　　　　　100×1 *生化学的検査（Ⅱ）判断料　　144×1
解説	腫瘍マーカー以外の生化学的検査（Ⅱ）の検査を行っているので，検査実施料が算定可。

19. 初回月加算

当該月に悪性腫瘍の確定診断がされ悪性腫瘍特異物質治療管理料を算定する場合，初回月加算が算定できる。なお，前月までD009腫瘍マーカーの特例に挙げられる検査を行っていた場合でも，これらは腫瘍マーカーとはみなされないため算定できる。

【ワンポイント事例解説】

病名：C型慢性肝炎，胃癌	
6月レセプト	
⑥	*α-フェトプロテイン PIVKA-Ⅱ半定量　　　　　229×1 *生化学的検査（Ⅱ）判断料　144×1
7月レセプト	
⑬	*悪性腫瘍特異物質治療管理料（その他・2 項目以上）　初回月加算 （TPA，CA72-4）　　　　　550×1
解説	特例に挙げられている検査は腫瘍マーカー検査とはみなさないため，「注3」初回月加算が算定可。特例以外の腫瘍マーカー検査を前月まで算定している場合は，初回月加算は算定できない。

20. 同一月に悪性腫瘍が確定した場合

腫瘍マーカー実施後，悪性腫瘍が確定した場合，翌月は悪性腫瘍特異物質治療管理料で算定する。

B001「4」小児特定疾患カウンセリング料

21. 算定限度と併算定

厚生労働大臣が定める18歳未満の患者に対して，初回のカウンセリング日から起算して2年以内は月2回算定可。2年超～4年以内は月1回算定可。なお，初診日であっても算定できる。ただし，B000特定疾患療養管理料，I002通院・在宅精神療法，I004心身医学療法を算定している患者には算定できない。

22. 家族にカウンセリングを行った場合

家族のみに行った場合は算定できず，患者を伴った場合のみ算定できる。また，電話によるカウンセリングは算定対象とはならない。

B001「5」小児科療養指導料

23. 初診月の指導

初診料を算定した月は，小児科療養指導料にかかる費用は算定できない。ただし，暦月の取扱いのため，翌月になれば1月経過していなくても算定できる。

24. 併算定

B000特定疾患療養管理料，B001「7」難病外来指

導管理料，B001「18」小児悪性腫瘍患者指導管理料の算定患者には算定できない。

25. 退院日から1月以内の算定

退院日から1月以内は算定できないが，他院からの退院であれば，退院日から1月以内でも算定できる。

B001「6」てんかん指導料

26. 併算定の可否

B000特定疾患療養管理料，B001「5」小児科療養指導料，B001「18」小児悪性腫瘍患者指導管理料の算定患者には算定できない。

27. 退院日から1月以内の算定

退院日から1月以内は算定できないが，他院からの退院であれば，退院日から1月以内でも算定できる。

B001「7」難病外来指導管理料

28. 対象患者

指定難病（341疾病：2024年9月現在）の受給者証交付者，特定疾患治療研究事業・先天性血液凝固因子障害等研究事業の受給者証交付者等が対象である。

29. 退院日から1月以内の算定

退院日から1月以内は算定できないが，他院からの退院であれば，退院日から1月以内でも算定できる。

30. 人工呼吸器導入時相談支援加算

人工呼吸器の適応となる患者と病状，治療方針について話し合い，その内容を文書で提供した場合，1月を限度として1回に限り算定できる。

B001「8」皮膚科特定疾患指導管理料

31. 皮膚科特定疾患指導管理料（I）

「結節性痒疹及びその他の痒疹」は，経過が1年以上のものが対象になるが，他院で診療していたものでも発症から1年以上経過していることが確認できれば，その旨摘要欄に記載すれば算定できる。

B001「9」外来栄養食事指導料，「10」入院栄養食事指導料，「11」集団栄養食事指導料

32. 外来栄養食事指導料

初回の指導月では2回，その他の月では月1回に限り算定する。ただし，初回指導月の翌月に2回指導を行った場合で，初回と2回目の間隔が30日以内の場合は，初回の指導を行った翌月に2回算定できる。なお，届出医療機関において外来化学療法を行う悪性腫瘍患者について月2回以上指導を行った場合は，「2回目以降」（対面で行った場合）が算定できる。

33. 低栄養状態にある患者

血中アルブミン3.0g/dL以下，または医師が低栄養状態の改善を要すると判断した患者が対象となる。低栄養状態であることがわかる病名，上記理由を摘要欄に付記することが望ましい。

34. 入院栄養食事指導料の算定限度

入院中2回を限度として算定する。ただし，1週間に1回を限度とする。同一月に入退院を繰り返す場合，要件を満たせば1入院ごとに2回算定できる。

35. 入院栄養食事指導を行う管理栄養士

院内に配置している管理栄養士が，特別食を必要とする患者に指導を行った場合は入院栄養食事指導料1が算定できる。また，有床診療所に限り，栄養ケア・ステーションまたは他医療機関の管理栄養士が指導を行った場合に入院栄養食事指導料2が算定できる。

36. 集団栄養食事指導料の算定限度

月1回を限度として算定する。入院中の患者に対しては，入院期間が2カ月超であっても入院期間中2回を限度として算定する。

37. 同一月に入院2回，外来2回の指導

月の途中で退院する患者に対して，同一月に入院2回，外来2回の栄養指導は，医師がその必要を認めたもので要件を満たしていれば算定できる。

38. 初診月の算定

各栄養食事指導料は初診月でも算定できる。

39. 同一日の併算定

各々の算定要件を満たしていれば，集団栄養食事指導料と外来栄養食事指導料，または入院栄養食事指導料を同一日に併せて算定することができる。

B001「12」心臓ペースメーカー指導管理料

40. 他の医療機関で移植した患者

他の医療機関で移植した患者でも算定できる。

41. 導入期加算

遠隔モニタリングによる場合でも算定できる。

B001「13」在宅療養指導料

42. 算定要件

初回の指導月は2回，その他の月は月1回に限り算定する。医療機関で指導を行った場合に算定できる。

43. 対象患者

在宅療養指導管理料を算定している患者，人工肛門や気管カニューレ等の器具を装着しており管理に配慮を要する患者，過去1年以内に心不全による入院が直近を除き1回以上ある慢性心不全の患者であり，退院後1月以内の場合が対象となる。

B001「14」高度難聴指導管理料

44. 他医療機関の人工内耳植込み患者

他医療機関でK328人工内耳植込術を行った患者でも算定できる。

B001「15」慢性維持透析患者外来医学管理料

45. 包括される検査と検査判断料

B001「15」注2に掲げる検査の検査料およびD026尿・糞便等検査判断料，血液学的検査判断料，生化学的検査（I）判断料，生化学的検査（II）判断料，免疫学的検査判断料は本管理料に含まれ，別に算定できない。これらの検査に係る検査の部の「通則」「款」「注」に規定する加算も，別に算定できない。

46. 胸部単純撮影の診断料・撮影料

胸部単純撮影の診断料・撮影料は包括されるが，これに伴うフィルム代や電子画像管理加算，時間外緊急院内画像診断加算等は別に算定できる。

47. 特定疾患療養管理料の併算定

要件を満たせば，B000特定疾患療養管理料と同一月に併せて算定できる。

48．入院と外来の混在する月

同一の保険医療機関において，同一月内に入院と外来が混在する場合には，本管理料は算定できない。

49．「透析導入後3か月以上」

「導入後3か月以上」とは，他の医療機関での透析期間を含む。他院入院中患者の他医療機関への受診時の透析は当該点数を算定できない。

B001「16」喘息治療管理料

50．併算定の可否

それぞれに要件を満たせば，同月に「1」「2」を併せて算定できる。また，B000特定疾患療養管理料，B001「4」小児特定疾患カウンセリング料と併せて算定できる。

B001「17」慢性疼痛疾患管理料

51．対象疾患

変形性膝関節症等の整形外科的疾患であっても，慢性疼痛を主病とし，疼痛による運動制限を改善する目的で療法を行った場合は算定できる。

52．初回月の包括処置等

初回月に限り，算定以前の外来管理加算，J119消炎鎮痛等処置は別に算定できる。

53．包括処置に使用した薬剤料等の算定

慢性疼痛疾患管理料を算定している患者であっても，包括されている処置に使用した薬剤料やJ200腰部，胸部又は頸部固定帯加算は別に算定できる。

B001「18」小児悪性腫瘍患者指導管理料

54．家族等に行った指導

家族のみに行った場合は算定できず，患者を伴った場合に算定できる。

55．算定できる診療科

小児科または小児外科を標榜している医療機関であれば，診療科を問わず，悪性腫瘍を主病とする15歳未満の患者について算定できる。

56．算定開始日

小児悪性腫瘍患者指導管理料は，初診料を算定した月には算定できず，翌月1日以降に算定可。また，退院日から1月以内は算定できないが，他院からの退院であれば，退院日から1月以内でも算定できる。

B001「20」糖尿病合併症管理料

57．算定要件

糖尿病足病変ハイリスク要因を有している外来通院患者に指導した場合に算定できる。糖尿病かつ糖尿病足病変（足潰瘍，足趾・下肢切断既往，閉塞性動脈硬化症，糖尿病神経障害）の確定診断がついている患者が対象となり，疑いでは算定できない。

58．併算定の可否

同一月または同一日において，他の医学管理等および在宅療養指導管理料を併算定できる。

59．退院日から1月以内の算定

退院日から1月以内は算定できないが，他院からの退院であれば，退院日から1月以内でも算定できる。

B001「22」がん性疼痛緩和指導管理料

60．算定の可否

がん性疼痛緩和指導管理料は入院，外来問わず算定ができる。また，同一月または同一日において，他の医学管理等および在宅療養指導管理料を併算定できる。

B001「23」がん患者指導管理料

61．算定限度と併算定

「イ」「ニ」は1回限り，「ロ」「ハ」は6回に限り，入院・外来問わず算定ができる。なお，「ロ」「ハ」においては，同一日であっても併算定できる。

62．がん患者指導管理料「ロ」との併算定

A226-2緩和ケア診療加算，B001「18」小児悪性腫瘍患者指導管理料，B001「22」がん性疼痛緩和指導管理料，B001「24」外来緩和ケア管理料は併せて算定できない。

63．がん患者指導管理料「ハ」との併算定

B001「18」小児悪性腫瘍患者指導管理料，B001-2-12外来腫瘍化学療法診療料，B008薬剤管理指導料，F100処方料またはF400処方箋料の抗悪性腫瘍剤処方管理加算は併せて算定できない。

B001「24」外来緩和ケア管理料

64．算定要件と併算定

がん性疼痛の症状緩和を目的として麻薬が投与されている外来患者に対して，療養上必要な指導を行った場合に，月1回算定できる。なお，B001「22」がん性疼痛緩和指導管理料，B001「23」がん患者指導管理料「ロ」は併せて算定できない。

B001「26」植込型輸液ポンプ持続注入療法指導管理料

65．導入期加算

植込術実施日から起算して3月以内に指導管理を行った場合，導入期加算が算定できる。なお，導入期加算を算定した場合，植込術を実施した月日をレセプトの摘要欄に記載する。

B001「27」糖尿病透析予防指導管理料

66．算定要件と併算定

糖尿病の外来患者に対して，透析予防に関する指導を行った場合，月1回算定できる。なお，B001「20」糖尿病合併症管理料とは併せて算定できる。ただし，B001「9」外来栄養食事指導料，B001「11」集団栄養食事指導料は併せて算定できない。

67．高度腎機能障害患者指導加算

対象患者はeGFR45mL/min/1.73㎡未満であることから，病名欄の慢性腎臓病のステージを明確にするか（慢性腎臓病ステージG3b〜G5D），レセプトの摘要欄にeGFRの値を記載しておくことが望ましい。

B001「28」小児運動器疾患指導管理料

68．算定要件と併算定

運動疾患を有する20歳未満の外来患者に対して，専門の知識を有する医師が計画的な医学管理を継続して

行い療養上必要な指導を行った場合，6月に1回に限り算定できる。ただし，同一月にB001「5」小児科療養指導料を算定している患者には算定できない。

B001「29」乳腺炎重症化予防ケア・指導料

69. 算定要件

乳腺炎が原因となり母乳育児に困難を来している外来患者に対して，医師または助産師が乳腺炎に係る包括的なケア・指導を行った場合，1回の分娩につき4回に限り算定できる。

B001「30」婦人科特定疾患治療管理料

70. 算定限度

器質性月経困難症でホルモン剤投与している外来患者に対して，3月に1回に限り算定できる。初診料算定月には算定できず，翌月以降に算定できる。

B001「31」腎代替療法指導管理料

71. 算定限度

患者1人につき2回に限り算定できる。

B001「32」一般不妊治療管理料

72. 算定要件

外来の不妊症患者を対象に，3月に1回算定できる。
初診料を算定する月に行った指導は，初診料に含まれるため一般不妊治療管理料は算定できない。

B001「33」生殖補助医療管理料

73. 算定要件

外来の不妊症患者を対象に，医学管理と療養指導を行った場合，月に1回算定できる。
初診料を算定する月に行った指導は，初診料に含まれるため生殖補助医療管理料は算定できない。

B001「34」二次性骨折予防継続管理料

74. 管理料1の算定要件

大腿骨近位部骨折の手術を行った入院患者に対して，二次性骨折予防を目的に骨粗鬆症の計画的評価や治療等を行った場合，入院中1回に限り算定できる。

75. 管理料2の算定要件

他の医療機関で「管理料1」を算定している入院患者に対して，継続して骨粗鬆症の計画的評価や治療等を行った場合，入院中1回に限り算定できる。ただし，自院における転棟や特別な関係の医療機関からの転院の場合は算定できない。

76. 管理料3の算定要件

「管理料1」を算定している外来患者に対して，継続して骨粗鬆症の計画的評価や治療等を行った場合，初回算定月から1年を限度として月1回算定できる。ただし，管理料1・2を自院，または特別な関係にある医療機関で算定した同一月には算定できない。

B001「35」アレルギー性鼻炎免疫療法治療管理料

77. 算定要件

アレルギー性鼻炎の外来患者に対して，アレルゲン免疫療法による計画的な治療管理を行った場合に月1回算定できる。なお，「イ」における1月目とは初回

の治療管理を行った月を指す。

B001「36」下肢創傷処置管理料

78. 算定要件

下肢潰瘍を有する外来患者に対して，治療計画に基づき療養上の指導を行った場合，J000-2下肢創傷処置の算定月において月1回算定できる。

B001「20」糖尿病合併症管理料とは併算定できない。

B001「37」慢性腎臓病透析予防指導管理料

79. 併算定の可否

B001-3生活習慣病管理料（Ⅰ），B001-3-3生活習慣病管理料（Ⅱ）は別に算定できる。B001「9」外来栄養食事指導料，B001「11」集団栄養食事指導料は別に算定できない。

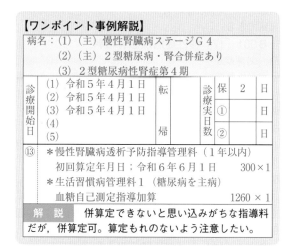

【ワンポイント事例解説】

病名：	(1)（主）慢性腎臓病ステージG4
	(2)（主）2型糖尿病・腎合併症あり
	(3) 2型糖尿病性腎症第4期

診療開始日	(1) 令和5年4月1日	転	診療実日数	保	2	日
	(2) 令和5年4月1日			①		日
	(3) 令和5年4月1日			②		日
	(4)	帰				
	(5)					

⑬	＊慢性腎臓病透析予防指導管理料（1年以内）
	初回算定年月日：令和6年6月1日　　300×1
	＊生活習慣病管理料1（糖尿病を主病）
	血糖自己測定指導加算　　　　　1260×1

| **解説** | 併算定できないと思い込みがちな指導料 |

だが，併算定可。算定もれのないよう注意したい。

B001-2 小児科外来診療料

80. 算定要件

6歳未満の外来患者を対象として算定する。なお，医療機関単位で算定するため，小児科以外で診療した場合も小児科外来診療料にて算定する。

81. 算定対象除外患者

B001-2-11小児かかりつけ診療料，在宅療養指導管理料（自他院問わず）の算定患者，またはパリビズマブ投与当日は，小児科外来診療料は算定できない。

82. 電話再診

電話再診では小児科外来診療料は算定できない。

83. 月の途中で6歳になった場合

誕生日月である同月中は算定できる。

84. 医学管理等の通則加算

届出診療所は，通則3～6の加算を月1回算定可。

85. 併算定可能な加算

小児科外来診療料には初診料，再診料，外来診療料の所定点数が含まれているが，それらに係る時間外・時間外特例・休日・深夜加算，小児科特例加算，機能強化加算等は別に算定可。初診料の加算を算定する場合は115点を，再診料・外来診療料の加算を算定する場合は70点を，それぞれの加算点数より減じて算定する。

86. 併算定の可否

B001-2-2地域連携小児夜間・休日診療料，B001-2-5院内トリアージ実施料，B001-2-6夜間休日救急搬送医学管理料，B010診療情報提供料（Ⅱ），B011連携強化診療情報提供料，C000往診料（加算含む）は併せて算定できる。

87. 小児抗菌薬適正使用支援加算

抗菌薬は細菌感染症に対して使用するものであり，インフルエンザウイルスやCOVID-19のようなウイルス感染症（疑いも含む）の場合は算定不可。

88. 開放型病院共同指導料の併算定

小児科外来診療料の算定患者が月の途中で開放型病院に入院し，診療所医師が開放型病院に赴き共同で診療した場合，入院前の小児科外来診療料とB002開放型病院共同指導料（Ⅰ）を併算定できる。

B001-2-2 地域連携小児夜間・休日診療料

89. 小児科外来診療料の算定医療機関

B001-2小児科外来診療料を算定している医療機関でも，診療時間外に診療した場合は地域連携小児夜間・休日診療料を算定できる。ただし，B001-2-4地域連携夜間・休日診療料とは併せて算定できない。

90. 病態悪化による1日2回以上の診療

病態変化が度重なり同一日に複数回の受診をした場合は，2回以上算定できる。その際には，レセプトの摘要欄にその理由を詳細に記載する。

B001-2-3 乳幼児育児栄養指導料

91. 3歳未満児に対する算定

初診料を算定した日に算定でき，初診料の乳幼児加算と併せて算定できる。また，引き続き入院となった場合には算定できない。

B001-2-4 地域連携夜間・休日診療料

92. 併算定の可否

B001-2-2地域連携小児夜間・休日診療料とは併せて算定できない。

93. 病態悪化による1日2回以上の診療

病態変化が度重なり同一日に複数回の受診をした場合は，2回以上算定できる。その際には，レセプトの摘要欄にその理由を詳細に記載する。

B001-2-5 院内トリアージ実施料

94. 併算定の可否

B001-2-6夜間休日救急搬送医学管理料とは併せて算定できない。

B001-2-6 夜間休日救急搬送医学管理料

95. 算定要件

救急搬送されて初診料を算定する日に算定できる。B001-2-5院内トリアージ実施料とは併算定不可。

96. 精神科疾患患者等受入加算

夜間，休日，深夜に救急用の自動車等で搬送され，①過去6カ月以内に精神科受診の既往がある初診患者（前医への確認が必要），または②急性薬毒物中毒（急性アルコール中毒を除く）と診断された初診患者に対して算定できる。

B001-2-7 外来リハビリテーション診療料

97. 算定限度

「1」は7日間に1回に限り，「2」は14日間に1回に限り算定できる。「1」「2」の併算定はできない。また，それぞれ算定日から規定されている日数の間で初診料，再診料，外来診療料は併せて算定できない。

98. 他科受診

算定日から規定されている日数の間で，疾患別リハビリテーションを行わない日に他科受診した場合，初診料，再診料，外来診療料のいずれか該当するものを算定できる。

99. 医学管理等の通則加算

届出診療所は，通則3～6の加算を月1回算定可。

B001-2-9 地域包括診療料

100. 対象患者

高血圧症，糖尿病，脂質異常症，認知症，慢性心不全，慢性腎臓病（慢性維持透析を行っていないもの）のうち，2つ以上の確定病名がある患者が対象となる。

101. 他医療機関との併算定

6疾病のうち重複しない疾患を対象とする場合，それぞれの医療機関で地域包括診療料は算定できる。

102. 併算定の可否

①A001再診料（「注5」～「注7」の時間外加算等を除く），②医学管理料〔通則3～6の加算，B001-2-2地域連携小児夜間・休日診療料，B010診療情報提供料（Ⅱ），B011連携強化診療情報提供料を除く〕，③C001在宅患者訪問診療料（Ⅰ），C001-2在宅患者訪問診療料（Ⅱ），C002在宅時医学総合管理料，C002-2施設入居時等医学総合管理料，④F100処方料，F400処方箋料，⑤注射，リハビリテーション，精神科専門療法，手術，麻酔，放射線治療，病理診断，⑥急性増悪の検査，画像診断，処置（550点未満のもの）は包括され，別に算定不可。

103. 医学管理等の通則加算

届出診療所は，通則3～6の加算を月1回算定可。

104. 初診月の取扱い

初診時には算定できないが，同月内に再診があった場合は算定できる。初診時に算定した包括対象の点数は出来高で算定できる。

105. 算定後の取扱い

地域包括診療料を算定後，急性増悪し多種検査や治療を行った場合，遡って地域包括診療料の算定を取り消し，出来高算定に戻すことができる。

B001-2-10 認知症地域包括診療料

106. 内服薬の種類数

1処方につき5種類を超える内服薬がある場合は算定の対象とならないが，臨時の投薬であって期間が2週間以内のものは1種類に数えない。

107. 併算定の可否

①A001再診料（「注5」～「注7」の時間外加算等を除く），②医学管理料〔通則3～6の加算，

レセプトチェック技術

ポイント
チェックリスト
指摘事項

B001-2-2地域連携小児夜間・休日診療料，B010診療情報提供料（Ⅱ），B011連携強化診療情報提供料を除く〕，③C001在宅患者訪問診療料（Ⅰ），C001-2在宅患者訪問診療料（Ⅱ），C002在宅時医学総合管理料，C002-2施設入居時等医学総合管理料，④F100処方料，F400処方箋料，⑤注射，リハビリテーション，精神科専門療法，手術，麻酔，放射線治療，病理診断，⑥急性増悪の検査，画像診断，処置（550点未満のもの）は包括され，別に算定不可。

108. 医学管理等の通則加算

届出診療所は，通則3～6の加算を月1回算定可。

B001-2-11 小児かかりつけ診療料

109. 電話再診の場合

電話再診の場合は算定できない。

110. 医学管理等の通則加算

届出診療所は，通則3～6の加算を月1回算定可。

B001-2-12 外来腫瘍化学療法診療料

111. 併算定の可否

初診料，再診料，外来診療料は併算定できないが，各点数に規定する乳幼児加算や時間外等加算については算定できる。また，B001「23」がん患者指導管理料「ハ」，C101在宅自己注射指導管理料，C108在宅麻薬等注射指導管理料も併算定不可。

112. 退院後の治療管理

退院日から起算して7日以内に行った治療管理料は，入院基本料に含まれるため別に算定できない。

113. 医学管理等の通則加算

届出診療所は，通則3～6の加算を月1回算定可。

B001-3 生活習慣病管理料（Ⅰ），B001-3-3 生活習慣病管理料（Ⅱ）

114. 算定の選択

同一医療機関内で，患者ごとに，管理料（Ⅰ）または管理料（Ⅱ）を選択することが可能。また，同一患者についても月ごとにどちらかを選択できる。ただし，管理料（Ⅰ）を算定した月から起算して6月以内の期間は，管理料（Ⅱ）は算定できない。

115. 外来管理加算の併算定

管理料（Ⅰ），管理料（Ⅱ）ともに，外来管理加算は含まれるものとされているが，管理料算定日の別日に診療を行った場合，外来管理加算の算定要件を満たせば算定できる。

116. 生活習慣病管理料（Ⅰ）併算定の可否

他の医学管理料，検査，注射，病理診断はすべて含まれる。ただし，医学管理料のうち，B001「20」糖尿病合併症管理料，B001「22」がん性疼痛緩和指導管理料，B001「24」外来緩和ケア管理料，B001「27」糖尿病透析予防指導管理料，B001「37」慢性腎臓病透析予防指導管理料は別に算定できる。

117. 生活習慣病管理料（Ⅱ）併算定の可否

B001「9」外来栄養食事指導料，B001「11」集団栄養食事指導料，B001「20」糖尿病合併症管理料，

B001「22」がん性疼痛緩和指導管理料，B001「24」外来緩和ケア管理料，B001「27」糖尿病透析予防指導管理料，B001「37」慢性腎臓病透析予防指導管理料，B001-3-2ニコチン依存症管理料，B001-9療養・就労両立支援指導料，B005-14プログラム医療機器等指導管理料，B009診療情報提供料（Ⅰ），B009-2電子的診療情報評価料，B010診療情報提供料（Ⅱ），B010-2診療情報連携共有料，B011連携強化診療情報提供料，B011-3薬剤情報提供料は別に算定できる。

118. 対象疾患が複数ある場合

高血圧と糖尿病など対象疾患が複数あっても，管理料は主たるものしか算定できない。

B001-3-2 ニコチン依存症管理料

119. 算定限度

「1」は初回算定日から12週間に5回に限り算定できる。なお，期間内に患者の自己都合により禁煙治療を中止した場合，それまでの期間は算定できる。「2」は一連につき初回指導時に1回に限り算定する。

120. 併算定の可否

D200「4」呼気ガス分析は別に算定不可。また，情報通信機器を用いた場合は，A001再診料，A002外来診療料，C000往診料，C001在宅患者訪問診療料（Ⅰ），C001-2在宅患者訪問診療料（Ⅱ）も併算定不可。

121. 禁煙治療補助システムを使用した場合

ニコチン依存症治療アプリや呼気一酸化炭素濃度測定器（COチェッカー）を用いた場合，B005-14プログラム医療機器等指導管理料と特定保険医療材料「226 ニコチン依存症治療補助アプリ」が別に算定可。

B001-4 手術前医学管理料

122. 術前検査を外来で行った場合

手術前医学管理料を算定できる。

123. 包括検査等の算定

手術前1週間以内に行った包括対象の検査等は本管理料に含まれるが，期間内に同一の検査等を2回以上行った場合，2回目以降のものは別に算定できる。画像診断においては1回目であっても，同一部位に同一方法で複数撮影した場合，2～5枚目の撮影費用は100分の50で別に算定できる。また，使用したすべてのフィルム，画像診断管理加算は別に算定できる。

124. 手術前1週間の取扱い

手術前1週間において入院と外来が混在する場合，月初めに算定し手術前1週間が月をまたがる場合，1回目の包括検査等は算定できない。なお，月をまたがる場合で，前月に行った包括検査等の判断料に関しては別に算定できる。

125. 外来における採血料

包括対象の検査を外来で行った場合，D400血液採取等の検体採取料は別に算定できる。

B001-5 手術後医学管理料

126. 算定限度

手術料算定日の翌日から起算して3日に限り算定す

る。包括検査等を行わなかった場合でも算定できる。

127. 手術料算定日の翌日から３日の取扱い

手術が月末に行われた場合，翌月１日以降に本管理料を３日間算定できる。本管理料が月をまたがる場合，翌月行った包括検査等は算定できる。

128. 手術前医学管理料との併算定

手術前医学管理料と手術後医学管理料を算定する場合は，本管理料については95/100で算定するが，３日間が翌月となった場合は100/100の点数で算定する。

【ワンポイント事例解説】

7月レセプト		
⑬	＊手術前医学管理料	1,192×1
㊿	＊××手術（2024年7月31日）	○○×1
8月レセプト		
⑬	＊手術後医学管理料 ××手術（2024年7月31日）	1,188×3

解説 手術後医学管理料が翌月算定となる場合は100/100で算定できる。手術実施日等を記載することが望ましい。

129. 手術当日に術後検査を施行した場合

B001-4手術前医学管理料，手術後医学管理料を算定している患者は，手術当日の術後に行われた検査は出来高で算定できる。

B001-6 肺血栓塞栓症予防管理料

130. 起算日の変わらない再入院の場合

起算日の変わらない再入院の場合，算定要件を満たしていれば算定できる。

131. 消炎鎮痛等処置の併算定

弾性ストッキングや間歇的空気圧迫装置を用いた処置に要する費用は所定点数に含まれ，別にJ119消炎鎮痛等処置の点数は算定できない。

132. 併算定

肺血栓塞栓症予防以外の目的で行ったJ119消炎鎮痛等処置は別に算定できる。

133. 抗凝固療法を併用した場合

弾性ストッキングや間歇的空気圧迫装置を用いた予防と併せて抗凝固療法を行った場合，その薬剤料は算定できる。

B001-7 リンパ浮腫指導管理料

134. 対象患者と算定限度

鼠径部・骨盤部・腋窩部のリンパ節郭清を伴う悪性腫瘍に対する手術を行ったもの又は原発性リンパ浮腫と診断されたものが対象となる。対象手術が行われた月，またはその前後の月のいずれか入院中1回に限り算定できる。

135. 退院後の外来における再指導

手術を行った医療機関の外来において，リンパ浮腫に関する指導を再び行った場合，退院月またはその翌月に限り算定できる。

136. レセプト記載要領

本管理料を算定した場合，入院では，手術日または手術予定日をレセプト摘要欄に記載する。入院外では，退院後に再度算定する場合は，退院日及び実施した手術名を記載し，地域連携診療計画に基づく治療を担う他医療機関で算定する場合は，入院中に当該管理料を算定した医療機関名と実施した手術名を記載する。

B001-8 臍ヘルニア圧迫指導管理料

137. 対象患者と算定限度

1歳未満の乳児に対して，1回に限り算定できる。

B001-9 療養・就労両立支援指導料

138. 算定要件

B001-9「1」初回に関しては，月1回に限り算定できる。B001-9「2」は，療養・就労両立支援指導料1を算定した月から3月を限度として月1回算定できる。産業医等へ宛てたB009診療情報提供料（Ⅰ），B010診療情報提供料（Ⅱ）は別に算定できない。

B002 開放型病院共同指導料（Ⅰ），B003 開放型病院共同指導料（Ⅱ）

139. 開放型病棟が満床等の場合

やむを得ず，一時的に一般病棟等に入院させた場合，レセプトの摘要欄に理由を記載すれば，開放型病院共同指導料を算定できる。

140. 開放型病院共同指導料（Ⅰ）の併算定の可否

初診料，再診料，外来診療料，C000往診料，C001在宅患者訪問診療料（Ⅰ），C001-2在宅患者訪問診療料（Ⅱ）は別に算定できない。

141. 開放型病院共同指導料（Ⅱ）の併算定の可否

A246「注4」地域連携診療計画加算，B005退院時共同指導料2，B005-6がん治療連携計画策定料は併せて算定できない。

B004 退院時共同指導料1，B005 退院時共同指導料2

142. 算定限度

入院中1回に限り算定する。ただし，末期悪性腫瘍患者等については2回算定できる。

143. 退院時共同指導料1の併算定の可否

初診料，再診料，外来診療料，B002開放型病院共同指導料（Ⅰ），C000往診料，C001在宅患者訪問診療料（Ⅰ），C001-2在宅患者訪問診療料（Ⅱ）は別に算定できない。

144. 退院時共同指導料2の併算定の可否

A103「注7」精神保健福祉士配置加算，A246「注4」地域連携診療計画加算，B003開放型病院共同指導料（Ⅱ），B005-6がん治療連携計画策定料は別に算定できない。また，PT・OT・STが指導等を行った場合はB006-3退院時リハビリテーション指導料，薬剤師が指導を行った場合はB014退院時薬剤情報管理指導料は別に算定できない。

145. 多機関共同指導加算の併算定の可否

退院時共同指導料2の「注3」多機関共同指導加算を算定した場合，B005-1-2介護支援等連携指導料は別に算定できない。

B005-1-2 介護支援等連携指導料

146. 算定要件

入院中2回に限り算定できる。介護サービスの利用が結果としてなかった場合でも算定できる。

147. 併算定の可否

A103「注7」精神保健福祉士配置加算,A246「注4」地域連携診療計画加算は別に算定できない。なお,介護支援専門員または相談支援専門員と共同して指導を行いB005「注3」多機関共同指導加算を算定する場合,併せて算定できない。

B005-1-3 介護保険リハビリテーション移行支援料

148. 対象患者と算定限度

H001脳血管疾患等リハビリテーション料,H001-2廃用症候群リハビリテーション料,H002運動器リハビリテーション料の「注5」を算定している外来患者が対象となる。患者1人1回に限り算定できる。同一医療機関内で移行した場合は算定できないが,特別な関係にある事業所に移行した場合は算定できる。

B005-4 ハイリスク妊産婦共同管理料（I）,
B005-5 ハイリスク妊産婦共同管理料（II）

149. 算定限度

患者1人につき1回に限り算定できる。

150. 共同管理料（I）の併算定の可否

A001再診料,A002外来診療料,C000往診料,C001「1」在宅患者訪問診療料1は別に算定できない。また,ハイリスク妊産婦共同管理料（I）の算定日は,B009診療情報提供料（I）も別に算定できない。

B005-6 がん治療連携計画策定料

151. 算定限度

がん治療連携計画策定料1は,退院日または退院日から30日以内に1回に限り算定できる。がん治療連携計画策定料2は,月1回に限り算定できる。

152. 併算定の可否

B003開放型病院共同指導料（II）,B005退院時共同指導料2,A246「注4」地域連携診療計画加算は別に算定できない。また,連携計画を共有している医療機関宛てのB009診療情報提供料（I）は別に算定できない。

B005-6-2 がん治療連携指導料

153. 算定要件

月1回に限り算定できる。A246「注4」地域連携診療計画加算は別に算定できない。また,計画策定医療機関宛てのB009診療情報提供料（I）,B011連携強化診療情報提供料は別に算定できない。

B005-6-3 がん治療連携管理料

154. 算定要件

患者1人につき1回に限り算定できる。A232がん拠点病院加算は別に算定できない。

B005-6-4 外来がん患者在宅連携指導料

155. 対象患者

外来で化学療法または緩和ケアを実施している進行がんの患者であって,在宅での緩和ケアに移行が見込まれる患者が対象。1人につき1回に限り算定できる。

156. 併算定の可否

連携している医療機関宛てのB009診療情報提供料（I）は別に算定できない。

B005-7 認知症専門診断管理料

157. 算定限度

認知症専門診断管理料1においては,患者1人につき1回に限り算定できる。認知症専門診断管理料2においては,3月に1回に限り算定できる。

158. 併算定の可否

B000特定疾患療養管理料は別に算定できない。また,紹介元宛てのB009診療情報提供料（I）,B011連携強化診療情報提供料は別に算定できない。

B005-7-2 認知症療養指導料

159. 算定限度

治療月を含めた6月を限度に,月1回算定できる。

160. 併算定の可否

B000特定疾患療養管理料,I002通院・在宅精神療法は別に算定できない。また,紹介元または連携医療機関宛てのB009診療情報提供料（I）,B011連携強化診療情報提供料は別に算定できない。

B005-7-3 認知症サポート指導料

161. 算定要件

6月に1回に限り算定できる。認知症の療養方針の助言に係るB009診療情報提供料（I）,B011連携強化診療情報提供料は別に算定できない。

B005-8 肝炎インターフェロン治療計画料

162. 公費負担医療との関係

肝炎治療特別促進事業（法別番号38）の公費負担の対象となる。

163. 算定要件

患者1人につき1回に限り算定できる。肝炎患者のインターフェロン治療に係るB009診療情報提供料（I）は別に算定できない。

B005-9 外来排尿自立指導料

164. 対象要件

入院中にA251排尿自立支援加算を算定していた患者のうち,尿道カテーテル抜去後に尿失禁や尿閉等の下部尿路機能障害を有する患者,または尿道カテーテル留置中で抜去後に下部尿路機能障害を生ずると見込まれる患者が対象。患者1人につき週1回,A251の算定期間と通算して12週を限度として算定できる。

C106在宅自己導尿指導管理料は別に算定できない。

B005-10 ハイリスク妊産婦連携指導料1

165. 算定要件

患者1人につき月1回に限り算定可。B005-10-2ハイリスク妊産婦連携指導料2,B009診療情報提供料（I）は別に算定不可。

B005-10-2 ハイリスク妊産婦連携指導料2

166. 算定要件

患者1人につき月1回に限り算定可。B005-10ハイリスク妊産婦連携指導料1，B009診療情報提供料（Ⅰ），B011連携強化診療情報提供料は別に算定不可。

B005-11 遠隔連携診療料

167. 対象疾患と算定限度

難病法による指定難病（341疾病：2024年4月現在）の疑い患者，またはてんかんの疑い患者（外傷性のてんかん，知的障害を有するてんかんを含む）を対象に，診断の確定までの間3月に1回に限り算定できる。

168. 併算定の可否

事前に行う情報提供に係るB009診療情報提供料（Ⅰ）は別に算定できない。

B005-12 こころの連携指導料（Ⅰ）

169. 算定要件

要件を満たした場合，初回算定月から1年を限度に月1回算定できる。他の医療機関へ情報提供に係るB009診療情報提供料（Ⅰ）は別に算定できない。

B005-13 こころの連携指導料（Ⅱ）

170. 算定要件

要件を満たした場合，初回算定月から1年を限度に月1回算定できる。他の医療機関へ情報提供に係るB009診療情報提供料（Ⅰ），B011連携強化診療情報提供料は別に算定できない。

B006 救急救命管理料

171. 算定限度

救急救命士に対して指示を行った場合，1回に限り算定できる。

172. 併算定の可否

指示のみで医師の診察がない場合，初診料，再診料，外来診療料の基本診療料は算定できない。

173. 医学管理等の通則加算

届出診療所は，通則3～6の加算を月1回算定可。

B006-3 退院時リハビリテーション指導料

174. 算定限度と退院日の取扱い

退院時に1回に限り算定できる。入院期間が通算される再入院の場合には算定できない。また，他医療機関への転院の場合にも算定できない。

175. 併算定の可否

PT・OT・STが指導等を行った場合はB005退院時共同指導料2は別に算定できない。

B007 退院前訪問指導料

176. 算定限度

1回の入院につき1回を限度として退院日に算定する。ただし，入院後早期に退院に向けた訪問指導を行い，退院前に在宅療養に向けた最終調整のため再度訪問指導を行う場合に限り，退院日に2回分を算定可。

177. 入院が1カ月を超えなかった場合

医学的に入院期間が1カ月を超えると予想されるものであれば，結果的に入院が1カ月を超えなくても退院前訪問指導料は算定できる。

178. 退院前在宅療養指導管理料の併算定

退院前訪問指導料とC100退院前在宅療養指導管理料は，併せて算定できる。ただし，I011-2精神科退院前訪問指導料は別に算定できない。

B007-2 退院後訪問指導料

179. 算定限度

退院日から1月以内（退院日を除く）を限度として5回に限り算定できる。「注2」訪問看護同行加算においては退院後1回に限り算定できる。

180. 併算定の可否

I016精神科在宅患者支援管理料は別に算定できない。また，退院後訪問指導料を算定した日においては，C000往診料，C001在宅患者訪問診療料（Ⅰ），C001-2在宅患者訪問診療料（Ⅱ），C005在宅患者訪問看護・指導料，C005-1-2同一建物居住者訪問看護・指導料，C013在宅患者訪問褥瘡管理指導料，I012精神科訪問看護・指導料も別に算定できない。ただし，急変等により往診を行った場合，往診料は別に算定できる。

181. 医学管理等の通則加算

届出診療所は，通則3～6の加算を月1回算定可。

182. 訪問看護同行加算

同行した訪問看護ステーションや他医療機関は，要件を満たせば訪問看護療養費，C005在宅患者訪問看護・指導料，C005-1-2同一建物居住者訪問看護・指導料，I012精神科訪問看護・指導料が算定できる。

B008 薬剤管理指導料

183. 算定限度

患者1人につき週1回に限り，月4回を限度として算定する。「注2」麻薬管理指導加算においては，麻薬に対する薬学的な管理指導を行うたび1回算定できるが，あくまで加算点数のため薬剤管理指導料の算定回数を上回ることはできない。

【ワンポイント事例解説】

日	月	火	水	木	金	土	
			②1	3	4	5	○=管理指導実施
6	7	⑧	9	10	⑪	12	
13	14	15	16	17	⑱	19	
20	21	22	23	24	25	26	
27	㉘	29	㉚				

⑬	*薬剤管理指導料「2」	325×4
	（2日，8日，18日，28日）	

解説　11日（週1回のため）と30日（週1回および月4回を限度とするため）は算定できない。

184. C008在宅患者訪問薬剤管理指導料の併算定

入院中に薬剤管理指導料を算定し，退院同月に在宅で在宅患者訪問薬剤管理指導（C008）を行った場合，管理指導料をそれぞれ算定できる。

185. 併算定の可否

B001「23」がん患者指導管理料「ハ」，F500調剤技術基本料は別に算定できない。

186. 当月の処方算定がない場合

入院患者の持参薬に対して指導を行った場合，先月に処方が行われ残薬に対して指導を行った場合のいずれも算定できる。その際は，レセプトの摘要欄にコメントを付記することが望ましい。

187. 1日入院
日帰り入院であっても医師が必要と判断し，算定要件を満たしていれば算定できる。

188. 服用方法の要件
原則，内服薬や注射薬でも対象となるが，血液凝固阻止剤は内服薬の場合，カリウム製剤は注射薬の場合に限り対象となる。

B008−2 薬剤総合評価調整管理料
189. 併算定
B001−3生活習慣病管理料（Ⅰ），F100処方料「注9」向精神薬調整連携加算，F400処方箋料「注7」向精神薬調整連携加算は別に算定できない。C002在宅時医学総合管理料には投薬の費用は包括されるが，薬剤総合評価調整管理料は算定できる。

B009 診療情報提供料（Ⅰ）
190. 同一月における複数の紹介先
同一月であっても，紹介先医療機関が別々であれば複数回算定できる。

【ワンポイント事例解説】
⑬　＊診療情報提供料（Ⅰ）
　　（2024年7月4日）
　　情報提供先；○○病院　　250×1
　　＊診療情報提供料（Ⅰ）
　　（2024年7月4日）
　　情報提供先；××クリニック　250×1
解説　紹介先医療機関ごとに算定できる。レセプト摘要欄に，紹介先医療機関名を記載する。

191. 同一敷地内の他医療機関への情報提供
同一ビル内等，同一敷地内にある他医療機関に情報提供した場合でも，特別の関係でなければ算定できる。

192. 居宅介護支援事業者に対する診療情報
入院患者に対して，退院日から前後2週間に診療情報提供を行った場合に算定できる。

193. 入院中の患者に対する歯科医療機関連携加算
周術期口腔機能管理料（歯科診療報酬点数）の対象手術前に歯科医師が対診し管理を実施した場合，歯科医療機関連携加算を算定できる。

194. 併算定
A246入退院支援加算「注4」地域連携診療計画加算，B001−2−9地域包括診療料，B001−2−10認知症地域包括診療料，B011連携強化診療情報提供料，C010在宅患者連携指導料は別に算定できない。

B010 診療情報提供料（Ⅱ）
195. 入院患者がセカンドオピニオンを希望
入院中の患者からセカンドオピニオンの求めがあった場合でも，算定要件を満たせば算定できる。

196. 自費診療の医療機関へ紹介する場合
自費診療を行う医療機関にセカンドオピニオンによる紹介を行った場合でも算定できる。

【ワンポイント事例解説】
⑬　＊診療情報提供料（Ⅱ）
　　（2024年7月1日，□□病院）　500×1
　　＊自費診療にて算定
解説　セカンドオピニオン外来（自費診療）を患者が希望して受診した場合は自費診療となる。

B011 連携強化診療情報提供料
197. 併算定
B001−2小児科外来診療料，B001−2−9地域包括診療料，B001−2−10認知症地域包括診療料，B001−2−11小児かかりつけ診療料，B005−10−2ハイリスク妊産婦連携指導料2，B009診療情報提供料（Ⅰ）は併せて算定できない。なお，B005−7認知症専門診断管理料，B005 7 2認知症療養指導料，B005−7−3認知症サポート指導料，B005−13こころの連携指導料（Ⅱ）で，連携に関わる医療機関との連携強化診療情報提供料は別に算定できない。

B011−3 薬剤情報提供料
198. 在宅時医学総合管理料の併算定
薬剤情報提供料は，C002在宅時医学総合管理料を算定している患者でも算定できる。

199. 複数の診療科での処方
複数の診療科で複数の処方が行われた場合，同一月であっても同一日でなければ，それぞれ算定できる。

200. 処方日数以外の変更
薬剤情報提供料は投与日数のみの変更では算定できないが，同一銘柄でも錠・カプセル等の剤形の変更や，投与量の変更があれば算定できる。なお，検査用薬剤であっても算定できる。

201. 手帳記載加算
他医療機関や調剤薬局等から交付されたお薬手帳に記載した場合も算定できる。なお，患者がお薬手帳を持参せず，簡易文書等（シール等）を交付した場合には算定できない。

B012 傷病手当金意見書交付料
202. 複数枚の交付
意見書は休職期間ごとに作成するため，重複しない期間で2枚以上交付した場合，その枚数分算定できる。

203. 結核医療の公費負担申請の場合
感染症法第37条の2による結核医療の公費負担申請のために診断書の記載を行った場合，所定点数を算定できる。また，被保険者である患者について，当該医療機関が申請手続きに協力し代行した場合も算定できる。

204. 出産育児一時金または出産手当金の場合
健康保険法等に基づき証明書や意見書を交付した場合には算定できない。なお，無償交付とは定められていないため，患者負担としても差し支えない。

B014 退院時薬剤情報管理指導料

205. 退院の取扱い

退院の日に1回に限り算定する。退院先の規定はな

く，転院や老健への入所であっても算定できる。

206. 退院時共同指導料2の併算定

同一日にB005退院時共同指導料2と併算定不可。

6. 在宅医療

C000 往診料

1. 同一日の2回往診

患者または家族等の看護に当たる者から電話等で往診を求められ，同一日に2回往診を行った場合は2回算定できる。

2. 訪問診療と同日往診

訪問診療を行った日でも，患者または看護に当たる者からの求めに応じて往診を行った場合は算定できる。

3. 算定の可否

集合住宅であっても住戸が異なれば，それぞれ算定できる。また，特養等への往診も算定できる。

4. 時間外等加算

夜間（午後6時～午前8時のうち深夜を除く），休日（日曜日，祝日，12月29日～1月3日），深夜（午後10時～午前6時）に往診を行った場合，それぞれ該当する点数を算定できる。なお，上記時間帯が医療機関の標榜時間に含まれる場合は算定できない。

C001 在宅患者訪問診療料（Ⅰ），
C001-2 在宅患者訪問診療料（Ⅱ）

5. 算定限度の除外患者

在宅患者訪問診療料（Ⅰ）または在宅患者訪問診療料（Ⅱ）（「注1」の「イ」）は1日1回，週3回を限度として算定できる。また，（Ⅱ）は1月1回，6カ月を限度として算定できる。なお，別に厚生労働大臣が定める疾病等の患者には制限を超えて算定できる。さらに（Ⅰ）の「2」については，要件を満たせば6カ月を超えて算定することができる。

6. 急性増悪等で頻回の訪問を要する場合

在宅患者訪問診療料（Ⅰ）または在宅患者訪問診療料（Ⅱ）（「注1」の「イ」）において，急性増悪時は1月1回に限り14日を限度として連日算定できる。なお，頻回の訪問診療が14日以内に終了した場合，残りの期間に関しては通常の週3日の在宅患者訪問診療料（Ⅰ）または在宅患者訪問診療料（Ⅱ）が算定できる。

7. 看取り加算，死亡診断加算

看取りに関して，事前に患者または家族に，療養上の不安を解消すべく説明と同意を行ったうえで，死亡日に往診または訪問診療を行い看取った場合は，看取り加算が算定できる。看取り加算の要件を満たしていない看取りに関しては，死亡診断加算が算定できる。

8. 在宅医療の通則加算

届出診療所は，通則5～8の加算を月1回算定可。同一月に他項目で外来感染対策向上加算を算定している場合は別に算定できない。

C002 在宅時医学総合管理料，
C002-2 施設入居時等医学総合管理料

9. 算定要件

月2回以上の訪問診療とは，C001在宅患者訪問診療料（Ⅰ）またはC001-2在宅患者訪問診療料（Ⅱ）（「注1」の「イ」）を月2回以上算定していることを指す。訪問診療や往診を月2回以上行っても，在宅患者訪問診療料1等を算定していない場合は算定できない。

10. 在宅移行早期加算

退院から1年以内であれば，退院ごとに算定できる。その際は，3月を限度として月1回算定できる。また，レセプト摘要欄に初回算定年月日を記載する。

11. 併算定の可否

C109在宅寝たきり患者処置指導管理料は別に算定できない。なお，在宅寝たきり患者処置指導管理料に含まれる処置や薬剤，特定保険医療材料等についても，別に算定できない。

12. 頻回訪問加算

特別な管理を必要とする患者（別表第3の1の2）に対して，1月に4回以上の往診または訪問診療を行った場合，患者1人につき1回に限り算定できる。

C004 救急搬送診療料

13. 診療を継続して提供した場合

初診料，再診料，外来診療料を救急搬送の同一日に1回に限り算定できる。患者の発生現場に赴き，診療後救急用の自動車に同乗して診療を行った場合は，C000往診料も併せて算定できる。

14. ドクターヘリ内で診療を行った場合

救急医療用ヘリコプター（ドクターヘリ）により搬送する患者に対してドクターヘリ内で診療を行った場合も，救急搬送診療料を算定できる。

15. 診療情報提供料との併算定

外来患者を救急用自動車等で他医療機関へ搬送するとともに，車中で診療情報提供書を作成し提供した場合，B009診療情報提供料（Ⅰ）も併せて算定できる。

C005 在宅患者訪問看護・指導料，C005-1-2 同一建物居住者訪問看護・指導料

16. 訪問看護療養費の算定月

訪問看護ステーションで訪問看護療養費を算定した月は，末期の悪性腫瘍や神経難病，急性増悪等の場合を除き，当該指導料は算定できない。自院を退院後1カ月以内の患者または緩和ケア，褥瘡ケアに係る専門研修を受けた看護師が共同して行った場合は，訪問看護療養費を算定した月でも算定できる。

17. 自院の看護師による点滴や処置，検体検査料

自院の看護師に点滴または処置を指示した場合，その際に用いた薬剤や保険医療材料は，（14）在宅の項で算定できる。また，検体採取を指示し自院で検体検査を行った場合，検体検査実施料も算定できる。

18. 在宅医療の通則加算

届出診療所は，通則5〜8の加算を月1回算定可。同一月に他項目で外来感染対策向上加算を算定している場合は別に算定できない。

C005－2 在宅患者訪問点滴注射管理指導料

19. 在宅患者訪問点滴注射管理指導料に係る点滴薬剤

診療日以外に保険医の指示に基づき，訪問看護ステーション等の看護師等が点滴を実施した場合，使用した薬剤は（14）在宅の項で算定できるが，当該管理指導料に係る薬剤は（33）その他の注射の項で算定する。

20. 算定の可否

3日間以上の点滴注射指示を行ったが，実際は2日間以下の実施となった場合は，薬剤料のみを（33）で請求する。また，点滴は看護師等が行うことが要件となるため，医師が行った日はカウントしない。

21. 在宅医療の通則加算

届出診療所は，通則5〜8の加算を月1回算定可。同一月に他項目で外来感染対策向上加算を算定している場合は別に算定できない。

C006 在宅患者訪問リハビリテーション指導管理料

22. 在宅医療の通則加算

届出診療所は，通則5〜8の加算を月1回算定可。同一月に他項目で外来感染対策向上加算を算定している場合は別に算定できない。

C007 訪問看護指示料

23. 訪問看護の指示内容が変更され再交付した場合

有効期間内の途中で指示内容の変更があり再交付した場合，月1回を限度に算定できる。

24. 特別訪問看護指示加算

急性増悪や終末期等で頻回訪問が必要な場合，1月に1回（別に厚生労働大臣が定める者については2回）を限度に算定できる。

25. 衛生材料等提供加算

訪問看護指示書を交付した患者に，療養上必要な十分な量の衛生材料や保険医療材料を支給した場合に算定できる。なお，C002在宅時医学総合管理料，C002－2施設入居時等医学総合管理料，C003在宅がん医療総合診療料，C005－2在宅患者訪問点滴注射管理指導料，C100〜C121在宅療養指導管理料を算定している場合には算定できない。

C008 在宅患者訪問薬剤管理指導料

26. 算定限度

「1」〜「3」を合わせて月4回（末期の悪性腫瘍および中心静脈栄養法の患者については，週2回かつ月8回）を限度として算定できる。また，薬剤師1人につき週40回に限り算定できる。

27. 院外処方の場合

院内，院外処方を問わず算定できる。

28. 在宅医療の通則加算

届出診療所は，通則5〜8の加算を月1回算定可。同一月に他項目で外来感染対策向上加算を算定している場合は別に算定できない。

C009 在宅患者訪問栄養食事指導料

29. 算定要件

調理の実技を伴う指導を行わなくても，食事の用意や摂取等に関する具体的な指導を行えば算定できる。

30. 在宅医療の通則加算

届出診療所は，通則5〜8の加算を月1回算定可。同一月に他項目で外来感染対策向上加算を算定している場合は別に算定できない。

C010 在宅患者連携指導料，C011 在宅患者緊急時等カンファレンス料

31. 特別な関係にある医療機関等の連携

特別な関係にある医療機関等の医療関係職種で診療情報を交換した場合でも算定できる。

32. 在宅医療の通則加算

C011在宅患者緊急時等カンファレンス料において，届出診療所は，通則5〜8の加算を月1回算定可。同一月に他項目で外来感染対策向上加算を算定している場合は別に算定できない。

C012 在宅患者共同診療料

33. 算定限度

初回の算定日から起算して年2回（別に厚生労働大臣が定める疾病等のものについては，年12回）を限度として算定できる。なお，1年経過したのちはさらに年2回（年12回）が算定できる。

C014 外来在宅共同指導料

34. 算定限度

外来医療を継続して4回以上受けている患者が，施設以外での在宅医療に移行するにあたり，患家等で外来診療を担当する医師（指導料2）と在宅医療を担当する医師（指導料1）が連携して指導等を実施した場合，患者1人につき1回算定できる。

35. 併算定の可否

外来在宅共同指導料2を算定する場合，初診料，再診料，外来診療料，C000往診料，C001在宅患者訪問診療料（Ⅰ），C001－2在宅患者訪問診療料（Ⅱ）は別に算定できない。

C100〜C121 在宅療養指導管理料

36. 退院時算定の取扱い

退院日に，入院基本料とは別に在宅療養指導管理料を算定できる。なお，退院日の翌月には新たに算定できる。退院日に算定しなかった場合，同月の外来受診時，往診時，訪問診療時に算定できる。

37. 医療材料の併算定

在宅療養指導管理に要する消毒薬，衛生材料，酸素，注射器等の医療材料は保険医療機関が提供するが，別

に診療報酬上の加算等として評価されている場合を除き，別に算定できない。

38. 介護老人保健施設入所者の医療

介護老人保健施設の入所者に対して在宅自己注射指導管理等の「在宅療養指導管理」を行っている場合は，指導管理料は算定できないが，材料加算と特定保険医療材料料は算定できる。

C100　退院前在宅療養指導管理料

39. 外泊入院料を算定しない場合

1泊2日のように外泊入院料を算定しない場合でも，退院前在宅療養指導管理料は算定できる。

40. ディスポーザブル注射器の算定

退院前在宅療養指導管理に用いるディスポーザブル注射器は算定できないが，薬剤料は算定できる。

C101　在宅自己注射指導管理料

41. 算定患者が外来受診し注射した場合

在宅自己注射指導管理料の算定患者の外来受診時に，自己注射に関連のない薬剤を注射した場合は，皮下・筋肉内注射の手技料・薬剤料とも算定できる。

42. 前回処方の残薬がある場合

残薬があり薬剤の処方をしない場合でも，自己注射の回数に応じて算定できる。その際には，レセプトの摘要欄に残薬がある旨を記載することが望ましい。

43. 複数の医療機関で指導管理を行った場合

複数の医療機関において異なる疾患に対して指導を行った場合には，それぞれ在宅自己注射指導管理料を算定できる。また，特別な関係にあっても算定できる。

C102-2　在宅血液透析指導管理料

44. 外来受診時の人工腎臓

本管理料の算定患者が，外来で人工腎臓を実施した場合，週1回に限りJ038人工腎臓が算定できる。

C103　在宅酸素療法指導管理料

45. 酸素飽和度測定

適応患者の判定や経過観察目的に行ったD223経皮的動脈血酸素飽和度測定，D223-2終夜経皮的動脈血酸素飽和度測定は別に算定できない。

【ワンポイント事例解説】

⑭	＊在宅酸素療法指導管理料	
	動脈血酸素飽和度（％）（在宅酸素療法指導	
	管理料）；93％	2,400×1
	＊酸素ボンベ加算（携帯用）	880×1
	＊酸素濃縮装置加算	4,000×1
	＊呼吸同調式デマンドバルブ加算	291×1
⑥	＊経皮的動脈血酸素飽和度測定（1日につき）	
		30×1

解説　動脈血酸素濃度分圧や動脈血酸素飽和度により適応の判別を行うが，測定費用は本管理料に含まれる。摘要欄に測定結果を記載する。

46. 動脈血酸素分圧の算定

動脈血酸素分圧は，開始時に算定要件を満たせばよく，それ以降は，医師が必要と判断すれば基準値を満

たしていなくても算定できる。また，D007「36」血液ガス分析の費用も算定できる。

C104　在宅中心静脈栄養法指導管理料

47. 併算定の可否

G005中心静脈注射，G006植込型カテーテルによる中心静脈注射は別に算定できない。なお本管理料の対象となる薬剤以外の注射の手技料，薬剤料，特定保険医療材料については別に算定できる。

C106　在宅自己導尿指導管理料

48. 外来受診時の処置

J064導尿（尿道拡張を要するもの），J060膀胱洗浄，J060-2後部尿道洗浄（ウルツマン），J063留置カテーテル設置，また使用した薬剤，特定保険医療材料は別に算定できない。ただし，C163「1」再利用型カテーテルに該当するものは，C163特殊カテーテル加算として算定できる。

49. セフティカテ®を使用した場合

消毒薬を入れるケースとセットになったセフティカテ®を使用した場合，C163「2」間歇導尿用ディスポーザブルカテーテルを算定できる。

C107　在宅人工呼吸指導管理料

50. 外来受診時の酸素吸入の酸素代

算定患者が外来でJ024酸素吸入を実施した場合，手技料は算定できない。ただし，酸素代は別に算定可。

【ワンポイント事例解説】

⑭	＊在宅人工呼吸指導管理料	
	人工呼吸器加算（鼻・顔マスク）　9,280×1	
⑩	＊処置薬剤	
	液体酸素・定置式液化酸素貯槽（CE）240L	
	（0.19円×240L×1.3÷10＝6点）　6×1	

解説　外来の待ち時間や診察中，院内設置の液化酸素の使用に切り替える場合が多々あるが，その際に使用した酸素代は別に算定できる。

C107-3　在宅ハイフローセラピー指導管理料

51. 算定要件

慢性閉塞性肺疾患（COPD）で状態が安定している要件を満たした退院患者に対して，加温加湿された高流量ガスを経鼻カニューラで供給する呼吸療法を導入した場合に算定できる。

C108　在宅麻薬等注射指導管理料

52. 抗悪性腫瘍剤局所持続注入の併算定

外来において同一月にG003抗悪性腫瘍剤局所持続注入は別に算定できないが，薬剤料は算定可。入院におけるG003抗悪性腫瘍剤局所持続注入は別に算定可。

53. 併算定の可否

同月内に，B001-2-12外来腫瘍化学療法診療料，注射の通則「6」外来化学療法加算は別に算定不可。

C108-2　在宅腫瘍化学療法注射指導管理料

54. 抗悪性腫瘍剤局所持続注入の併算定

外来において同一月にG003抗悪性腫瘍剤局所持続注入は別に算定できないが，薬剤料は算定可。入院に

おけるG003抗悪性腫瘍剤局所持続注入は別に算定可。

55. 併算定の可否

同月内に，B001-2-12外来腫瘍化学療法診療料，注射の通則「6」外来化学療法加算は別に算定不可。

C108-3 在宅強心剤持続投与指導管理料

56. 該当患者

循環血液量の補正のみでは離脱困難なKillip分類classⅣ相当の心原性ショックを伴う慢性心不全の患者に対して，輸液ポンプを用いて強心剤持続投与を行った場合に算定可能となる。

C109 在宅寝たきり患者処置指導管理料

57. 薬剤料，特定保険医療材料の算定

本管理料に係る薬剤や特定保険医療材料を支給した場合，別に算定できる。

C112-2 在宅喉頭摘出患者指導管理料

58. 算定要件

喉頭摘出患者に対して，在宅における人工鼻材料の使用に関する指導管理を行った場合に算定できる。

本管理料を算定する患者（入院患者を除く），J000創傷処置（気管内ディスポーザブルカテーテル交換を含む），J001-7爪甲除去（麻酔を要しないもの），J001-8穿刺排膿後薬液注入，J018喀痰吸引，J018-3干渉低周波去痰器による喀痰排出は別に算定できない。

C117 在宅経腸投薬指導管理料

59. 算定要件

パーキンソン病の患者に対して，レボドパ・カルビドパ水和物製剤の胃瘻空腸投与における指導管理を行った場合に算定できる。なお，要件を満たせばC152-3経腸投薬用ポンプ加算も算定できる。

C121 在宅抗菌薬吸入療法指導管理料

60. 算定要件

マイコバクテリウム・アビウムコンプレックス（MAC）による肺非結核性抗酸菌症で，多剤併用療法による前治療が効果不十分であった患者に対して，在宅において超音波ネブライザを用いてアミカシン硫酸塩吸入用製剤を投与する場合，方法や注意点等に関する指導管理を行った場合に算定できる。

61. 導入初期加算

在宅抗菌薬吸入療法指導管理料を初めて実施する患者に対して，初回の指導を算定する月に導入期初期加算として算定できる。

在宅療養指導管理材料加算

62. 算定限度

C152間歇注入シリンジポンプ加算については，2月に2回に限り算定できる。また，C157酸素ボンベ加算，C158酸素濃縮装置加算，C159液化酸素装置加算，C159-2呼吸同調式デマンドバルブ加算，C165在宅持続陽圧呼吸療法用治療器加算，C171在宅酸素療法材料加算，C171-2在宅持続陽圧呼吸療法材料加算は，3月に3回に限り算定できる。なお，1月に複数月分算定する場合は，算定月をレセプトの摘要欄に記載する。

【ワンポイント事例解説】

⑭	＊在宅酸素療法指導管理料（その他の場合）動脈血酸素飽和度（％）（在宅酸素療法指導管理料）：97％	2,400×1
	＊設置型液化酸素装置加算（前月分）	3,970×1
	＊設置型液化酸素装置加算（当月分）	3,970×1

解説 当月含めて3カ月算定できる加算等を算定する場合，算定月を摘要欄に記載する。算定月に関してはレセプトコードが設定されている。

63. 材料を支給しない月の算定

原則として，当該材料を支給（または貸与）している場合は，新たに材料を支給しない月にあっても算定できる。ただし，C151注入器加算，C153注入器用注射針加算については，支給した場合に限り算定できる。

64. 血糖自己測定器加算（C150）

3月に3回に限り所定点数に加算できるが，インスリン製剤を3月分または2月分以上を処方した場合は，それぞれ1月に3回または2回加算できる。

65. 携帯用酸素ボンベ加算（C157「1」）

医療機関への通院以外でも，散歩や日光浴等で携帯用酸素ボンベを使用していれば算定できる。

7. 検 査

時間外緊急院内検査（画像診断）加算

1. 診療時間外に検査と画像診断を併施

時間外緊急院内検査加算と時間外緊急院内画像診断加算を併せて算定できる。

2. 時間外に来院し引き続き入院となった患者

診療時間外に受診し，同加算の算定要件を満たしている患者が引き続き入院となった場合でも算定できる。

3. 時間外特例医療機関や休日夜間急患センター等

初・再診料等の時間外特例医療機関や休日夜間救急センター，輪番制による当番医療機関でも算定可。

4. 来院時間と検査・画像診断の開始時間

患者の来院時間が診療時間内であっても，検査・画像診断の開始時間が診療時間外であれば算定できる。ただし，医療機関の都合による場合は算定できない。

【ワンポイント事例解説】

17：00	来院，診察開始（時間内）	
18：10	採血（各血液検査実施）（時間外）	
⑪	＊初診料	291×1
⑥	＊B-BIL／総，TP，BUN，B-クレアチニン，尿酸，糖，ALP，B-ナトリウム及びクロール，カリウム，Amy，AST，ALT，γ-GT，CK，LD（項目算定15項目）	103×1
	＊末梢血液一般検査	21×1
	＊時間外緊急院内検査加算	
	（○日）検査開始時刻（時間外緊急院内検査加算）；18時10分	200×1

> **解説** 本加算は，検査・画像診断を開始した時間が算定基準となる。算定する場合，摘要欄に検査開始日時を記載する必要がある。

外来迅速検体検査加算

5．算定要件

定められた検査項目のすべてについて当日中に結果を報告した場合に算定できる。一部の項目のみの報告では算定できない。

【ワンポイント事例解説】

⑥	＊U-検 尿沈査（鏡検法）外来迅速検体検査加算（1項目）（○日）	63×1
	＊B-BIL／総，TP，BUN，B-クレアチニン，尿酸，糖，ALP，B-ナトリウム及びクロール，カリウム，Amy，AST，ALT，γ-GT，CK，LD（項目算定15項目）外来迅速検体検査加算（3項目）（○日）	133×1
	＊末梢血液一般検査 末梢血液像（自動機械法）外来迅速検体検査加算（1項目）（○日）	46×1

> **解説** 対象検査については当日中に全結果を患者に報告しなくてはならない。検査を外注していて当日中に結果が得られないものがある場合，あらかじめ把握しておく必要がある。

6．同一日における一時帰宅後の結果説明

一時帰宅後に再来院し，文書により結果説明をした場合，要件を満たしていれば算定できる。

7．複数診療科における検査

複数診療科において検査を行った場合，すべて合わせて1日5項目を限度として算定できる。

D001 尿中特殊物質定性定量検査

8．「10」トリプシノーゲン2（尿）

急性膵炎の診断目的に行った場合，算定できる。算定にあたり摘要欄に医学的根拠を記載する。

D007「1」アミラーゼ，「6」リパーゼ，「14」アミラーゼアイソザイム，「49」トリプシン，D009「8」エラスターゼ1を併せて実施した場合，主たるもののみ算定できる。

D004 穿刺液・採取液検査

9．「2」関節液検査

関節水腫を有し結晶性関節炎が疑われる患者に対して，偏光顕微鏡を用いて関節液の検査を行った場合，一連につき1回算定できる。なお，D017排泄物，滲出物又は分泌物の細菌顕微鏡検査を併せて行った場合，主たるもののみ算定できる。

D005 血液形態・機能検査

10．「7」DNA含有赤血球計数検査

マラリアが疑われる患者に対して，多項目自動血球分析装置を用いて検査を行った場合に算定できる。なお，「7」血中微生物検査を併せて行った場合，主たるもののみ算定できる。

D006-4 遺伝学的検査

11．算定限度

2回以上実施し算定する場合は，医療上の必要性について，レセプトの摘要欄に記載する。

D007 血液化学検査

12．入院時初回加算

同一月の起算日の変わらない再入院の場合でも，入院のつど算定できる。

13．D005「9」HbA1c，D007「17」グリコアルブミン

人工腎臓を行っている患者に対して，D005「9」HbA1cは実際の血糖状態より低値となることが報告されているため査定傾向にある。それに対してD007「17」グリコアルブミンは人工腎臓を行っていても正確な血糖状態を反映できる。

診断目的（疑い病名）の場合，3カ月に2回以上行うと縦覧点検で査定される傾向にある。それでも検査が必要な場合には，理由を添付することが望ましい。

14．「25」フェリチン半定量，フェリチン定量

鉄欠乏性貧血や腎性貧血等，各種貧血に対して診断目的や経過観察目的で行った場合は算定が認められる。

診断目的（疑い病名）の場合，3か月に2回以上行うと縦覧点検で査定される傾向にある。検査が必要な場合は，必要理由を添付することが望ましい。

15．「29」心筋トロポニンI，心筋トロポニンT（TnT）定性・定量

同一月に併せて実施した場合，主たるもののみ算定できる。なお，急性冠症候群や心筋炎の診断に用いる検査であるため，PCI等の治療後に実施した場合，査定される傾向にある。

16．「46」ヒアルロン酸

慢性肝炎等により肝細胞の損傷が繰り返されると肝臓の線維化が生じ，さらに広範囲に及ぶと肝硬変が発生する。ヒアルロン酸は，その線維化の指標とする検査のため，慢性肝炎の確定病名が必須である。すでに肝硬変が確定している場合，ヒアルロン酸を行う意義がないため，査定対象となる。

17．「50」オートタキシン

慢性肝炎または肝硬変（疑い含む）に対し，肝臓の

線維化進展の診断補助を目的に行った場合に算定可。

18. 「57」ロイシンリッチα₂グリコプロテイン

潰瘍性大腸炎，クローン病の病態把握を目的として測定した場合，3カ月に1回算定できる。ただし，医学的に必要であり連月行う場合には，その理由を摘要欄に記載のうえ算定できる。なお，D003「9」カルプロテクチン（糞便）とD313大腸内視鏡検査を同月中に行った場合，主たるもののみ算定できる。

19. 「59」プロカルシトニン（PCT）定量，「59」プロカルシトニン（PCT）半定量

敗血症の診断補助に有用なバイオマーカーであるが，単独で行うと査定傾向にある。D018「3」細菌培養同定検査（血液）も併せて行うことが望ましい。

D008 内分泌学的検査

20. 甲状腺機能検査

「7」トリヨードサイロニン（T₃）と「14」遊離トリヨードサイロニン（FT₃）あるいは「11」サイロキシン（T₄）と「14」遊離サイロキシン（FT₄）の併算定は認められない。甲状腺機能異常の経過観察において，FT₃（T₃）とFT₄（F₄），さらに「6」甲状腺刺激ホルモン（TSH）の併算定は認められる。

21. 甲状腺機能検査の連月算定

診断目的（疑い病名）の場合，3カ月に2回以上行うと縦覧点検で査定される傾向にある。検査が必要な場合は，必要理由を添付することが望ましい。

22. 「8」インスリン（IRI）と「12」C-ペプチド

インスリンとC-ペプチドは膵β細胞内でプロインスリンが切断されて生じる。インスリンが内外因のインスリンを識別できないのに対して，C-ペプチドは体内のみで作られた内因性インスリン分泌量を知ることができる。したがって，分泌能診断段階では同時測定は不要であり，インスリンが査定傾向にある。

23. 「18」脳性Na利尿ペプチド（BNP）

心不全の診断や病態把握のために実施した場合，月1回算定できる。ただし，診断目的（疑い病名）において連月算定した場合，3カ月に1回程度に査定される傾向にある。「20」脳性Na利尿ペプチド前駆体N端フラグメント（NT-proBNP）も同様。

24. 「52」抗ミュラー管ホルモン（AMH）

不妊症の患者に対して，治療方針の決定を目的として測定した場合，6カ月に1回算定できる。

25. 「53」レプチン

全身性脂肪萎縮症の診断補助として測定した場合，患者1人に1回に限り算定できる。なお，算定にあたり脂肪萎縮，食欲亢進，インスリン抵抗性，糖尿病，脂質異常症のいずれも有し，脂肪萎縮の発生時期および医学的理由を摘要欄に記載しなければならない。

D009 腫瘍マーカー

26. 腫瘍マーカーの一般的事項

画像診断や超音波検査等により悪性腫瘍が強く疑われる患者に対して，診断または転帰の確定までに1回

を限度に算定可。B001「3」悪性腫瘍特異物質治療管理料の算定患者には算定不可。ただし，悪性腫瘍特異物質治療管理料とは別に腫瘍マーカーが算定できる例外的事項がある（下記27～30を参照）。

【ワンポイント事例解説】

病名：肝細胞癌の疑い		7月1日
[7月1日]		
⑦	超音波検査（断層撮影法）（その他）胸腹部	530×1
[8月2日]		
⑥	α-フェトプロテイン（AFP）	98×1

解説 悪性腫瘍が強く疑われる場合とは，画像診断等で腫瘍が見つかったことを指す。その腫瘍が良性か悪性かを判断する指標として腫瘍マーカーを行う。つまり，疑い病名は腫瘍マーカー実施日より前にあることが原則となるが，画像診断等と腫瘍マーカーの実施日が同一日の場合，病名も同一日となる。

27. 例外①：「8」エラスターゼ1

急性・慢性膵炎の診断または経過観察目的に行った場合は，別に算定できる。

28. 例外②：「2」α-フェトプロテイン（AFP），「10」PIVKA-Ⅱ半定量，「10」PIVKA-Ⅱ定量

HBs抗原陽性・HCV抗体陽性の慢性肝炎，肝硬変に行った場合は，月1回に限り別に算定できる。

29. 例外③：「11」CA125，「27」CA602

子宮内膜症の診断または治療効果判定目的に行った場合，別にいずれか一方を算定できる。なお，診断目的の場合は1回に限り，治療効果判定目的の場合は治療前後の2回に限る。

30. 例外④：「3」癌胎児性抗原（CEA）

家族性大腸腺腫症の患者に対して行った場合は，別に算定できる。

31. 必ずしも画像診断等の他検査が必要ない症例

高齢者であり高侵襲検査が行えない場合や，触診等である程度判断できる場合は，必ずしも画像診断等の検査を要しないが，症状詳記や摘要欄へのコメントを付記することが望ましい。

32. 悪性腫瘍の疑いで，複数回行った場合

腫瘍マーカーを算定後に悪性腫瘍が否定されたが，その数カ月後に他検査により再び悪性腫瘍が強く疑われた場合は，新たに腫瘍マーカーを算定できる。

33. 「9」前立腺特異抗原（PSA）

原則として，前立腺癌の診断または転帰の確定までに1回に限り算定できるが，検査結果が4.0ng/mL以上で確定診断がつかない場合は，3月に1回かつ初回を含め3回を限度として算定できる。2回目以降の算定をする場合は，摘要欄に検査値を記載する。

【ワンポイント事例解説】

[4月]

| ⑥ | PSA | 121×1 |

[7月]

| ⑥ | PSA（未確） | 121×1 |
| | 令和6年4月5日実施　検査値：4.1ng/mL | |

[10月]

| ⑥ | ~~PSA~~ | ~~121×1~~ |

> **解説**　PSAを4月5日（4.1ng/mL），7月14日（3.5ng/mL），10月20日（7.5ng/mL）で3回実施した場合，2回目は初回検査値が4.0ng/mL以上で確定診断がつかないために算定できるが，3回目は前回検査値が4.0ng/mL未満であったため算定不可。

34.「32」プロステートヘルスインデックス（phi）

①前立腺特異抗原（PSA）値が4.0～10.0ng/mL，②50～64歳で前立腺特異抗原（PSA）値が3.0～10.0ng/mL，③65～69歳で前立腺特異抗原（PSA）値が3.5～10.0ng/mLのいずれかに該当し，前立腺癌が強く疑われる患者に対して測定した場合，確定または転帰の決定までに原則1回を限度に算定できる。前立腺針生検法等により確定診断がつかない場合，3カ月に1回に限り，3回を限度に算定できる。

35.「32」プロステートヘルスインデックス（phi）

当該検査は，「9」前立腺特異抗原（PSA），「17」遊離型PSA比（PSA F/T比）の測定値から算出するため，併せて行った場合は主たるもののみ算定できる。

D012 感染症免疫学的検査

36.「1」梅毒血清反応（STS）定性，「4」梅毒トレポネーマ抗体定性

入院前や手術前，内視鏡検査や高侵襲の観血的検査等施行前の検査として，梅毒血清反応（STS）定性や梅毒トレポネーマ抗体定性はいずれか一方が認められる。なお，2回目以降を実施する際は，6カ月以上の間隔を空けないと査定対象となりやすい。

37. ヘリコバクター・ピロリ感染症の感染診断

①「7」迅速ウレアーゼ試験定性，②鏡検法（N000病理組織標本作製），③培養法（D018「2」細菌培養同定検査），④「9」ヘリコバクター・ピロリ抗体定性・半定量，「12」ヘリコバクター・ピロリ抗体，⑤D023-2「2」尿素呼気試験（UBT），⑥糞便中抗原測定（「25」ヘリコバクター・ピロリ抗原定性）のうちいずれかの方法を実施した場合，1項目のみ算定できる。結果が陰性であった患者に対して，異なる検査方法により再度実施した場合，さらに1項目に限り算定できる。

38. ヘリコバクター・ピロリ感染症の初回感染診断

37の①と②または④～⑥のうち2つの検査を同時に実施した場合，初回に限り併せて算定できる。

39. ヘリコバクター・ピロリ感染症の除菌後の診断

除菌前同様，37の①～⑥のうちいずれかの方法を実施した場合，1項目のみ算定できる。なお，結果が陰性であった患者に対して，異なる検査方法により再度実施した場合，さらに1項目に限り算定できる。また，④～⑥のうち2つの検査を同時に実施した場合，初回に限り併せて算定できる。

40. ヘリコバクター・ピロリ感染症の再除菌の算定

判定の結果，陽性であった患者に対して再度除菌を行った場合，再除菌に係る費用および再除菌後の感染診断に係る費用は1回に限り算定できる。

41. COVID-19の診断

「28」SARS-CoV-2抗原定性，「50」SARS-CoV-2・インフルエンザウイルス抗原同時検出定性，「59」SARS-CoV-2・RSウイルス抗原同時検出定性，「61」SARS-CoV-2抗原定量は，結果が陰性であったが所見上COVID-19が疑われる場合，さらに1回算定できる。

【ワンポイント事例解説】

病名：（1）（主）COVID-19の疑い

⑥	＊SARS-CoV-2抗原定性	150×1
	＊SARS-CoV-2抗原定性	
	検査が必要と判断した医学的根拠（SARS-CoV-2抗原定性）：咽頭痛，味覚障害等の症状によりCOVID-19を強く疑うため	150×1

> **解説**　2回目の算定を行う際には，摘要欄に検査を要した根拠をコメントしなければならない。

42. COVID-19検査の併算定

「28」SARS-CoV-2抗原定性，「50」SARS-CoV-2・インフルエンザウイルス抗原同時検出定性，「59」SARS-CoV-2・RSウイルス抗原同時検出定性，「61」SARS-CoV-2抗原定量は，いずれか主たるもののみ算定できる。

43.「48」百日咳菌抗原定性

D023「13」百日咳菌核酸検出，D023「22」ウイルス・細菌核酸多項目同時検出（SARS-CoV-2核酸検出を含まないもの）または「23」ウイルス・細菌核酸多項目同時検出（SARS-CoV-2核酸検出を含む）を併せて実施した場合，主たるもののみ算定できる。

44.「63」HIV-1特異抗体・HIV-2特異抗体

スクリーニング検査が陽性である患者に対して，確定診断を目的として行う検査であるため，「55」HIV-1抗体，「58」HIV-2抗体（ウエスタンブロット法）は別に算定できない。

D013 肝炎ウイルス関連検査

45.「3」HBs抗原，「5」HCV抗体定性・定量

入院前や手術前，内視鏡検査や高侵襲の観血的検査等施行前の検査として実施した場合，それぞれ算定が認められる。なお，2回目以降を実施する際には，6カ月以上の間隔を空けないと査定対象となりやすい。

46.「11」HCV血清群別判定

C型肝炎の患者に対して，治療法の選択を目的とした場合，患者1人につき1回に限り算定できる。

47.「14」HBVジェノタイプ判定

B型肝炎の患者に対して，治療法の選択を目的とした場合，患者1人につき1回に限り算定できる。

D014　自己抗体検査

48.　不明熱や膠原病が疑われる際の一次検査

「2」リウマトイド因子（RF）定量，「5」抗核抗体（蛍光抗体法）定性，D015「4」血清補体価（CH$_{50}$）が基本検査として概ね認められる。そのうえで，さらに疑われる疾患に特異検査を加えることになる。

49.　「32」抗好中球細胞質ミエロペルオキシダーゼ抗体（MPO-ANCA）

急速進行性糸球体腎炎の診断または経過観察のために実施した場合，算定できる。なお，ANCA関連血管炎（多発血管炎肉芽腫症等）の診断においても算定できる。しかし，連月行う場合は医学的な必要性を症状詳記や摘要欄に付記することが望ましい。

D015　血漿蛋白免疫学的検査

50.　免疫グロブリン（D015「4」）

IgG，IgA，IgM，IgDを測定した場合は，所定点数×4で算定できる。

51.　「17」インターロイキン-6（IL-6）

全身性炎症反応症候群の重症度判定の補助目的に実施した場合，一連の治療につき2回を限度として算定できる。なお，医学的必要性から3回以上算定する場合，医学的根拠を摘要欄に記載しなければならない。

52.　「18」TARC

アトピー性皮膚炎の重症度評価目的に実施した場合，月1回に限り算定できる。COVID-19の確定患者に対して重症化リスクの判定補助目的に実施した場合，一連の治療につき1回を限度として算定できる。

53.　「26」SCCA2

15歳以下のアトピー性皮膚炎の重症度評価目的に実施した場合，月1回に限り算定できる。なお，「18」TARCを同月内に合わせて行った場合，主たるもののみ算定できる。

D017　排泄物，滲出物又は分泌物の細菌顕微鏡検査

54.　レセプト記載要領

同一検体について，当該検査とD002尿沈渣（鏡検法），D002-2尿沈渣（フローサイトメトリー法）を同一日に併せて算定できない。異なる検体であればそれぞれ算定できるが，検査に用いた検体の種類をレセプトの摘要欄に記載する。

D018　細菌培養同定検査

55.　血液又は穿刺液（「3」）の算定

穿刺液は採取数にかかわらず1回の算定となるが，血液を2カ所以上から採取した場合は2回算定できる。なお，「注1」嫌気性培養加算の要件にそれぞれ該当すれば，同じく2回算定できる。

56.　糞便に対する「注1」嫌気性培養加算

Clostridium difficile等の嫌気性菌も存在するため算定できる。ただし，原則，糞便は嫌気性培養加算の査定対象となる傾向にあるため，医学的な必要性を症状詳記や摘要欄へ付記することが望ましい。

D019　細菌薬剤感受性検査

57.　培養検査結果が陰性の場合

細菌薬剤感受性検査の依頼があっても，培養検査の結果が陰性の場合は結果的に感受性検査を行えないため，細菌薬剤感受性検査は算定できない。

【ワンポイント事例解説】

事例①：実日数1日		
⑥	＊S-培養同定（呼吸器）	180×1
	＊S-薬剤感受性検査（3菌種以上）	
	※患者同月内来院せず	310×1
事例②：感受性検査が翌月		
⑥	＊S-薬剤感受性検査（3菌種以上）	
	※前月，培養同定検査施行	310×1

解説　培養検査にて菌が検出（陽性）されなければ，当然，感受性検査も行うことができない。なお，培養検査は培養期間に数日要するものがほとんどであるため，感受性検査を行った際に，①実日数が1日である場合，②感受性検査が翌月になる場合——などは，コメント等で対応することが望ましい。

D023　微生物核酸同定・定量検査

58.　「8」EBウイルス核酸定量

該当する症例，疾患に対して算定限度が異なるため，算定に当たり確認が必要である。

59.　「13」肺炎クラミジア核酸検出

クラミジア肺炎の診断目的に実施した場合算定できる。なお，D012「9」クラミドフィラ・ニューモニエIgG抗体，「10」クラミドフィラ・ニューモニエIgA抗体，「29」クラミドフィラ・ニューモニエIgM抗体，D023「22」ウイルス・細菌核酸多項目同時検出を併せて行った場合，主たるもののみ算定できる。

60.　「6」インフルエンザ核酸検出

人工呼吸器管理や入院による集中治療が必要な重症患者に対して，インフルエンザ抗原は陰性であるが，なお感染が強く疑われる場合，算定できる。なお，検査に当たり必要性を摘要欄に記載する。

61.　「17」単純疱疹ウイルス・水痘帯状疱疹ウイルス核酸定量

免疫不全状態であり，単純疱疹ウイルス感染症または水痘帯状疱疹ウイルス感染症が強く疑われる患者に対して，一連として1回のみ算定できる。

62.　「17」SARSコロナウイルス核酸検出

COVID-19の診断または診断補助目的に実施した場合に算定できる。なお，手術前や周囲の状況をふまえ，医師が診療上必要と判断した場合は，症状の有無にかかわらず算定できる。

63.　「18」HIV-1核酸定量

D012「55」HIV-1抗体（ウエスタンブロット法）を併せて実施した場合，それぞれ算定できる。

64. 「20」サイトメガロウイルス核酸検出

D012「11」ウイルス抗体価（定性・半定量・定量），「44」グロブリンクラス別ウイルス抗体価（サイトメガロウイルス）を併せて行った場合，いずれか1項目のみ算定できる。

D025 基本的検体検査実施料

65. 月の途中に特定入院料でなくなった場合

その日から基本的検体検査実施料を算定し，判断料を包括しない特定入院料であれば，基本的検体検査判断料も算定できる。

66. 退院月に再入院した場合

再入院の日を起算日として算定できる。

D026 検体検査判断料

67. 月の途中で包括病棟に転棟した場合

検体検査判断料を算定後，月の途中で包括病棟に転棟しても，検体検査判断料はそのまま算定可。

68. 生化学的検査（II）判断料

B001「3」悪性腫瘍特異物質治療管理料を算定している月であっても，腫瘍マーカー以外の生化学的検査（II）の検査を実施した場合は，生化学的検査（II）の判断料が算定できる。

D206 心臓カテーテル法による諸検査

69. 検査を施行途中で中止した場合

患者の状態悪化やカテーテルの挿入困難等により途中で中止した場合，それまでに使用した薬剤料や特定保険医療材料料は算定できる。その場合，中止の理由等を症状詳記や摘要欄に付記することが望ましい。

70. 「1」右心カテーテル，「2」左心カテーテル

右心カテーテルと左心カテーテルを同一日に行った場合，併せて算定できる。ただし，「注」に定める加算は1回のみ算定できる。

71. ペースメーカー移植術と同一日の実施

K597ペースメーカー移植術と同一日に行った場合，「1」右心カテーテルは併せて算定できる。「2」左心カテーテルは虚血性心疾患等の診断目的等，必要性があれば認められる。

72. 経皮的カテーテル心筋焼灼術と同一日の実施

K595経皮的カテーテル心筋焼灼術と同一日に行われた場合，「1」右心カテーテルと「2」左心カテーテルはともに算定できない。ただし，使用した特定保険医療材料は算定できる。

D208 心電図検査

73. 同一日に2回の算定

心房細動等に対してJ047カウンターショックや薬物療法により洞調律が得られているか確認するために，診断時と治療後に心電図を行うことがあるが，症状詳記等に理由を付記すれば算定できる。

74. 同月の算定限度

審査の状況から概ね月3回を限度とする傾向があるため，心電図を複数回施行した場合，症状詳記等で対応することが望ましい。

75. 他医が実施した心電図の診断料

他医で行われたD208心電図検査，D209負荷心電図検査の診断を行った場合，1回につき70点が算定可。

D210 ホルター型心電図検査

76. 入院中の検査

入院中はモニター装着の呼吸心拍監視等があるため，ホルター型心電図検査は査定される傾向にある。

D211-3 時間内歩行試験

77. 併算定の可否

D007「36」血液ガス分析は別に算定できる。

D215 超音波検査

78. 術中超音波検査

悪性腫瘍による胃切除術中に肝臓転移診断目的で行った超音波検査は，別に算定できる。

79. 「注2」パルスドプラ法加算①

パルスドプラ法は血流を診る検査なので，血管関連の病名が求められる。それ以外には腎悪性腫瘍や精索静脈瘤，精巣捻転症等に対して行った場合も認められる。なお，尿管腫瘍や乳癌等に対しては認められない。

80. 「注2」パルスドプラ法加算②

頸動脈に対する超音波検査において，疑い病名に対するパルスドプラ法加算は査定傾向にある。

D215-2 肝硬度測定

81. 算定要件およびレセプト記載要領

肝硬変（疑い含む）の患者に対して，肝臓の硬度を非侵襲的に測定した場合，原則3月に1回に限り算定できる。ただし，医学的に必要性があれば2回以上の算定ができる。なお，複数回算定する場合，理由および医学的根拠をレセプト摘要欄に詳細に記載する。

D215-4 超音波減衰法検査

82. 実施から3カ月以内の併算定

超音波減衰法検査の実施日より3カ月以内は，D215-2肝硬度測定，D215-3超音波エラストグラフィーは別に算定できない。医学的必要性から別に算定する場合には，摘要欄に理由を記載する。

D217 骨塩定量検査

83. 算定限度

骨粗鬆症の診断および経過観察の場合に4月に1回に限り算定できる。この1月の計算は暦月による。

D219 ノンストレステスト

84. 算定限度

入院中の患者に対しては，1週間に3回算定できる。外来患者に対しては，1週間に1回算定できる。この1週間の計算は暦週による。

D220 呼吸心拍監視等

85. 算定起算日

呼吸心拍監視等が包括される特定入院料を算定している病棟で装着した場合，起算日は装着日ではなく，初回算定日となる。

86. 併算定の可否

人工呼吸を同一日に行った場合は，呼吸心拍監視等

の点数を別に算定できないが，L002硬膜外麻酔，L004脊椎麻酔による手術に伴うものは算定できる。

D222-2 経皮的酸素ガス分圧測定

87. 対象患者と算定限度

重症下肢血流障害が疑われる患者に対して，治療方針の決定または治療効果の判定のために，経皮的に血中のPO2を測定した場合，3月に1回算定できる。

D223 経皮的動脈血酸素飽和度測定

88. 対象患者

入院，外来，在宅いずれでも，要件を満たしていれば算定できる。ただし，C103在宅酸素療法指導管理料を算定している場合は，算定できない。

89. 短期入所中の患者

C103在宅酸素療法指導管理料の算定患者のうち，医療型短期入所サービス費または医療型特定短期入所サービス費を算定している短期入所中の患者に対して，別に算定できる。

90. 査定傾向

14日を限度として査定される傾向にあるため，医学的に必要性があって，それ以上実施している場合は，症状詳記や摘要欄へのコメント付記で対応することが望ましい。なお，J024酸素吸入を行っていない例では査定対象となり，J045人工呼吸を行っている場合は所定点数に含まれ別に算定できない。

D226 中心静脈圧測定

91. 画像診断や材料費の併算定

中心静脈カテーテル挿入に伴う画像診断等の費用は別に算定できないが，使用した薬剤料や特定保険医療材料等は算定できる。

【ワンポイント事例解説】
⑥ ＊中心静脈圧測定 120×1   ＊キシロカイン注ポリアンプ1％10mL 1A   中心静脈用カテ・標準・Ⅱ（7,210円） 1本   729×1
解 説 IVHカテーテルを挿入した場合，カテーテルの位置確認として画像診断を行うケースが多い。材料等の算定もれのないよう注意する。

D236-2 光トポグラフィー

92. レセプト記載要領

「1」脳外科手術の術前検査に使用するものは，レセプト摘要欄に手術実施日または予定日を記載し，手術が行われなかった場合はその理由を記載する。「2」抑うつ症状の鑑別診断の補助に使用するものは，検査を要した理由と前回実施日（初回は不要）を記載する。

D237 終夜睡眠ポリグラフィー

93. 「1」携帯用装置を使用した場合の算定限度

C107-2在宅持続陽圧呼吸療法指導管理料を算定している場合は，効果判定目的で6月に1回を限度として算定できる。

94. 「3」携帯用装置及び多点感圧センサーを有する

睡眠評価装置を使用した場合以外の算定限度

D237「3」の「1及び2以外の場合」は，C107-2在宅持続陽圧呼吸療法指導管理料を算定している場合は，効果判定目的で初回月2回，翌月以降は1月に1回算定できる。

D245 鼻腔通気度検査

95. 複数回の算定

関連する手術日前後3月以内に行った場合に算定できる。手術前，手術後それぞれ実施した場合は2回算定できる。なお，算定に当たり，手術名，手術実施日（予定日）をレセプト摘要欄に記載する。

D282-4 ダーモスコピー

96. 外来管理加算の算定

再診時に検査を行った場合，初回診断であっても要件を満たせば，外来管理加算が算定できる。

臨床心理・神経心理検査

97. 同一日の併算定

D283～D285に掲げる検査は，同一日であっても項目ごとに算定できる。なお，生体検査「通則2」幼児加算は対象外であるため，算定できない。

D286 肝及び腎のクリアランステスト

98. 肝と腎のクリアランステストの併算定

肝クリアランステストおよび腎クリアランステストを併せて行った場合は，それぞれ算定できる。

99. 腎クリアランステストでの併算定

腎クリアランステストの腎血漿流量測定と糸球体濾過値測定を併せて行った場合，それぞれ算定できる。

内視鏡検査

100. 時間外等に行われた場合

A000初診料と同じ取扱いであり，それぞれ所定点数に，休日加算（80/100），時間外加算（40/100），深夜加算（80/100），時間外特例加算（40/100）を加算できる。なお，起算とする時間は来院時間ではなく，検査の開始時間となる。ただし，医療機関の都合により時間外等になった場合は算定できない。

101. 入院中の患者に対する時間外等加算

入院中の患者に対しては，休日または深夜加算のみが対象となる。

102. 他医療機関にて撮影した内視鏡診断

胃と大腸の内視鏡診断を行った場合，それぞれ「通則3」内視鏡写真診断（他医撮影）（70点）が算定可。

103. 腹腔鏡検査（D314）

子宮外妊娠の診断の際の腹腔鏡下による検査は，腹腔鏡検査で算定できる。

104. 内視鏡検査時のモニター

セデーション下で行われる際に，D208心電図検査，D220呼吸心拍監視，D223経皮的動脈血酸素飽和度測定を実施した場合，それぞれ別に算定できる。

105. セデーションに対する拮抗薬

入院中の患者に対して，セデーション下の内視鏡終了後，覚醒を促すための麻薬拮抗剤（例：ナロキソン

塩酸塩静注®等）を使用した場合，査定傾向にある。

D302-2 気管支カテーテル気管支肺胞洗浄法検査

106. 算定要件と併算定

気管支ファイバースコピーを使用せずに，気管支肺胞洗浄用カテーテルを用いて気管支肺胞洗浄を実施した場合に算定できる。なお，入院期間中にD302「注」の気管支肺胞洗浄法検査をそれぞれ行った場合，主たるもののみ算定できる。

D310 小腸内視鏡検査, D313 大腸内視鏡検査

107. カプセル型内視鏡によるもの

レセプトに症状詳記を付記する。なお，D313大腸内視鏡検査で，癒着等で回盲部まで到達できなかった場合は実施日を，器質的異常により実施困難である場合は理由を，それぞれ摘要欄に記載する。

D313 大腸内視鏡検査

108. 傷病名による査定

「1」ファイバースコピーによるものは，「イ」S状結腸，「ロ」下行結腸及び横行結腸，「ハ」上行結腸及び盲腸で区分されており，奥に進むにつれ点数が高くなる。上行結腸や盲腸まで確認したため「ハ」で算定しても，例えば傷病名がS状結腸ポリープのみであった場合，「イ」の点数に減算されることがある。

【ワンポイント事例解説】

病名：S状結腸ポリープ

| ⑥ | ~~大腸内視鏡検査（上行結腸及び盲腸）~~ ~~1,550×1~~ |
| | 大腸内視鏡検査（S状結腸）　900×1 |

解説　傷病名より上行結腸及び盲腸まで観察する必要がないと判断され，減点される恐れがある。下部消化管出血の疑いなど，上行結腸及び盲腸まで確認する必要が推測される傷病名が必要である。

D317 膀胱尿道ファイバースコピー
D317-2 膀胱尿道鏡検査

109. 狭帯域光強調加算

上皮内癌（CIS）と診断された患者に対して，治療方針の決定を目的に実施した場合に限り算定できる。

D414 内視鏡下生検法

110. 迅速ウレアーゼ試験での算定

内視鏡下生検材料によるため内視鏡下生検法が算定できる。

111. 胃と食道から各病理組織を採取した場合

D308胃・十二指腸ファイバースコピーで胃と食道からそれぞれ病理組織を採取した場合，N000病理組織標本作製×2，内視鏡下生検法×2で算定できる。

【ワンポイント事例解説】

⑥	＊内視鏡下生検法　4臓器
	（盲腸，上行結腸，S状結腸，直腸）1,240×1
	＊病理組織標本作製　3臓器
	（盲腸，上行結腸，S状結腸，直腸）2,580×1
	＊組織診断料　520×1

解説　1臓器の取扱いは，N000病理組織標本作製に準ずるが，病理組織標本作製の算定が3臓器を上限とするのに対し，本検査料には上限がない。

検査に伴う薬剤

112. 検査と併算定可能な薬剤

薬剤負荷試験では，必ず検査試薬が用いられるが，その薬剤料は薬価基準収載薬剤であれば別に算定できる。以下に代表的な例・試薬を挙げる。

【例】①D286肝及び腎のクリアランステスト
肝機能⇒ICG（インドシアニングリーン）等
腎機能⇒PSP（フェノールスルホンフタレイン），チオ硫酸ナトリウム等
②D288糖負荷試験⇒乳糖，ブドウ糖等
③D289その他の機能テスト
膵機能⇒PABA（パラアミノ安息香酸）等
肝機能⇒ICG，BSP（ブロムサルファレイン）等
④D291皮内反応検査
ツベルクリン反応⇒ツベルクリン
各種アレルゲン試験⇒アレルゲンエキス（皮内用，貼付用，スクラッチ用）

【ワンポイント事例解説】

×	＊腎クリアランステスト　150×1
○	＊腎クリアランステスト　150×1
	＊フェノールスルホンフタレイン注射液
	0.6% 1.3mL　1A　10×1

解説　薬剤を用いる必要がある検査の場合，薬剤の算定がないと逆に査定・返戻を受ける可能性が高い。十分に注意されたい。

113. 検査の前処置として使用した薬剤

検査が実施できなかった場合でも，レセプトにその旨を注記して薬剤料を算定できる。

検査に伴う特定保険医療材料

114. 検査と併算定可能な主な材料

検査に当たり用いられる特定保険医療材料は，特に定めがない限り算定できる。

【例】D206心臓カテーテル法による諸検査
血管造影用シースイントロデューサーセット，ダイレーター，冠状静脈洞内血液採取用カテーテル，サーモダイリューション用カテーテル，血管造影用カテーテル，血管造影用ガイドワイヤー，冠動脈造影用センサー付ガイドワイヤーなど

レセプトチェック技術

8．画像診断

1．手術中に行う画像診断の算定

手術中に病巣の確認等のために行われる画像診断について，特に定めがなければ，医学的必要性があるものは算定できる。

2．療養病棟でも算定可能な画像診断

療養病棟においても，造影剤注入手技，注腸，胃透視，スポット撮影，CT等は算定できる。

画像診断管理加算

3．画像診断管理加算1

E001写真診断やE203コンピューター断層診断等，区分ごとにそれぞれ別に算定できる。

電子画像管理加算

4．アナログ撮影のフィルムをスキャニング

アナログ撮影のフィルムをスキャニングし，電子的に保存を行っても電子画像管理加算は算定できない。

5．同月内でフィルム費請求との混在

電子画像管理加算で算定するものと，アナログ撮影によるフィルム代として算定するものが混在しても，それぞれ算定できる。なお，電子画像管理加算を算定した撮影に関しては，フィルム代は別に算定できない。

6．複数部位の撮影

頭部と腹部など同一部位にならない部位を同一日に撮影した場合は，それぞれに加算できる。

E001 写真診断，E002 撮影

7．6枚目以降の撮影

E001写真診断，E002撮影は，フィルムの大きさに関わらず同一部位につき5枚まで算定できる。6枚以後の撮影を行った場合，フィルム代は別に算定できる。

8．他医撮影フィルムを診断した場合

他医で撮影したフィルム等を診断した場合，撮影方法が異なれば撮影方法ごとに，同一の撮影方法であっても部位が異なれば部位ごとに診断料が算定できる（アナログまたはデジタル撮影の別は問わない）。

【例】①胸部単純撮影と腹部単純撮影⇒おのおのについて，E001写真診断「1」単純撮影「イ」算定
②胃造影と胃スポット撮影⇒胃造影はE001写真診断「3」造影剤使用撮影，胃スポット撮影はE001写真診断「2」特殊撮影を算定
③胸部単純撮影と胸部断層撮影⇒胸部単純撮影はE001写真診断「1」単純撮影「イ」，胸部断層撮影はE001写真診断「2」特殊撮影を算定

9．一連の撮影

原則，フィルム1枚に収められる範囲が一連の取扱いとなる。例えば，頭部と頸部，腰椎と骨盤などの組み合わせは，それぞれに撮影するべき病名がなければ一連となる。脊椎側弯症では胸椎，腰椎は一連となる。

E003 造影剤注入手技

10．動脈造影カテーテル法

内頸動脈，内腸骨動脈を造影した場合，両方とも分枝血管に該当するため，「3」動脈造影カテーテル法「イ」主要血管の分枝血管を選択的に造影撮影した場合が算定できる。

11．胆管留置のドレーンチューブからの造影撮影

胆管に留置したTチューブ等のドレーンチューブ等からの造影剤注入手技は，「6」腔内注入及び穿刺注入「ロ」その他のもので算定する。経皮経肝胆管造影の造影剤注入手技は，D314腹腔鏡検査で算定する。

12．造影剤注入のための観血手術の算定

造影剤を注入するための観血手術は，その手術の所定点数を併せて算定できる。

13．造影剤使用撮影時の造影剤注入手技料の算定

造影剤使用撮影時，造影剤注入手技を別に算定できるものがあるため，注入手技の内容を理解していないと請求もれとなる。以下に代表的な例を挙げる。

【例】①経皮経肝胆道造影
経皮経肝による⇒D314腹腔鏡検査に準じて算定
胆管留置カテーテルによる⇒E003造影剤注入手技「6」腔内注入及び穿刺注入「ロ」その他のもの
②逆行性腎盂造影
ファイバースコープを用いるもの⇒E003「5」内視鏡下の造影剤注入「ロ」尿管カテーテル法（両側）
ファイバースコープを用いないもの⇒E003「6」「ロ」
③椎間板造影⇒E003「6」「ロ」
④脳脊髄腔造影⇒E003「6」「ロ」
⑤子宮卵管造影⇒E003「6」「ロ」

E101 シングルホトンエミッションコンピューター断層撮影（SPECT）

14．「注3」断層撮影負荷試験加算の一例

エルゴメーター等の運動による心筋負荷，脳に局所脳血流診断薬（例：パーヒューザミン®注等）による薬剤負荷をかけた場合に算定できる。

E101-2 ポジトロン断層撮影

15．FDG製剤

FDG製剤の入手には，院内製造と市販購入の方法があるが，薬剤の費用は所定点数に含まれるため，いずれの入手方法でも別に算定できない。

E200 コンピューター断層撮影（CT撮影）
E202 磁気共鳴コンピューター断層撮影（MRI撮影）

16．造影剤使用加算，新生児・乳幼児加算

2回目以降の点数で算定する場合でも，造影剤使用加算，新生児・乳幼児加算は算定できる。

17．造影剤使用加算

経口造影剤では造影剤使用加算は算定できない。

同一日に行われたG001静脈内注射またはG004点滴注射は併せて算定できない。また，同一日に行った麻酔料は，L008閉鎖循環式全身麻酔以外は別に算定できない。

18．小児鎮静下MRI撮影加算

15歳未満の小児に対して麻酔を用いて鎮静を行い，1回で複数の領域を一連でMRI撮影した場合に，所定点数（E202のその他の注加算を含まない点数）の100分の80に相当する点数を加算する。

19. 同一日のCT撮影とMRI撮影

原則，一方のみ認められる。ただし，脳梗塞等により医学的に必要性を認め同一日に実施した場合，理由を症状詳記や摘要欄へ付記すれば査定されないこともある。なお，脳出血の場合は，CT撮影のみ認められる傾向にある。

E203 コンピューター断層診断

20. 他医療機関へ画像情報提供

コンピューター断層診断を行い算定した後，他医療機関へ画像情報提供を伴う紹介を行った場合，紹介先医療機関においても診断を行えば，他医撮影のコンピューター断層診断が算定できる。

9. 投薬

F000調剤料，F100 処方料

1. 調剤後の薬剤を服用しなかった場合

病状の変化のため調剤後の薬剤を患者が服用しなかった場合も，投薬の費用は算定できる。

2. 複数診療科における処方

複数の診療科で異なる医師がそれぞれ処方した場合，処方料・調剤料ともそれぞれ算定できる。

3. 入院患者の調剤料

外泊期間中，入院実日数を超えた日数分は算定できない。また，翌月にまたがり薬剤を調剤した場合，薬剤料は当月分にまとめ，調剤料の翌月分は翌月に算定する。そのため，翌月は調剤料のみの算定となることもある。この場合，調剤技術基本料は算定できない。

4. 特定疾患処方管理加算

厚生労働大臣が定める疾患を主病とする患者であれば，その他の疾患に対する処方であっても算定できる。なお，初診月でも要件を満たしていれば算定できる。

5. 63枚超処方の貼付剤

1処方において，63枚を超えて貼付剤を投与した場合，「院内処方」では調剤料，処方料，63枚を超えた分の薬剤料，調剤技術基本料が，「院外処方」では処方箋料が算定できない。ただし，疾患の特性により必要性があると医師が判断し，やむを得ず処方する場合，理由を摘要欄に記載することで算定できる。なお，「院外処方」では理由を処方箋にも記載する。

6. 算定できない薬剤

治療目的以外で処方するうがい薬やヘパリンナトリウム，またはヘパリン類似物質等は算定できない。

F200 薬剤

7. 多剤投与における1種類の扱い

1処方のうち内服薬のみ対象となる。常態で7種類以上の場合に計算する。基本的には，錠剤，カプセル剤，散剤，顆粒剤，液剤において1銘柄1種類と計算するが，薬剤を混合して服用できるように調剤を行った場合には1種類とする。

8. 多剤投与の例外

投与期間が2週間以内の臨時薬剤に関しては，1種類にカウントしない。1種類の所定単位当たりの薬価が205円以下の場合には，何種類の薬剤を含んでも1種類とカウントする。

9. 同日の複数処方

同日再診等により，各々6種類以下の薬剤を処方した場合，減額の必要はない。

10. 向精神薬多剤投与の減算

1処方において，向精神薬（抗不安薬，睡眠薬，抗うつ薬，抗精神病薬）がそれぞれ3種類以上の投与を行った場合，または抗不安薬および睡眠薬が4種類以上の投与を行った場合，向精神薬にかかる薬剤料のみ100分の80に減算される。

11. 適宜増減

医薬品の中には，用法・用量に適宜増減が定められているものがある。適宜とは通常用量の半量から倍量を指し，この範囲を超えて投与を行う場合は査定対象となるため，症状詳記や摘要欄への記載が望ましい。

12. 小児への投薬

最大投与量は成人量を超えないこと。超過して請求する場合，症状詳記や摘要欄に体重等の必要性を記載することが望ましい。

13. 医薬品

投薬をされている場合，必ず確定病名が必要となる。疑い病名では査定対象となる。

F400 処方箋料

14. 算定の可否

同一医療機関の複数の診療科で異なる医師がそれぞれ処方箋を交付した場合，別に算定できる。交付後，患者が保険薬局に行かなかった場合でも算定可。

15. 月の途中に入院した場合

処方箋料を算定した患者が，同月内に入院しB008薬剤管理指導料を算定する場合でも，処方箋料は別に算定できる。

16. 一般名処方加算

交付した処方箋に含まれる医薬品のうち，後発医薬品が存在するすべての医薬品（2品目以上）が一般名処方されている場合には「1」を，1品目または一部の医薬品のみ一般名処方されている場合には「2」が算定できる。

F500 調剤技術基本料

17. 算定の可否

薬剤師の管理のもと調剤が行われた場合，患者1人につき月1回算定できる。同一医療機関において，同月にF400処方箋料，B008薬剤管理指導料，C008在宅患者訪問薬

剤管理指導料を算定している場合は算定できない。

18. 院内製剤加算

院内製剤を行った結果，同一規格のものが薬価基準に収載されていれば，院内製剤加算は算定できない。

19. 薬剤の使用理由について

特定の薬剤について，初回処方時に処方理由を摘要欄に明記しなければ返戻対象となることがある。

【ワンポイント事例解説】

病名：高血圧		
㉑	エンレスト錠50mg　1錠	6×14
	（ARBで血圧コントロールを行っていたが，徐々に血圧が上昇し，ARNIへ変更した）	

解説	薬剤の中には，投与が必要と判断した理由を摘要欄に記載しなければならないものがある。記載しないと返戻されることも多く，留意されたい。

10. 注射

外来化学療法加算

1. 外来化学療法における皮下注射

皮下注射は対象外手技のため，外来化学療法加算は算定できない。

2. 悪性腫瘍を主病とする患者に抗悪性腫瘍剤を注射した場合

注射の項目ではなく，医学管理料のB001-2-12外来腫瘍化学療法診療料で算定をする。

精密持続点滴注射加算

3. 算定対象

1歳未満に対しては注入する薬剤の種類にかかわらず算定できるが，1歳以上の場合，用法が1時間に30mL以下の速度で緩徐に注入する薬剤が対象となる。なお，実施時間は1時間を超えなくても算定できる。

4. L003「注」精密持続注入加算との併算定

L003硬膜外麻酔後における局所麻酔剤の精密持続注入加算は，要件を満たせば同一日に算定できる。

G004 点滴注射，G005 中心静脈注射，
G005-2 中心静脈注射用カテーテル挿入

5. 日にちをまたがって行った場合

午前0時をまたがって注射を行った場合，翌日，点滴薬を使用していなくても手技料は算定できる。

【ワンポイント事例解説】

㉝	*15日	
	点滴注射	102×1
	ソリタT3号輸液　500mL　1袋	18×1
	*16日	
	点滴注射	102×1

解説	電子カルテ，オーダリングシステム等では対応困難な事例であるため，注射箋をよく確認することが必要となる。

6. カテーテルの交換・再挿入

通常，感染リスクが高まることから，定期的な交換は認められない。ただし，カテーテル感染，カテーテル破損，カテーテル閉塞等の交換理由があれば認められる。交換・再挿入を行った場合，あらためてカテーテル代，手技料が算定できる。また，挿入時に使用した薬剤料や材料料は併せて算定できる。

G010 関節腔内注射

7. 異なる部位に行った場合

部位ごとにそれぞれ手技料が算定できる。なお，対称器官に対して左右別々に行った場合でも，片側ごとに算定できる。

【ワンポイント事例解説】

㉝	*関節腔内注射（左膝関節）		80×1
	カルボカインアンプル注1%5mL	1A	
	（使用量0.8A，残量廃棄）		
	リンデロン注4mg（0.4%）　1A		
	（使用量0.5A，残量廃棄）		37×1
	*関節腔内注射（右膝関節）		80×1
	カルボカインアンプル注1%5mL	1A	
	（使用量0.8A，残量廃棄）		
	リンデロン注4mg（0.4%）　1A		
	（使用量0.5A，残量廃棄）		37×1

解説	片側ごとに別手技とするため，それぞれ算定できる。実施部位を記載することが望ましい。

G017 腋窩多汗症注射

8. 同一側の複数回注射

同一側の2箇所以上に注射を行った場合でも1回のみの算定となる。

G020 無菌製剤処理料

9. 特定入院料等を算定する病棟

G004点滴注射やG005中心静脈注射が包括される特定入院料等を算定する場合，無菌製剤処理料は算定できない。

投薬・注射の薬剤料

10. C101在宅自己注射指導管理料を算定した場合

自己注射を行う薬剤と関連のない注射であれば，外来受診時に注射手技料，薬剤料が別に算定できる。

11. 注射薬の残量を廃棄した場合

注射薬の残量が発生し，使用予定なし，保存不可能な場合等により廃棄をする場合，瓶であっても1瓶分の算定ができる。なお，使用量と残量廃棄の旨をレセプトにコメントしておくことが望ましい（事例7のワンポイント事例解説を参照）。

12. 手術後の感染予防の投薬

特に感染病名がない手術後の抗生剤予防投与に関しては，第一世代セフェム系抗菌薬を第一選択とする。それ以外は，感染病名が必要であり，返戻や査定を受けることになり得る。

13. アルブミン製剤

算定に当たり必ず使用理由を症状詳記に記載すること。説明のないアルブミン製剤算定は査定対象となる。

11. リハビリテーション

H000 心大血管疾患リハビリテーション料

1. 算定要件

治療開始日から150日以内に限り算定可。厚生労働大臣が定める患者等については，治療継続で状態改善が期待できると判断した場合は150日を超えて算定できる。その際は，摘要欄に継続理由を記載する。

2. リハビリテーション加算

厚生労働大臣が定める入院患者に対して，発症・手術・急性増悪から7日目，または治療開始日のいずれか早いものから起算して，早期リハビリテーション加算は30日，初期加算と急性期リハビリテーション加算は14日に限り算定できる。

3. 併算定の可否

同一日に行われたD208心電図検査，D209負荷心電図検査，D220呼吸心拍監視等は，所定点数に含まれるため別に算定できない。

H001, H001-2, H002 共通

4. 目標設定等支援・管理料

要介護・要支援者について，各疾患別リハビリテーションの算定上限日数の3分の1（H001脳血管は60日目，H001-2廃用症候群は40日目，H002運動器は50日目）を経過後，直近3カ月以内にH003-4目標設定等支援・管理料を算定していなければ，所定点数の100分の90で算定する。

H001 脳血管疾患等リハビリテーション料

5. 算定要件

発症日，手術日，急性増悪日，または最初の診断日から起算して180日以内に限り算定可。厚生労働大臣が定める患者等については，治療継続で状態改善が期待できると判断した場合は180日を超えて算定できる。その際は，摘要欄に継続理由を記載する。

6. リハビリテーション加算

厚生労働大臣が定める患者に対して，発症日，手術日，急性増悪日から起算して，早期リハビリテーション加算は30日，初期加算と急性期リハビリテーション加算は14日に限り算定可。

H001-2 廃用症候群リハビリテーション料

7. 算定要件

廃用症候群の診断または急性増悪から120日以内に限り算定可。厚生労働大臣が定める患者等については，治療継続で状態改善が期待できると判断した場合は120日を超えて算定できる。その際は，摘要欄に継続理由を記載する。

8. リハビリテーション加算

厚生労働大臣が定める患者に対して，廃用症候群に係る急性疾患等の発症日，手術日，急性増悪日，または廃用症候群の急性増悪日から，早期リハビリテーション加算は30日，初期加算と急性期リハビリテーション加算は14日に限り算定可。

9. 廃用症候群

廃用に至った要因，臥床・活動性低下の期間，廃用の内容，介入による改善の可能性，改善に要する見込み期間，前回評価からの改善や変化，廃用に陥る前のADLについて，月ごとに評価を行い，レセプトに別紙様式22を添付するか，摘要欄に記載する。

10. 他の疾患別リハビリテーションの留意事項

他の疾患別リハビリテーションの対象となる患者が廃用症候群を合併し，廃用症候群に関連する症状に対するリハビリテーションを行った場合，H001-2廃用症候群リハビリテーション料を算定する。

H002 運動器リハビリテーション料

11. 算定要件

発症，手術，急性増悪，または最初の診断日から起算して150日以内に限り算定可。厚生労働大臣が定める患者等については，治療継続で状態改善が期待できると判断した場合は150日を超えて算定できる。その際は，摘要欄に継続理由を記載する。

12. リハビリテーション加算

厚生労働大臣が定める患者に対して，発症，手術，急性増悪から起算して早期リハビリテーション加算は30日，初期加算と急性期リハビリテーション加算は14日に限り算定可。

H003 呼吸器リハビリテーション料

13. 算定要件

治療開始日から90日以内に限り算定可。厚生労働大臣が定める患者等については，治療継続で状態改善が期待できると判断した場合は90日を超えて算定できる。その際は，摘要欄に継続理由を記載する。

14. リハビリテーション加算

厚生労働大臣が定める入院患者に対して，発症・手術・急性増悪から7日目，または治療開始日のいずれか早いものから起算して，早期リハビリテーション加算は30日，初期加算と急性期リハビリテーション加算は14日に限り算定できる。

H003-2 リハビリテーション総合計画評価料

15. 入院時訪問指導加算

A308回復期リハビリテーション病棟入院料を算定

する患者が対象となる。入院前7日以内または入院後7日以内に患家を訪問し，住環境の評価を行ったうえで計画を策定した場合，入院中1回に限り算定できる。

H003-4 目標設定等支援・管理料

16. 対象患者および算定限度

H001脳血管，H001-2廃用症候群，H002運動器のリハビリテーションを実施している要介護者・要支援者に必要な指導を行った場合，3月に1回算定できる。

H004 摂食機能療法

17. 算定限度と併算定

「1」は摂食機能障害を有する患者に対して30分以上の療法を行った場合，1月に4回に限り算定できる。なお，治療開始日から3月以内は，1日につき算定できる。「2」は脳卒中があり摂食機能障害を有する患者に対して30分未満の療法を行った場合，14日以内に限り1日につき算定できる。

18. 摂食嚥下機能回復体制加算

多職種による摂食嚥下支援チームが，摂食機能または嚥下機能の回復が見込まれる患者に対して指導管理を行った場合，週1回に限り算定できる。

H007 障害児（者）リハビリテーション料

19. 算定限度

患者1人につき1日6単位まで算定できる。算定する場合，疾患別リハビリテーション料（H000～H003）は別に算定できない。

H007-3 認知症患者リハビリテーション料

20. 算定要件

A314認知症治療病棟入院料の算定患者または認知症疾患医療センターに入院している重度認知患者にH003-2リハビリテーション総合計画評価料1を算定している場合が対象となる。入院した日から1年を限度として，週3回に限り算定できる。

21. レセプト記載要領

算定に当たり，①認知症高齢者の日常生活自立度判定基準のランク，②診療時間，③リハビリテーション計画作成日を摘要欄に記載する。

22. 併算定の可否

H000～H003疾患別リハビリテーション料，H007障害児（者）リハビリテーション料，H007-2がん患者リハビリテーション料は別に算定できない。

12. 精神科専門療法

I001 入院精神療法

1. 家族に対して行った場合

家族に対して行った場合でも算定できる。

I002 通院・在宅精神療法

2. 算定限度と併算定

「1」通院精神療法と「2」在宅精神療法は合わせて週1回を限度として算定する。なお，退院後4週以内は合わせて週2回を算定できる。

3. 20歳未満加算，児童思春期精神科専門管理加算

「注3」20歳未満加算は，自院の精神科を初めて受診した日から1年以内に通院・在宅精神療法を算定した場合に算定できる。「注4」児童思春期精神科専門管理加算は，「イ」16歳未満の患者（精神科初診日から2年以内），「ロ」20歳未満の患者（精神科初診日から3月以内）に通院・在宅精神療法を行った場合（「ロ」は60分以上）に1回に限り算定できる。なお，「注3」と「注4」の併算定はできない。

I002-2 精神科継続外来支援・指導料

4. 向精神薬多剤投与の減算

1処方において，向精神薬（抗不安薬，睡眠薬，抗うつ薬，抗精神病薬）がそれぞれ3種類以上の投与を行った場合は算定できない。なお，減算対象の除外規定があるため，よく確認すること。

I002-3 救急患者精神科継続支援料

5. 算定限度

入院患者には，入院日から6月以内に週1回算定できる。外来患者には，電話等で継続的な指導等を行った場合，退院後24週を限度として週1回算定できる。

I003 標準型精神分析療法

6. 標準型精神分析療法

I001入院精神療法，I002「1」通院精神療法，「2」在宅精神療法と別の日に行ったものであれば，それぞれ算定できる。

I004 心身医学療法

7. 「注5」20歳未満加算

20歳未満の患者に対して，必要に応じて児童相談所等と連携し保護者への適切な指導を行ったうえで，心身医学療法を行った場合に算定できる。

I006-2 依存症集団療法

8. 算定限度

「1」薬物依存症の場合は，治療開始日から6月を限度として週1回算定できる。ただし，医学的に必要な場合は，治療開始日から2年を限度として，さらに週1回かつ合計24回に限り算定できる。

「2」ギャンブル依存症の場合は，治療開始日から3月を限度として2週間に1回に限り算定できる。

「3」アルコール依存症の場合は，週1回かつ計10回に限り算定できる。

9. 併算定の可否

同一日に他の精神科専門療法は算定できない。

I008-2 精神科ショート・ケア

10. 算定限度

初回算定日から起算して，5月を限度として週1回算定できる。ただし，医学的に必要性を認める場合，2年を限度として週1回，合計20回に限り算定できる。

Ｉ009 精神科デイ・ケア，Ｉ010 精神科ナイト・ケア，Ｉ010－2 精神科デイ・ナイト・ケア

11．算定限度

最初の算定日から起算して1年を超える場合は，週5日を限度として算定できる。ただし，週3日以上算定する場合は，患者の意向を踏まえ，必要性が特に認められるときに限る。

Ｉ011 精神科退院指導料

12．退院後も外来通院させる計画での算定

退院後も引き続き自院の外来に通院させるよう計画し，指導を行った場合でも算定できる。

13．家族に対して指導を行った場合

家族に対して指導した場合でも算定できる。

Ｉ012 精神科訪問看護・指導料

14．精神科訪問看護・指導料（Ｉ）

週3回（退院後3月以内は，週5回）に限り算定する。ただし，患者が急性増悪した場合には，その日から7日以内は，1日1回算定できる。さらに継続した訪問看護が必要な場合には，急性増悪した日から1月以内の連続した7日間について1日1回算定できる。

15．精神科複数回訪問加算

Ｉ016精神科在宅患者支援管理料を算定している患者に対して，1日に2回以上の精神科訪問看護・指導を行った場合，精神科訪問看護・指導料（Ｉ）または（Ⅲ）に加算できる。

16．点滴・処置・検査について

看護師等が，医師の診療日以外に，医師の指示に基づき行った点滴，処置等に使用した薬剤，特定保険医療材料料は（14）在宅の項で算定できる。算定に当たり，薬剤等の使用日をレセプトの摘要欄に記載する。また，検査においても（60）検査の項で算定し，実施日をレセプトの摘要欄に記載する。

Ｉ012－2 精神科訪問看護指示料

17．点滴・処置・検査について

訪問看護ステーションの看護師等が，医師の診療日以外に，医師の指示に基づき行った点滴，処置等に使用した薬剤料，特定保険医療材料料は(14)在宅の項で算定できる。算定に当たり，薬剤等の使用日をレセプトの摘要欄に記載する。また，検査も(60)検査の項で算定し，実施日をレセプトの摘要欄に記載する。

Ｉ013 抗精神病特定薬剤治療指導管理料

18．注射の手技料の併算定

注射の手技料は別に算定できる。

Ｉ014 医療保護入院等診療料

19．入院の起算日が変わらない再入院の場合

入院の起算日が変わらない再入院の場合であっても，再入院のつど算定できる。

Ｉ015 重度認知症患者デイ・ケア料

20．送迎中に機能訓練を実施した場合

1日6時間以上実施した場合に算定可。送迎中に実施した機能訓練も実施時間に含めることができる。

13．処　置

時間外等加算

1．時間外等加算

来院時間ではなく，処置の開始時間で判断する。医療機関の都合により時間外になった場合には算定できない。「1」は1000点以上の処置に対して，「2」は150点以上の処置に対して，それぞれ該当する時間の加算を算定する。なお，「1」と「2」は併せて算定できない。また，「1」は診療科ごとに届出が必要であり，レセプトチェックの際は診療科に注意すること。

2．入院における算定

休日加算1，深夜加算1は入院患者に対しても算定可。なお，初診，再診に引き続き入院した場合，処置の初日に限り「1」「2」いずれかを算定できる。

別部位の別処置

3．算定方法

異なる疾病に対して異なる処置を行った場合，面積合算ではなくそれぞれ別の処置として算定できる。

処置料と外来管理加算

4．算定できない簡単な処置を行った場合

基本診療料に含まれ処置料を算定できない簡単な処置を行った場合，外来管理加算および使用した薬剤料が算定できる。

【例】吸入，浣腸，病院の湿布処置

【ワンポイント事例解説】

⑫	＊再診料	
	明細書発行体制等加算	76×1
	＊外来管理加算	52×1
⑭	＊処置薬剤	
	グリセリン浣腸「オワタ」60　1個	11×1

解説　処置料が算定できなくても，使用薬剤は算定できる。また，処置料は算定していないため，外来管理加算が算定できる。

Ｊ000 創傷処置

5．算定限度

「1」100cm²未満については，外来患者および手術後の患者（入院中のみ）にのみ算定できる。なお，手術後の患者については，手術日から起算して14日を限度に算定する。「2」～「5」については，入院，外来問わず実施した都度算定できる。

6．創傷処置の範囲

創傷処置の範囲は，傷の大きさではなく，被覆すべき創傷面の大きさで判断をする。

7．同一疾病等に対する複数の処置

同一疾病・病変に対して複数の処置を行った場合は，それぞれの部位の処置面積を合算し，その合算した広さに基づいて，いずれかの手技で算定する。

8．同一部位に対する複数の処置

同一部位に対して創傷処置，J053皮膚科軟膏処置，J057-2面皰圧出法，J119「3」湿布処置を行った場合は，いずれか一つのみ算定する。

9．同一日に同一部位に複数回実施

医学的に必要があり実施した場合は，実施回数分の算定ができる。なお，手術後は1日につき1回に限る。複数回算定した場合，その必要性を症状詳記またはレセプト摘要欄に記載することが望ましい。

10．ギプス切割に伴う創傷処置等の併施

骨折等でギプスを切割した際，ギプス手技料とは別に皮膚の創傷処置等の処置を行えば，該当する処置料を別途算定できる。

11．関節捻挫等で副木固定のみを行った場合

関節捻挫等で副木固定のみを行った場合の手技料は，創傷処置に準じて算定できる。

12．点滴等の穿刺部に対する処置

点滴や中心静脈圧測定の穿刺部に対するガーゼ交換等の処置は，処置料の算定はできないが，使用した薬剤料の算定はできる。

13．乳幼児加算

6歳未満の患者に対して，「5」6000㎠以上を算定する場合，乳幼児加算が算定できる。

J000-2　下肢創傷処置

14．算定要件

足部，足趾，踵の皮膚潰瘍に対して処置を行った場合に算定できる。なお，複数個所に皮膚潰瘍がある場合は主たるもののみ算定できる。潰瘍の深さが浅い，深いは，腱，筋，骨，関節に至るかどうかで判断する。

15．併算定の可否

J000創傷処置，J001-7爪甲除去（麻酔を要しないもの），J001-8穿刺排膿後薬液注入は併せて算定できない。

J001　熱傷処置

16．算定限度

第2度以上の熱傷に対して，初回の処置実施日から起算して2月を限度として算定できる。2月以降はJ000創傷処置にて算定できる。なお，「1」100㎠未満については，外来患者および手術後の患者（入院中のみ）にのみ算定できる。なお，手術後の患者については，手術日から起算して14日を限度に算定する。

17．併算定できない処置

熱傷処置を算定する場合，J000創傷処置，J001-7爪甲除去（麻酔を要しないもの）およびJ001-8穿刺排膿後薬液注入は併せて算定できない。

18．乳幼児加算

6歳未満の患者に対して，「4」3000㎠以上6000㎠未満，「5」6000㎠以上を算定する場合，乳幼児加算

が算定できる。

J001-2　絆創膏固定術
J001-3　鎖骨又は肋骨骨折固定術

19．算定限度

足関節捻挫または膝関節靱帯損傷に対する絆創膏固定術は，原則として週1回の算定となるが，引き続き交換の必要があれば2週目以降でも算定できる。

20．鎖骨骨折固定術後の包帯交換

J000創傷処置に準じて算定できる。

21．肋骨骨折固定術後の絆創膏貼用

2回目以降は絆創膏固定術で算定する。

J001-4　重度褥瘡処置

22．算定限度

皮下組織に至る褥瘡（DESIGN-R2020分類D2以上）に対して褥瘡処置を行った場合に算定可。「1」100㎠未満については，外来患者および手術後の入院患者でのみ算定できる。なお，手術後の患者については，手術日から起算して14日を限度に算定する。

23．併算定できない処置

重度褥瘡処置を算定する場合は，J000創傷処置，J001-7爪甲除去（麻酔を要しないもの），J001-8穿刺排膿後薬液注入を併算定できない。

24．算定の可否

C109在宅寝たきり患者処置指導管理料を算定する患者であっても，重度褥瘡の患者であれば算定できる。

J002　ドレーン法

25．ドレーン抜去部位の処置が必要な場合

ドレーン抜去後に抜去部位の処置が必要な場合，J000創傷処置の「1」が算定できる。

26．創傷処置とドレーン法を併施した場合

手術後の縫合創あるいは開放創に対して，J000創傷処置とドレーン法を併せて行った場合は，創傷処置とドレーン法が併せて算定できる。

J003　局所陰圧閉鎖処置（入院）
J003-2　局所陰圧閉鎖処置（入院外）

27．対象疾患

外傷性裂開創（一時閉鎖が不可能なもの），外科手術後離開創・開放創，四肢切断端開放創，デブリードマン後皮膚欠損創に対して，①局所陰圧閉鎖処置用材料または②陰圧創傷治療用カートリッジを使用した場合に限り算定できる（J003入院に関しては①のみ）。

28．算定限度

局所陰圧閉鎖処置用材料は，処置開始日より3週間を標準とし，4週間を限度として算定できる。3週間を超えて算定する場合には，レセプト摘要欄に理由および医学的な根拠を記載する。

29．陰圧処置終了後の処置

終了後も引き続き処置が必要な場合，J000創傷処置により算定できる。

30．持続洗浄加算

持続洗浄を併せて行った場合，初回貼付に限り持続

洗浄加算が算定できる。

31. 併算定の可否

J001-4重度褥瘡処置，J053皮膚科軟膏処置は併せて算定できない。なお，別の部位に対するJ000創傷処置，J002-2下肢創傷処置，J001熱傷処置は別に算定できる。

J008 胸腔穿刺

32. 試験穿刺として行った場合

D419その他の検体採取「2」胸水・腹水採取（簡単な液検査を含む）で算定する。

J017-2 リンパ管腫局所注入

33. 乳幼児加算

6歳未満の場合，乳幼児加算が算定できる。

J019 持続的胸腔ドレナージ
J021 持続的腹腔ドレナージ

34. 手術日や手術翌日以降の算定

手術と同一日に行った場合は算定できない。翌日以降もドレナージを行っている場合，J002ドレーン法（ドレナージ）にて算定できる。

J019 持続的胸腔ドレナージ

35. 使用する特定保険医療材料

持続的胸腔ドレナージを行う際に使用する套管針カテーテルは，24時間以上留置をしている場合，別に算定できる。

J020 胃持続ドレナージ

36. カテーテル交換を行った場合

カテーテル交換を行った場合でも，新たに胃持続ドレナージは算定できない。

J026-4 ハイフローセラピー

37. 対象患者およびレセプト記載要領

動脈血酸素分圧が60mmHg以下，または経皮的動脈血酸素飽和度が90％以下の急性呼吸不全の患者に算定できる。動脈血酸素分圧または経皮的動脈血酸素飽和度の測定結果を，レセプトの摘要欄に記載する。

J034-2 経鼻栄養・薬剤投与用チューブ挿入術

38. 算定要件

胃食道逆流症や全身状態の悪化等により，経口・経胃の栄養摂取では不十分な場合，X線透視下で十二指腸または空腸までの挿入を実施し確認した場合に算定できる。胃までの挿入では算定はできない。また，X線透視に係る費用，抜去の費用は別に算定できない。

J034-3 内視鏡的結腸軸捻転解除術

39. 算定限度と併算定

一連につき1回に限り算定できる。なお，D313大腸内視鏡検査は別に算定できない。

J038 人工腎臓

40. 算定限度

人工腎臓は，J038-2持続緩徐式血液濾過の実施回数と併せて1月に14回に限り算定する。ただし，妊娠中の患者にはこの制限はない。

41. 導入期加算

血液透析を開始した日を起算日として1カ月間算定できる。シャントを設置した医療機関以外でも要件を満たせば算定できる。

42. 急性腎不全に対して行う場合

「注2」導入期加算は，継続して血液透析を行う必要がある患者に対して算定できるため，急性腎不全で一時的に行う場合には算定できない。

43. 障害者等加算

腎不全以外に身体障害者手帳が交付されていれば，等級を問わず算定できる。

J038-2 持続緩徐式血液濾過

44. 算定限度

原則，J038人工腎臓と合わせて1月に14回に限り算定できる。なお，3カ月間に限り，①重症急性膵炎および重症敗血症の患者に行う場合，一連につき概ね8回，②劇症肝炎，術後肝不全，または同等の急性肝不全の患者に行う場合，一連につき月10回が算定できる。また，妊娠中の患者に行う場合，算定限度はない。

J042 腹膜灌流

45. 「1」連続携行式腹膜灌流

処置の開始日より14日以内に限り，導入期加算を算定できる。なお，6歳未満の場合には，前述の規定にかかわらず，①14日以内，②15～30日までの導入期加算が設けられている。

J043-4 経管栄養・薬剤投与用カテーテル交換法

46. 算定の可否

カテーテル交換時や交換後の確認に，画像診断，内視鏡等を用いた場合に算定できる。なお，画像診断，内視鏡等の費用は算定日に1回に限り算定できる。

J043-6 人工膵臓療法

47. 算定要件

糖尿病治療に際し，周術期の血糖コントロール等を目的として，血管内に留置した二重腔カテーテルから吸引した血中グルコース値を連続測定し，持続的な血糖管理を行った場合に3日を限度として算定できる。

同一日の血中グルコース測定，穿刺部位の処置料および特定保険医療材料料は別に算定できない。

J044 救命のための気管内挿管

48. 緊急時の気道確保，痰喀出

ミニトラック®やトラヘルパー®により輪状甲状靱帯穿刺を行いカテーテル挿入した場合，救命のための気管内挿管で算定できる。

49. 同一月に複数回

気管内挿管を繰り返し行った場合，概ね月2回までは算定が認められる。ただし，再挿管をした医学的な理由等を症状詳記に記載することが望ましい。

J047-2 心腔内除細動

50. 算定の可否

心房性不整脈の治療を目的に，心腔内除細動カテー

テルを用いて実施した場合に算定できる。J047カウンターショック「2」その他の場合は別に算定不可。

J 050　気管内洗浄

51.　1カ月に複数回行った場合の算定

気管支ファイバースコピーを使用して気管内洗浄を1カ月に複数回行った場合でも、処置の点数なので100分の90の低減をせずに、そのつど気管支ファイバースコピーの所定点数が算定できる。

【ワンポイント事例解説】

×	*気管支ファイバースコピー　　　　　2,500×1 *気管支ファイバースコピー（低減）2,250×1
○	*気管内洗浄（気管支ファイバースコピー使用） 　　　　　　　　　　　　　　　　2,500×2

> **解説**　気管支ファイバースコピーを用いて気管内洗浄を行った場合は、D302気管支ファイバースコピーに準じて算定するが、2回目以降であっても100分の90への減算は行わない。レセプト電算上、別コードがあるため、そちらを使用すること。

J 053　皮膚科軟膏処置

52.　別部位の別疾患に対し別の薬剤を使用

同一日であっても行った回数分が算定できる。算定に当たり、処置部位をレセプトの摘要欄に記載することが望ましい。

J 057-3　鶏眼・胼胝処置

53.　一連の部位

手と足は別部位として扱うが、両手、両足のような対称器官については左右一連として扱う。月2回を限度として算定。

J 059-2　血腫，膿腫穿刺

54.　算定要件

血腫、膿腫の穿刺は「新生児頭血腫」に準じる程度のものに対して行う場合に算定できる。

J 063　留置カテーテル設置

55.　留置カテーテル設置に使用する麻酔薬

以前は表面麻酔薬等が使用されていたが、近年副作用報告も多く医学的必要性もなくなってきているため、潤滑ゼリー等を使用するようになっている。そのため、表面麻酔薬は査定される傾向にある。

【ワンポイント事例解説】

⑩	留置カテーテル設置 キシロカインゼリー2%　10mL 膀胱留置用ディスポーザブルカテーテル　1本 　　　　　　　　69×1　→　63×1

> **解説**　処置に使用する表面麻酔薬が査定傾向にある。医療現場に使用の有無を確認する。使用している場合は、医学的根拠を摘要欄に記載することが望ましい。

J 070-4　磁気による膀胱等刺激法

56.　対象患者と算定限度

成人女性の過活動膀胱の患者で、①尿失禁治療薬を12週以上服用しても改善がみられない、②副作用等のために尿失禁治療薬が使用できない、のいずれかに該当するものが対象。1週間に2回を限度とし、6週間を1クールとして、年2クールに限り算定できる。

J 077　子宮出血止血法

57.　ほかの止血法を行った場合

子宮用止血バルーンカテーテルを用いた止血を行う前に、ほかの止血法を実施している場合は、主たるもののみ算定できる。

J 111　耳管ブジー法

58.　耳管カテーテルを使用しない場合

耳管カテーテルを使用せずに行っても算定できる。

J 115-2　排痰誘発法

59.　算定要件

結核を疑う患者に対し、非能動型呼吸運動訓練装置を用いて排痰を促し、培養検査等を行った場合に算定できる。なお、培養検査等を目的に、J114ネブライザまたはJ115超音波ネブライザを併施した場合は、主たるもののみ算定できる。

J 116　関節穿刺

60.　同一側の関節に関節腔内注射等を併施

同一日に同一関節に対して、D405関節穿刺、G010関節腔内注射を併せて行った場合は、主たるもののみ算定できる。対称器官の左右両側に対して行った場合は、左右それぞれ算定できる。

J 116-5　酵素注射療法

61.　対象患者

デュピュイトラン拘縮の患者に対し、コラゲナーゼを拘縮索に注射した場合に、1回の投与および伸展処置に係る一連の手技として算定できる。注射に係る費用は別に算定できないが、薬剤料（コラゲナーゼ）は(40)処置の項で算定できる。

J 119　消炎鎮痛等処置

62.　算定の可否

C109在宅寝たきり患者処置指導管理料を算定している患者に消炎鎮痛等処置を行った場合は算定できない。ただし、入院中の患者、医療型短期入所サービス費または医療型特定短期入所サービス費を算定している短期入所中の患者は算定できる。

J 119-2　腰部又は胸部固定帯固定

63.　頸部に対して行う場合

J119-2腰部又は胸部固定帯固定により算定し、J200腰部、胸部又は頸部固定帯加算も算定する。

【ワンポイント事例解説】

病名：腰痛症

| ㊵ | ＊腰部又は胸部固定帯固定 | 35×1 |
| | ＊腰部，胸部又は頸部固定帯加算 | 170×1 |

| 解説 | A002外来診療料を算定する場合，腰部又は胸部固定帯固定の手技料は含まれるが，J200腰部，胸部又は頸部固定帯加算は別に算定できる。 |

64. 算定の可否

C109在宅寝たきり患者処置指導管理料の算定患者には算定できない。ただし，入院中の患者，医療型短期入所サービス費または医療型特定短期入所サービス費を算定している短期入所中の患者は算定できる。

J120 鼻腔栄養

65. 高カロリー剤を鼻腔栄養で投与した場合

患者が経口摂取不能のため薬価基準に収載されている高カロリー剤を鼻腔栄養で投与した場合は，鼻腔栄養と薬剤料が算定できる。なお，入院時食事療養費と投薬料は算定できない。

66. 流動食を鼻腔栄養で提供した場合

患者が経口摂取不能のため薬価基準に収載されていない流動食を鼻腔栄養で提供した場合は，鼻腔栄養と入院時食事療養費が算定できる。

67. 胃瘻から流動食を注入した場合

胃瘻から流動食を注入した場合，鼻腔栄養に準じて算定できる。

【ワンポイント事例解説】

| × | ＊鼻腔栄養 | 60×1 |
| ○ | ＊胃瘻より流動食点滴注入 | 60×1 |

| 解説 | 鼻腔栄養に準じて算定するが，「準じて」算定する場合には，通常は別にレセプト電算コードが用意されているため，正しいコードを使用する。 |

68. 特別食加算の算定

鼻腔栄養を行っていて入院時食事療養費を算定する場合，特別食の算定要件を満たしていれば，特別食加算の算定ができる。

69. 間歇的経管栄養法加算

経口的に行った場合でも算定できる。

70. 算定の可否

C105在宅成分栄養経管栄養法指導管理料，C105-2在宅小児経管栄養法指導管理料，C105-3在宅半固形栄養経管栄養法指導管理料，C109在宅寝たきり患者処置指導管理料の算定患者には算定できない。ただし，入院中の患者，医療型短期入所サービス費または医療型特定短期入所サービス費を算定している短期入所中の患者には算定できる。

J122〜J129-4 ギプス

71. 他医で装着されたギプス

他医で装着されたギプスであっても，切割してシャーレとして使用した場合は，ギプス包帯の100分の20の点数を算定できる。

72. プラスチックギプスを使用した場合

四肢のギプス包帯以外で，プラスチックギプスを使用した場合は，所定点数の100分の20を加算する。

73. 既製のコルセット使用時の採寸

ダーメンコルセットやアーチサポート等の既製の腰椎，胸部コルセットを使用する際，患者に合ったサイズを採寸した場合は，J129-3治療用装具採寸法が算定できる。

J129-3 治療用装具採寸法

74. 糖尿病足病変に用いる装具採寸

B001「20」糖尿病合併症管理料の算定患者に対して，1年に1回に限り算定できる。ただし，直近1年以内にJ129-4治療用装具採型法を算定している場合は算定できない。なお，併せて実施した場合には，主たるもののみ算定する。

J200 腰部，胸部又は頸部固定帯加算

75. 消炎鎮痛等処置を算定しない場合

リハビリテーションを併せて実施したため，消炎鎮痛等処置を算定しない場合でも，本加算は算定できる。

76. 新しい固定帯に交換した場合

固定帯の破損等の理由により新しい固定帯に交換した場合は，「初回」として本加算が算定できる。

77. 胸部・腰部に各固定帯を使用した場合

胸部・腰部にそれぞれ固定帯を使用した場合は2回算定できる。

78. 時間外における算定

本加算は処置医療機器等加算であるため，時間外等の加算対象にはならない。

特定保険医療材料

79. 気管内チューブ

24時間以上体内留置した場合に算定できる。ただし，救命のため気管内挿管を行ったが，急変のため24時間を満たさず死亡した場合は，算定できる。

---

14. 手術

通則

1. 通則7・通則8の「所定点数」の取扱い

手術の各区分の点数に，各区分の「注」加算を足した点数を「所定点数」として扱う。

2. 通則9

K469頸部郭清術とK627リンパ節群郭清術「2」は所定点数に含まれ別に算定できない。「通則9」に規定する手術に限り，片側，両側それぞれ加算できる。

3. 通則10

HIV抗体陽性であれば，エイズを発症していなくて

も観血的手術加算が算定できる。

4．通則11

　MRSA，B型・C型肝炎，結核の患者に対して，L008マスク又は気管内挿管による閉鎖循環式全身麻酔，L002硬膜外麻酔，L004脊椎麻酔を行った場合に加算できる。

5．通則12

　来院時間ではなく，手術の開始時間で判断する。医療機関の都合で時間外になった場合には算定不可。なお，休日加算・時間外加算・深夜加算の「1」「2」は併せて算定できない。「1」は診療科ごとに届出が必要であり，レセプトチェックの際には注意する。

　休日加算，深夜加算については，入院患者に対しても算定できる。

6．通則13

　対称器官に対して手術を行った場合，両側を一連とするような定めがあるものを除き，左右それぞれ別部位として算定できる。なお，「通則」「注」加算についてもそれぞれ算定できる。

7．通則14

　厚生労働大臣が定める複数手術については，同一手術野または同一病巣であっても従たる手術の加算ができる。なお，従たる手術も「通則」「注」加算は算定できる。また，手術医療機器等加算に関しては，従たる手術であっても100分の100で算定できる。

　同一手術野または同一皮切であっても，相互に関連のない手術や遠隔部位の手術等の場合は，それぞれ所定点数を算定できる。

8．通則15

　やむを得ず手術を途中で中止した場合，中断までに行った実態に最も近似する手術の手技料で算定できる。なお，使用した特定保険医療材料を算定できる。

9．通則17

　周術期口腔機能管理の実施後1月以内に，厚生労働大臣が定める手術を行った場合に算定できる。

10．手術当日の自己血貯血とギプス

　原則，手術に関連して行われた処置等は同一日に行われた場合は別に算定できない。ただし，自己血貯血とギプス料は手術と同一日であっても算定できる。

11．手術当日の取扱い

　手術当日とは，手術開始日のこと。日またぎで行われた手術であっても，手術開始日を算定日とする。

12．手術当日の点滴注射等

　手術に関連する点滴注射や中心静脈注射等の手技料は，手術の所定点数に含まれ別に算定できない。

13．手術時に用いた検査や画像診断の費用

　特に規定されている場合を除き，画像診断・検査の費用は別に算定できない。なお，使用したフィルム料，特定保険医療材料料，薬剤料等は別に算定できる。

K000 創傷処理，K000-2 小児創傷処理

14．筋肉，臓器に達するもの

　単に創傷の深さを指すものではなく，筋肉，臓器に対して何らかの処理を行った場合をいう。

15．頭頸部の筋肉・臓器に達する創（長径20cm以上）

　6歳以上の患者の重度軟部組織損傷に対する全身麻酔下の場合，K000「3」「イ」で算定する。それ以外の場合は，K000「3」「ロ」で算定する。6歳未満の場合は，K000-2小児創傷処理「4」筋肉，臓器に達するもの（長径10cm以上）で算定する。

K001 皮膚切開術

16．「長径」の取扱い

　切開を加えた長さではなく，膿瘍等の大きさをいう。

K014 皮膚移植術（生体・培養）

17．採皮箇所の処置

　移植術の採皮箇所に対して処置を行う場合，J000創傷処置が算定できる。

K044 骨折非観血的整復術

18．骨折に対する徒手整復のない固定帯による固定

　胸椎圧迫骨折に対するバストバンド，腰椎圧迫骨折に対するマックスベルトによる固定はJ119-2胸部固定帯固定，鎖骨骨折に対するクラビクルバンドによる固定はJ001-3鎖骨骨折固定術で算定する。

19．ギプス料との併算定

　ギプスを使用した場合，ギプス料は別に算定可。副木で固定した場合，特定保険医療材料で算定可。

K046-3 一時的創外固定骨折治療術

20．算定対象

　開放骨折，関節内骨折，粉砕骨折，骨盤骨折（腸骨翼骨折を除く）に対して，一時的に創外固定器を用いてK046骨折観血的手術を行った場合に算定できる。なお，K932創外固定器加算は別に算定できない。

K047 難治性骨折電磁波電気治療法
K047-2 難治性骨折超音波治療法
K047-3 超音波骨折治療法

21．レセプト記載要領

　治療の実施予定期間および頻度について，患者に対して指導した内容をレセプトの摘要欄に記載する。なお，骨折観血的手術や超音波骨折治療法等を行わずに算定する場合，詳細な理由を併せて摘要欄に記載する。

K082-4 自家肋骨肋軟骨関節全置換術

22．算定要件と併算定

　肋骨肋軟骨移行部から採取した骨や軟骨を用いて，関節の片側，両側問わず全置換を行った場合に算定できる。なお，K059骨移植術は別に算定できない。

K133-2 後縦靱帯骨化症手術

23．算定要件

　頸椎，胸椎の後縦靱帯骨化症に対して，前方，前側方から病巣にアプローチした場合に算定できる。なお，脊髄誘発電位測定を伴った場合，K930脊髄誘発電位測定等加算「1」を併せて算定できる。

K282 水晶体再建術

24．水晶体嚢拡張リング使用加算

　チン小帯の脆弱・断裂を有する症例に対し，水晶体

嚢拡張リングを用いて水晶体再建術を実施した場合に算定できる。症状詳記をレセプトに添付する。

K469 頸部郭清術
25. 頸部リンパ節に対する単なる郭清
他の手術に併せて行った場合，手術の所定点数に含まれ，別に算定できない。なお，単独に行った場合は，K627リンパ節群郭清術「2」により算定する。

K474-3 乳腺腫瘍画像ガイド下吸引術
26. 別に行った検査の併算定
術中のマンモグラフィー等の検査は別に算定できない。なお，手術前に行ったマンモグラフィー等の検査は別に算定できる。
27. 「2」MRIによるもの
マンモグラフィーまたは超音波検査では検出できず，MRI撮影でのみ検出できる病変が認められる患者に対して実施した場合に算定できる。

K476-4 ゲル充填人工乳房を用いた乳房再建術（乳房切除後）
28. レセプト記載要領
一次一期的再建，一次二期的再建，二次再建のいずれか該当するものをレセプト摘要欄に記載する。

K523-2 硬性内視鏡下食道異物摘出術
29. 併算定の可否
K369咽頭異物摘出術「2」複雑なもの，K653-3内視鏡的食道及び胃内異物摘出術は所定点数に含まれ別に算定できない。

K529-3 縦隔鏡下食道悪性腫瘍手術
30. 自動縫合器および自動吻合器加算
それぞれ使用した場合，K936自動縫合器加算は6個を限度として，K936-2自動吻合器加算は1個を限度として算定できる。

K533 食道・胃静脈瘤硬化療法
31. 日をあらためた複数回の実施
治療上の必要から，初回実施後1週間を経過して再度実施した場合，あらためて算定できる。なお，1週間経過せずに再実施した場合，所定点数は別に算定できないが，特定保険医療材料は使用のつど算定できる。

K546 経皮的冠動脈形成術
K549 経皮的冠動脈ステント留置術
32. 急性心筋梗塞患者の再開通時間
急性心筋梗塞の患者であって，（ア）検査値や（イ）所見は満たしているが，（ウ）来院から冠動脈再開通まで90分の要件のみ満たせなかった場合，「2」不安定狭心症に対するものに準じて算定ができる。
33. 急性心筋梗塞に対する形成術とステント留置術
ステント留置術のほうが難易度は高いが，診療報酬点数は形成術のほうが高く設定されている。ステント留置術を行っていても，形成術で算定することを認めている都道府県もあるため確認が必要。

K594-2 肺静脈隔離術
34. 算定要件
開心術において行った場合に算定できる。経皮的にカテーテルアブレーションを行った場合は，K595経皮的カテーテル心筋焼灼術にて算定する。

K595 経皮的カテーテル心筋焼灼術
35. 心房中隔孔からのアプローチ
心房中隔穿刺針を使用せずに，先天性もしくは前回施行時の心房中隔孔からアプローチを行った場合でも，「1」心房中隔穿刺又は心外膜アプローチを伴うものが算定できる。

K597 ペースメーカー移植術
K597-2 ペースメーカー交換術
36. 本体とリード等も交換した場合
ペースメーカー本体のみ交換した場合，K597-2ペースメーカー交換術で算定する。なお，リード抵抗，ペーシング閾値等の測定結果から判断し，本体と同時にリードも交換した場合，K597ペースメーカー移植術が算定できる。

K601 人工心肺
37. 選択的冠灌流と選択的脳灌流を併施
選択的冠灌流と選択的脳灌流を併せて行った場合，それぞれの加算が算定できる。

K611 抗悪性腫瘍剤動脈，静脈又は腹腔内持続注入用植込型カテーテル設置
38. 他の手術と併せて行った場合
特に規定のない限り，植込型カテーテル設置の所定点数を算定できる。

K627 リンパ節群郭清術
39. 悪性腫瘍手術との併算定
悪性腫瘍手術と併せて行った場合は算定できない。あくまで独立手術として行った場合に算定できる。

K654 内視鏡的消化管止血術
40. 算定限度
1日1回，週3回を限度として算定する。

K664 胃瘻造設術
41. 胃瘻カテーテルおよびキット交換時の費用
造設時に使用する胃瘻カテーテルやキットの費用は別に算定不可。交換の際，バンパー型の交換用胃瘻カテーテルは4カ月に1回を限度として算定できる。

【ワンポイント事例解説】

㊵	*7月16日
	経管栄養・薬剤投与用カテーテル交換法
	キシロカインゼリー2%　5mL
	胃瘻カテ I-1（21,700円）　2,373×1
⑦	*7月16日
	胃造影（ゾンデ法）
	電子画像管理加算（造影）（撮影回数：1回）
	ガストログラフィン経口・注腸用　20mL
	323×1

解説 胃瘻カテーテル交換は，J043-4経管栄養・薬剤投与用カテーテル交換法で算定する。同日に行われた画像診断の費用は1回に限り算定できる。

K665 胃瘻閉鎖術，K665−2 胃瘻抜去術

42．算定要件

開腹や腹腔鏡下で胃瘻を閉鎖した場合はK665胃瘻閉鎖術「1」，内視鏡下に閉鎖した場合はK665胃瘻閉鎖術「2」，単に胃瘻カテーテルを抜去し自然閉鎖等した場合はK665-2胃瘻抜去術を算定する。腹腔鏡下の胃瘻閉鎖術で超音波凝固切開装置を使用した場合は，K931超音波凝固切開装置等加算が算定できる。

K672−2 腹腔鏡下胆嚢摘出術

43．算定方法

腹腔鏡下手術の途中で開腹手術に変更した場合は，腹腔鏡下手術で算定できる。なお，単に腹腔鏡下手術の予定だけして，最初から開腹手術を行った等の場合には，K672胆嚢摘出術で算定する。

K678 体外衝撃波胆石破砕術

44．算定限度

破砕が達成されるまでの一連の治療過程を対象とし，初回の実施から複数回行った場合，1回のみ算定できる。なお，目的が達成されず，他の手術を行った場合は，所定点数に含まれ別に算定できない。

K684−2 腹腔鏡下胆道閉鎖症手術

45．再手術を行った場合

初回根治手術が適切に行われたが胆汁排泄不良を認め，再手術を行った場合，初回と同等以上の肝門部処理が行われていれば，2回目も所定点数を算定できる。また，超音波凝固切開装置を使用した場合，K931超音波凝固切開装置等加算が算定できる。

K695 肝切除術

46．併算定の可否

K697-2肝悪性腫瘍マイクロ波凝固法またはK697-3肝悪性腫瘍ラジオ波焼灼療法を併せて行った場合，それぞれ所定点数は算定できないが，「注」局所穿刺療法併用加算が算定できる。

K721 内視鏡的大腸ポリープ・粘膜切除術

47．長径の取扱い

長径2cm以上とは，1つのポリープが2cm以上でなければならず，数個のポリープの長径合計ではない。

K722 小腸結腸内視鏡的止血術

48．算定限度

1日1回，週3回を限度として算定できる。

K735−5 腸管延長術

49．自動縫合器加算の算定限度

残存小腸に対して，自動縫合器を用いて切離延長を行った場合，所定点数が算定できるが，K936自動縫合器加算は8個を限度として併せて算定できる。

K740 直腸切除・切断術，
K740−2 腹腔鏡下直腸切除・切断術

50．直腸切断後の人工肛門造設

K740直腸切除・切断術「4」「5」，K740-2腹腔鏡下直腸切除・切断術「3」を行った場合，人工肛門造設に係る腸管切除等の手技料は別に算定できない。

K768 体外衝撃波腎・尿管結石破砕術

51．算定限度

破砕が達成されるまでの一連の治療経過を対象とする。なお，目的が達成されず，他の手術を行った場合は，所定点数に含まれ別に算定できない。

K805−2 膀胱皮膚瘻造設術

52．算定要件

穿刺のみで行った場合は算定対象外。膀胱と皮膚を縫合し膀胱皮膚瘻を造設した場合に算定できる。

K920 輸血

53．輸血時の材料

輸血に当たり使用した輸血用回路，針の費用は所定点数に含まれ別に算定できない。なお，輸血用血液フィルターを使用した場合は，特定保険医療材料として算定できる。ただし，血小板輸血の場合は，すでに照射済みであるため別に算定できない。

54．自己血貯血に伴うエリスロポエチン

注射手技料，薬剤料ともに別に算定できる。また，貯血を800mL以上行ったが，輸血は800mLであった場合は，摘要欄にその旨記載すれば算定できる。

55．「3」自己血貯血と「4」自己血輸血

自己血輸血の算定単位としての血液量は，貯血を行った量ではなく，手術開始後に実際に輸血を行った1日当たりの量である。なお，未使用の自己血については算定できない。

56．輸血に伴う供血者の諸検査

諸検査には，D013「5」HCV抗体定性・定量，D012「16」HIV-1,2抗体定性，HIV-1,2抗体半定量，HIV-1,2抗原・抗体同時測定定性，D012「17」HIV-1抗体，D012「20」HIV-1,2抗体定量，HIV-1,2抗原・抗体同時測定定量，D012「31」HTLV−Ⅰ抗体，D011「4」不規則抗体等が含まれ，別に算定できない。

57．赤血球濃厚液の適応

小球性貧血（鉄欠乏性貧血等），大球性貧血（ビタミンB_{12}・葉酸欠乏性貧血等）等，輸血以外の方法で治療可能である疾患に対して，原則輸血は認められない。算定する場合は，医学的な必要性を症状詳記に記載することが望ましい。

58．血液製剤の使用

厚生労働省の通知「輸血療法の実施に関する指針」「血液製剤の使用指針」を参考に審査されているため，一読するとよい。医師が症状詳記を記載する際にも検査値等を参考にすると，不要な査定が避けられる。

K921 造血幹細胞採取

59．組織適合性試験の費用

臓器等同種移植の提供者・移植者に係る組織適合性試験の費用は所定点数に含まれ，別に算定できない。

手術医療機器等加算

60．自動縫合器加算（K936）

自動縫合器の使用個数上限が定められていない手術を行う場合，使用する自動縫合器の個数は医学的判断

によるものとされているため，使用した部位や必要理由を症状詳記として記載することが望ましい。

61．画像等手術支援加算（Ｋ939）

「1」ナビゲーションによるものと「3」患者適合型手術支援ガイドによるものは，いずれか一方のみ算定できる。

62．胃瘻造設時嚥下機能評価加算（Ｋ939−5）

嚥下造影または内視鏡下嚥下機能検査によって嚥下機能評価を行い，その結果に基づき，①胃瘻造設の必要性，②今後の摂食機能療法の必要性・方法，③胃瘻抜去または閉鎖の可能性等を説明・相談したうえで胃瘻造設術を行った場合に算定できる。

15．麻酔

通則

1．通則２

出生時体重が2500ｇ未満で出生後90日以内であれば，麻酔時に2500ｇ以上でも未熟児加算が算定できる。

2．通則３

患者が来院した時間が診療時間内であっても，手術開始時間が時間外等の場合，来院時間から８時間以内であれば算定できる。また，入院中の患者であっても，緊急で休日･深夜に開始された手術にかかる麻酔料は，休日・深夜加算が算定できる。

3．手術等を伴わない時間外等加算

時間外等加算は手術を伴った麻酔に対して算定する加算であり，手術以外に麻酔が必要であり行った場合には算定できない。

【ワンポイント事例解説】

㊵	カウンターショック（その他）	
	時間外特例医療機関加算2（処置）	4,900×1
(50)	~~静脈麻酔（短時間のもの）~~	
	~~時間外特例医療機関加算（麻酔）~~	~~265×1~~
	ラボナール注射用0.5ｇ500mg　1A	212×1

解　説　麻酔の時間外等加算は手術に伴うものに限定されている。そのため，手術以外で麻酔を要した場合であっても，時間外等加算は算定できない。

4．同一日の複数同種手術に伴う麻酔料

同一日に，同種の手術を別々に複数回行った場合，手術手技料は主たるもののみ算定するが，麻酔料は回数分の算定ができる。

5．簡易的な麻酔手技に伴う薬剤料

表面麻酔・浸潤麻酔・簡単な伝達麻酔等の麻酔手技料は算定できないが，使用した薬剤料は別に算定可。

麻酔料

6．硬膜外麻酔（Ｌ002）

第12胸椎と第１腰椎の間より硬膜外針を刺入して行った場合は「１」頸・胸部で算定し，第５腰椎と第１仙椎の間より刺入した場合は「２」腰部で算定する。

7．経皮的動脈血酸素飽和度測定（Ｄ223）の実施

Ｌ002硬膜外麻酔およびＬ004脊椎麻酔を行った場合，併せて算定できる。

8．精密持続注入加算（Ｌ003「注」）

硬膜外麻酔を実施したあと，引き続き疼痛管理を要し携帯型ディスポーザブルPCA材料を算定した場合は，精密持続注入加算は算定できない。

9．開放点滴式全身麻酔（Ｌ007）

ガス麻酔器を使用し10分以上20分未満の麻酔を行った場合に算定できる。麻酔開始時間は，ガス麻酔器に接続した時間とし，離脱した時間を終了時間とする。

10．マスク又は気管内挿管による閉鎖循環式全身麻酔（Ｌ008）

Ｄ220呼吸心拍監視，新生児心拍・呼吸監視，カルジオスコープ（ハートスコープ），カルジオタコスコープの検査に要する費用，Ｄ223経皮的動脈血酸素飽和度測定またはＤ224終末呼気炭酸ガス濃度測定に要する費用は，Ｌ008の所定点数を算定した同一日においては別に算定できない。

11．麻酔管理時間加算（L008「注５」）

閉鎖循環式全身麻酔に伴って行われた硬膜外麻酔の加算は，その実施時間によって加算点数が異なる。

12．神経ブロック併施加算（L008「注９」）

L008マスク又は気管内挿管による閉鎖循環式全身麻酔に伴って行われたL100神経ブロックは，神経ブロック併施加算として算定できる。

【ワンポイント事例解説】

(50)	＊関節鏡下肩腱板断裂手術（簡単なもの）（右）	
		27,040×1
	＊麻酔管理料（Ⅰ）（閉鎖循環式全身麻酔）	
		1,050×1
	＊○○日	
	閉鎖循環式全身麻酔５（その他）3時間15分	
	神経ブロック併施加算	7,845×1

解　説　超音波ガイド下にL100神経ブロックを併施した場合，ブロックの種類にかかわらず，L008「注９」神経ブロック併施加算を算定できる。

13．非侵襲的血行動態モニタリング加算（L008「注10」）

心不全等の麻酔困難患者に対して，腹腔鏡下手術（K672−2腹腔鏡下胆嚢摘出術およびK718−2腹腔鏡下虫垂切除術は除く）の術中に非侵襲的血行動態モニタリングを実施した場合に算定できる。なお，動脈圧測定用カテーテル等を用いた侵襲的モニタリングが実施されている場合には算定できない。

神経ブロック料

14．時間外等加算

時間外等加算は手術を伴わないものでも算定可。

15. フィルムや造影剤の費用

　神経ブロックに先立って行われるエックス線透視や造影等に要する費用は神経ブロックの所定点数に含まれるが，使用したフィルムや造影剤は別に算定できる。

16. 神経ブロック料の併算定

　L100神経ブロックと同時に行ったL102神経幹内注射やL104トリガーポイント注射は算定不可。また，L102神経幹内注射とL104トリガーポイント注射は同時に算定できない。

17. L100「5」仙骨部硬膜外ブロック

　陳旧例であっても，しばしば再発，症状の増悪を繰り返す坐骨神経痛に対して，仙骨部硬膜外ブロックの算定は認められる。

18. カテラン硬膜外注射（L103）

19. 圧痛点に対する局麻剤の注射

　L104トリガーポイント注射で算定する。同日に複数の部位に施行しても手技料の算定は1日1回のみ。

20. 注射時に使用する外皮用消毒剤

　注射に伴うカテーテルや針の刺入に当たり，使用した外皮用消毒剤は別に算定できる。

21. 神経ブロックと造影または透視

　L100「1」神経根ブロック，L101「1」神経根ブロックについては，神経根を特定し実施するために，造影または透視撮影を要する。そのため，神経ブロックを算定するに当たり，造影または透視撮影が行われていないと査定対象となり得る。

刺入部位にかかわらず，所定点数を算定する。

16. 放射線治療，病理診断

放射線治療

1. 密封小線源治療（M004）

　M004「4」放射性粒子照射に使用した放射性粒子は，購入価格を10円で除して得た点数が算定できる。

2. 血液照射（M005）

　血液照射料は，照射血液量（実際に輸血を行った1日当たりの血液量）が400mLを超えた場合，400mLまたはその端数を増すごとに110点を加算する。

N000　病理組織標本作製

3. 甲状腺と副甲状腺，腎臓と尿管と膀胱，咽頭と喉頭

それぞれ1臓器として算定できる。

4. 4区分（4臓器）から検体採取した場合

　病理組織標本作製は3区分（3臓器）を上限として算定するが，採取料は4回分算定できる。

N006　病理診断料

5. 非常勤医師が病理診断を行った場合

　病院の場合，非常勤医師が病理診断を行った場合でも算定できる。

6. 他医作成の組織標本を診断した場合

　他医で作成した病理標本に対して診断を行った場合，病理診断料を算定できる。

17. その他

1. 傷病名

　「肝障害」等の漫然とした病名は査定の対象となりやすいので，避けるようにする。この場合，肝障害の原因となっている傷病名や考えられる傷病名を記載することが望ましい。また，古い病名がいつまでも残っていると，禁忌病名となり思わぬ査定を招くこともあるため，傷病名は常に整理するよう心がける。

2. 炎症病名

　必ず「急性」と「慢性」の区別をつけること。投与日数の査定を受けることもあるし，医薬品によっては急性，慢性で適応が異なるものがあるので，注意する。

3. いわゆるレセプト病名

　検査等の査定対策として「○○疑い」とつけることは逆に査定を招く要因となるため，避けたほうがよい。説明が必要である場合，症状詳記や摘要欄へのコメントで対応することが望ましい。

4. 学会等では常識の医療行為

　学会等で常識的とされる医療行為であっても，診療報酬上認められていないものは査定対象となる。

5. レセプト記載要領

　摘要欄への記載事項が定められているものは，概ねレセプト電算処理システム用コードが設定されている。オンライン請求を行っている場合，ワープロで記載要領を満たしていても返戻対象となる。

③ 関東信越厚生局・個別指導における指摘事項

レセプトチェック技術

ポイント
チェック
リスト
指摘事項

　関東信越厚生局では，個別指導における主な指摘事項を編集した「個別指導において保険医療機関等に改善を求めた主な指摘事項について」を公表しています。本稿では，その全文を掲載します。院内のレセプトチェック時にご活用ください。なお，内容は2020年4月の診療報酬点数表の項目名称等に準拠させてあります。

平成30年度に実施した個別指導において保険医療機関（医科）に改善を求めた主な指摘事項

(関東信越厚生局，2020年7月)（2020年4月診療報酬点数準拠）

Ⅰ　診療に係る事項

1. 診療録等

（1）診療録への必要事項の記載について，次の不適切な例が認められたので改めること。診療録は，保険請求の根拠となるものなので，医師は診療の都度，遅滞なく必要事項の記載を十分に行うこと（特に，症状，所見，治療計画等について記載内容の充実を図ること）。
　① 診療録について
　　・医師による日々の診療内容の記載が全くない，全くない日が散見される，又は極めて乏しい。
　　・医師の診察に関する記載がなく，「薬のみ（medication）」，「do」等の記載で投薬等の治療が行われている。
　　・診療録の記載がなければ医師法で禁止されている無診察治療とも誤解されかねないので改めること。
　② 診療録第1面〔療担規則様式第一号（一）の1〕及び診療報酬明細書に記載している傷病名について，その傷病を診断した経緯又は根拠について診療録への記載がない，又は不十分である。
　③ 傷病手当金に係る意見書を交付した場合であるにもかかわらず，労務不能に関する意見欄への記載がない。
（2）紙媒体の記録について，次の不適切な例が認められたので改めること。
　① 記載内容が判読できない。
　② 鉛筆で記載している。
　③ 修正液，修正テープ，塗りつぶし，又は貼紙により修正しているため修正前の記載内容が判別できない。修正は二重線により行うこと。
　④ 余白が多い場合は斜線を引いて「以下余白」

とし，追記できないようにすること。
　⑤ 複数の保険医が一人の患者の診療に当たっている場合において，署名又は記名押印が診療の都度なされていないため，診療の責任の所在が明らかでない。
（3）診療録について，次の不適切な事項が認められたので改めること。
　① 保険診療の診療録と保険外診療（自由診療，予防接種，健康診断等）の診療録とを区別して管理していない。
　② 医師が自分自身の診療録に自ら記載（自己診療）している。医師は必ず，別の医師の診療に基づいて検査，投薬，注射等を受けた場合にのみ保険請求できることに留意すること。

2. 傷病名

（1）傷病名の記載又は入力について，次の不適切な例が認められたので改めること。
　① 診療録に傷病名を全く記載していない。
　② 診療録と診療報酬明細書の記載が一致しない。
　③ 「傷病名」欄への記載は，1行に1傷病名を記載すること。
　④ 傷病名を診療録の傷病名欄から削除している。当該傷病に対する診療が終了した場合には，傷病名を削除するのではなく，転帰を記載すること。
　⑤ 請求事務担当者が傷病名を記載又は入力している。傷病名は，必ず医師が記載又は病名オーダー画面から入力すること。
　⑥ 傷病名の開始日，終了日，転帰の記載がない。
　⑦ 傷病名の記載が一部，又は多数漏れている。
　⑧ 主病の指定が適切に行われていない。
（2）傷病名の内容について，次の不適切な例が認められたので改めること。傷病名は診療録への必要記載事項であるので，正確に記載すること。
　① 医学的な診断根拠がない傷病名。
　② 医学的に妥当とは考えられない傷病名。
　③ 実際には「疑い」の傷病名であるにもかかわらず，確定傷病名として記載している。
　④ 実際には確定傷病名であるにもかかわらず，「疑い」の傷病名として記載している。
　⑤ 急性・慢性，左右の別，部位，詳細な傷病名の記載がない傷病名。

⑥　単なる状態や傷病名ではない事項を傷病名欄に記載している。傷病名以外で診療報酬明細書に記載する必要のある事項については，摘要欄に記載するか，別に症状詳記（病状説明）を作成し診療報酬明細書に添付すること。

（3）検査，投薬等の査定を防ぐ目的で付けられた医学的な診断根拠のない傷病名（いわゆるレセプト病名）が認められた。レセプト病名を付けて保険請求することは，不適切なので改めること。診療報酬明細書の請求内容を説明する上で傷病名のみでは不十分と考えられる場合には，摘要欄に記載するか，別に症状詳記（病状説明）を作成し診療報酬明細書に添付すること。

（4）傷病名を適切に整理していない例が認められた。傷病名には正しい転帰を付して，適宜整理すること。

①　整理されていないために傷病名数が多数となっている。

②　長期にわたる「疑い」の傷病名。

③　長期にわたる急性疾患等の傷病名。

④　重複して付与している，又は類似の傷病名。

⑤　その他，傷病名の整理が不適切なもの。

3．基本診療料

（1）初・再診料について，次の不適切な例が認められたので改めること。

① **初診料・再診料・外来診療料**

・現に診療中の患者に対して新たな傷病の診断を行った際に，初診料を算定している。

・慢性疾患等明らかに同一の疾病又は傷病の診療を行った場合に，初診料を算定している。

・電話等による再診について，再診以後，当該患者又はその看護に当たっている者から直接又は間接に，治療上の意見を求められて，必要な指示を行った場合に該当しないものについて算定している。

② **加算等**

・夜間・早朝等加算について，受診日が該当していない。

・外来管理加算について患者からの聴取事項や診察所見の要点について診療録への記載がない，又は不十分である。

・外来管理加算についてやむを得ない事情で看護に当たっている者が来診した場合であるにもかかわらず算定している。

（2）入院料について，次の不適切な例が認められたので改めること。

① **入院診療計画**

・入院診療計画を策定していない。

・入院後7日以内に説明を行っていない。

・説明に用いた文書を患者に交付していない。

・入院診療計画の様式について参考様式で示している「病棟（病室）」，「特別な栄養管理の必要性」の項目がない。

・患者用クリニカルパスを入院診療計画書として用いているものについて，参考様式で示している「病名」，「症状」，「特別な栄養管理の必要性」，「入院期間」の項目がない。

・説明に用いた文書について，参考様式で示している「病棟（病室）」，「主治医以外の担当者名」，「治療計画」，「検査内容及び日程」，「特別な栄養管理の必要性」，「その他（看護計画，リハビリテーション等の計画）」の項目について記載がない，又は画一的である。

・特別な栄養管理の必要性があるにもかかわらず「無」となっている，又は必要性がないにもかかわらず「有」となっている。

・説明に用いた文書について，平易な用語を用いておらず，患者にとって分かりにくいものとなっている。

・その他（看護計画，リハビリテーション等の計画）の記載内容が画一的であり，個々の患者の病状に応じたものとなっていない。

・医師のみが計画を策定し，関係職種が共同して策定していない。

② **医療安全管理体制**

・医療事故等の報告制度について，医師が適切に報告していない。医師に対して一層の啓発に努めること。

③ **栄養管理体制**

・栄養管理計画書に必要な事項（栄養状態の評価と課題等）の記載が不十分である。

・栄養管理計画を作成した患者について，栄養状態管理を定期的に行っていない。

（3）入院基本料について，次の不適切な例が認められたので改めること。

① **療養病棟入院基本料**

・定期的（少なくとも月に1回）な患者の状態の評価及び入院療養の計画の見直しの要点を診療録に記載していない。

（4）入院基本料等加算について，次の不適切な例が認められたので改めること。

① **救急医療管理加算**

・加算対象の状態ではない患者に対して算定している。

② **緩和ケア診療加算**

・緩和ケア診療実施計画書について作成していない，又は患者に交付していない。

③ **栄養サポートチーム加算**

・回診に当りチーム構成員の一部（医師）が参加していない。

④ **総合評価加算**

・総合的な機能評価の結果について患者及びその家族等に説明した内容の診療録への記載がない又は不十分である。

⑤ **入退院支援加算**

・退院支援計画書を作成していない。

・退院先について，診療録に記載していない。

⑥ **認知症ケア加算**

- 身体的拘束を実施した場合の点数を算定した場合，身体的拘束の開始及び解除の日，必要な状況等の診療録への記載が不十分である。

（5）特定入院料について，次の不適切な例が認められたので改めること。

① **救命救急入院料**

- 蘇生措置拒否の患者に対して算定している。

② **ハイケアユニット入院医療管理料**

- 算定対象の状態でないにもかかわらず算定している。

③ **地域包括ケア病棟入院料**

- 入室から7日以内に診療計画書，又は在宅復帰支援計画を作成していない。
- 診療計画書，又は在宅復帰支援計画の記載内容が不十分である。
- 急性期患者支援病床初期加算について，入院前の患者の居場所（転院の場合は入院前の医療機関名），自院の入院歴の有無，入院までの経過等が診療録へ記載されていない。

4．医学管理等

（1）特定疾患療養管理料について，次の不適切な例が認められたので改めること。

① 医師が管理に関与していない。

② 治療計画に基づく，服薬，運動，栄養等の療養上の管理内容の要点について診療録への記載がない，画一的である，又は不十分である。

③ 算定対象外である主病，又は主病でない疾患について算定している。

（2）特定疾患治療管理料について，次の不適切な例が認められたので改めること。

① **ウイルス疾患指導料**

- 指導内容の要点について診療録への記載がない又は画一的である。

② **特定薬剤治療管理料**

- 薬剤の血中濃度，治療計画の要点について診療録への記載がない又は不十分である。
- 指導内容の要点について診療録への記載が不十分である。

③ **悪性腫瘍特異物質治療管理料**

- 悪性腫瘍であると既に確定診断した患者以外の者に対して算定している（悪性腫瘍を疑って実施した腫瘍マーカー検査は，本来の検査の項目で算定すること）。
- 腫瘍マーカー検査の結果，治療計画の要点について診療録への記載がない又は不十分である。
- 算定要件を満たさない腫瘍マーカー検査を実施したものに対して算定している。

④ **小児特定疾患カウンセリング料**

- カウンセリングに係る概要についての診療録への記載がない。
- 対象とならない患者に対して算定している。

⑤ **てんかん指導料**

- 診療計画，診療内容の要点について診療録への記載がない又は不十分である。

⑥ **難病外来指導管理料**

- 診療計画，診療内容の要点について診療録への記載がない又は不十分である。

⑦ **皮膚科特定疾患指導管理料**

- 診療計画，診療内容の要点について診療録への記載がない又は不十分である。
- 皮膚科の専任ではない医師が指導管理を行ったものを算定している。

⑧ **外来・入院・集団栄養食事指導料**

- 指導内容の要点について栄養指導記録への記載が不十分である。
- 診療録に医師が管理栄養士に対して指示した事項の記載がない又は不十分である。
- 管理栄養士への指示事項に，熱量・熱量構成，蛋白質，脂質その他の栄養素の量，病態に応じた食事の形態等に係る情報のうち，医師が必要と認めるものに関する具体的な指示が含まれていない。

⑨ **心臓ペースメーカー指導管理料**

- 計測した機能指標の値，指導内容の要点について診療録への記載が不十分である。

⑩ **在宅療養指導料**

- 保健師，助産師又は看護師への指示事項について診療録への記載がない。
- 保健師，助産師又は看護師が，患者ごとに作成した療養指導記録に指導の要点，指導実施時間を明記していない。

⑪ **慢性維持透析患者外来医学管理料**

- 計画的な治療管理の要点について診療録への記載が不十分である。

⑫ **喘息治療管理料**

- 計画的な治療管理，指導内容の要点について診療録への記載が画一的である。
- 治療計画による指導内容を文書で提供していない。

（3）外来リハビリテーション診療料について，次の不適切な例が認められたので改めること。

① 診療録にカンファレンスの出席者名の記載がない。

（4）外来放射線照射診療料について，次の不適切な例が認められたので改めること。

① 看護師，診療放射線技師等が算定日から起算して第2日目以降に行った患者の観察結果を照射ごとに記録していない又は医師に報告していない。

（5）ニコチン依存症管理料について，次の不適切な例が認められたので改めること。

① 治療管理の要点について診療録への記載がない。

② 指導及び治療管理の内容について，文書によ

レセプトチェック技術

ポイント
チェックリスト
指摘事項

る情報提供を行っていない。

（6）肺血栓塞栓症予防管理料について，次の不適切な例が認められたので改めること。

① 肺血栓塞栓症を発症する危険性について評価していない又は評価したことが確認できない。

（7）開放型病院共同指導料（Ⅰ）について，次の不適切な例が認められたので改めること。

・当該保険医の診療録に開放型病院において患者の指導等を行った事実の記載が不十分である。

（8）介護支援等連携指導料について，次の不適切な例が認められたので改めること。

・行った指導の内容等の要点について診療録への記載が不十分である。

（9）退院時リハビリテーション指導料について，次の不適切な例が認められたので改めること。

① 指導内容，指示内容の要点について診療録等への記載がない又は不十分である。

（10）診療情報提供料（Ⅰ）について，次の不適切な例が認められたので改めること。

① 紹介元医療機関への受診行動を伴わない患者紹介の返事についても算定している。

② 紹介先の機関名を特定していない文書で算定している。

③ 交付した文書の写しを診療録に添付していない。

④ 交付した文書が別紙様式に準じていない。

（11）薬剤情報提供料について，次の不適切な例が認められたので改めること。

① 診療録に薬剤情報を提供した旨の記載がない。

（12）療養費同意書交付料について，次の不適切な例が認められたので改めること。

① 患者の希望のまま，みだりに同意を与えている。

（13）退院時薬剤情報管理指導料について，次の不適切な例が認められたので改めること。

① 患者に対して提供した情報，指導した内容の要点について診療録への記載がない又は不十分である。

5. 在宅医療

（1）在宅患者診療・指導料について，次の不適切な例が認められたので改めること。

① 往診料

・定期的ないし計画的に患家又は他の保険医療機関に赴いて診療したものについて算定している。

② 在宅患者訪問診療料

・当該患者又はその家族等の署名付の訪問診療に係る同意書を診療録に添付していない。

・診療録への訪問診療の計画，診療内容の要点の記載がない又は不十分である。

・訪問診療を行った日における当該医師の当該在宅患者に対する診療時間（開始時刻及び終了時刻），診療場所について診療録への記載がない又は不十分である。

③ 在宅時医学総合管理料・施設入居時等医学総合管理料

・診療録への在宅療養計画，説明の要点等の記載がない又は不十分である。

・別に厚生労働大臣が定める状態にない患者について，算定している。

④ 在宅患者訪問看護・指導料

・緊急訪問看護加算について看護師等への指示内容を診療録に記載していない。

⑤ 訪問看護指示料

・訪問看護指示書の記載が不十分である。

・訪問看護指示書の様式について，必要な項目が備わっていない。

（2）在宅療養指導管理料について，次の不適切な例が認められたので改めること。

① 在宅自己注射指導管理料

・在宅自己注射の導入前に，入院又は2回以上の外来，往診若しくは訪問診療により，医師による十分な教育期間をとり，十分な指導を行っていない。

・在宅自己注射の指導内容を詳細に記載した文書を患者に交付していない。

・当該在宅療養を指示した根拠，指示事項，指導内容の要点について診療録への記載がない又は不十分である。

② 在宅成分栄養経管栄養法指導管理料

・施設等の職員に行った指導に対して算定している。

③ 在宅酸素療法指導管理料

・当該在宅療養を指示した根拠，指示事項，指導内容の要点について診療録への記載がない又は不十分である。

④ 在宅中心静脈栄養法指導管理料

・当該在宅療養を指示した根拠，指示事項，指導内容の要点について診療録への記載がない又は不十分である。

⑤ 在宅成分栄養経管栄養法指導管理料

・当該在宅療養を指示した根拠，指示事項，指導内容の要点について診療録への記載がない又は不十分である。

⑥ 在宅自己導尿指導管理料

・当該在宅療養を指示した根拠，指示事項，指導内容の要点について診療録への記載がない又は不十分である。

⑦ **在宅人工呼吸指導管理料**

- 当該在宅療養を指示した根拠，指示事項，指導内容の要点について診療録への記載がない又は不十分である。

⑧ **在宅持続陽圧呼吸療法指導管理料**

- 当該在宅療養を指示した根拠，指示事項，指導内容の要点について診療録への記載がない又は不十分である。

⑨ **在宅寝たきり患者処置指導管理料**

- 当該在宅療養を指示した根拠，指示事項，指導内容の要点について診療録への記載がない又は不十分である。

6. 検査・画像診断・病理診断

(1) 検査，画像診断について，次の不適切な実施例が認められたので改めること。

① **医学的に必要性が乏しい検査，画像診断**

- 結果が治療に反映されていない検体検査
- 段階を踏んでいない検体検査，生体検査，画像診断
- 必要以上に実施回数の多い検体検査，画像診断
- セット検査で指示しているため，不必要な検査項目まで繰り返し実施している。

② **その他不適切に実施した検査，画像診断，病理診断**

- 尿中一般物質定性半定量検査について，当該医療機関外で実施された検査について算定している。
- 尿沈渣（鏡検法）について，尿中一般物質定性半定量検査もしくは尿中特殊物質定性定量検査において何らかの所見が認められた場合ではないにもかかわらず実施している。
- 腫瘍マーカー検査について，診察及び他の検査・画像診断等の結果から悪性腫瘍の患者であることが強く疑われる者以外の者に対して実施している。
- 呼吸心拍監視について，診療録に観察した呼吸曲線，心電曲線，心拍数のそれぞれの観察結果の要点の記載がない又は不十分である。
- 呼吸心拍監視について，重篤な心機能障害若しくは呼吸機能障害を有する患者，又はそのおそれのある患者以外の患者に対して実施している。
- 経皮的動脈血酸素飽和度測定について，酸素吸入を行っていない，行う必要のない患者，又はその他の要件にも該当しない患者に対して算定している。
- 眼科学的検査について，医学的に必要性が認められない光干渉断層血管撮影を連月で実施している。
- 発達及び知能検査・人格検査・認知機能検査その他の心理検査について，診療録に分析結果の記載がない又は不十分である。
- 単純撮影（頭部，胸部，腹部又は頸椎）の写真診断について，診療録に診断内容の記載がない又は不十分である。

- コンピューター断層撮影（CT，MRI，他医撮影）について，診療録に診断内容の記載がない又は不十分である。
- 画像診断管理加算について，専ら画像診断を担当する常勤の医師が読影及び診断した結果について，文書により当該患者の診療を担当する医師に報告していない。
- 病理診断管理加算について，病理診断を専ら担当する常勤の医師以外が病理診断を行っている。
- 病理診断料について，診療録に病理学的検査の結果に基づく病理判断の要点の記載がない又は不十分である。
- 外来迅速検体検査加算について，文書による情報提供を行っていない。

7. 投薬・注射，薬剤料等

(1) 投薬・注射，薬剤料等について，以下の不適切な例が認められた。保険診療において薬剤を使用するに当たっては，医薬品医療機器等法承認事項を遵守すること。

① 禁忌投与の例が認められたので改めること。

② 適応外投与の例が認められたので改めること。

③ 用法外投与の例が認められたので改めること。

④ 過量投与の例が認められたので改めること。

⑤ 長期漫然投与の例が認められたので改めること（同一の投薬は，みだりに反復せず，症状の経過に応じて投薬の内容を変更する等の考慮をすること）。

(2) 薬剤の投与について，次の不適切な例が認められたので改めること。

① **ビタミン剤の投与について**

- ビタミン剤の投与が必要かつ有効と判断した趣旨が具体的に診療録及び診療報酬明細書に記載されていない。
- 疾患又は症状の原因がビタミンの欠乏又は代謝障害であることが推定されるもの以外に対してビタミン剤を投与している。

② **投与期間について**

- 投与期間に上限が設けられている医薬品について，1回につき定められた日数分以上投与している（内服の他頓服による処方）。
- 投与期間に上限が設けられている医薬品について，当該患者に既に処方した医薬品の残量及び医療機関における同一医薬品の重複処方の有無について，診療録に記載していない。

(3) 投薬・注射について，次の不適切な例が認められたので改めること。

① **外来化学療法加算**

- 抗悪性腫瘍剤等による注射の必要性等について文書で説明し同意を得て実施していない。

② **注射実施料**

- 精密持続点滴注射加算について，緩徐に注入する必要がない薬剤を注入した場合に算定している。

③ **注射**

- 経口投与が可能であるものについて，注射により薬剤を投与している。注射については，経口投与をすることができないとき，経口投与による治療の効果を期待することができないとき，特に迅速な治療をする必要があるとき，その他注射によらなければ治療の効果を得ることが困難であるとき等，使用の必要性について考慮した上で行うこと。
- 注射の必要性の判断が診療録から確認できない又は診療録への記載が不十分である。

（4）特定疾患処方管理加算1について，次の不適切な例が認められたので改めること。

① 算定対象の疾患が主病でない患者について算定している。

（5）特定疾患処方管理加算2について，次の不適切な例が認められたので改めること。

① 算定対象となる主病以外の疾患に係る薬剤を28日以上処方して算定している。

8．リハビリテーション

（1）疾患別リハビリテーションについて，次の不適切な例が認められたので改めること。

① **実施体制**

- 従事者1人1日当たりの実施単位数を適切に管理していない（具体的には，リハビリテーションに従事する職員1人ごとの毎日の訓練実施終了患者の一覧表を作成していない）。

② **リハビリテーション実施計画**

- 実施計画書を作成していない。
- 実施計画書の内容に不備がある又は空欄がある。
- 実施計画書の内容が画一的である。
- 開始時，3か月毎の実施計画の説明の要点を診療録に記載していない又は記載が不十分である。

③ **機能訓練の記録**

- 機能訓練の内容の要点について診療録等への記載が不十分又は画一的である。
- 機能訓練の開始時刻及び終了時刻の診療録等への記載が画一的である。
- 機能訓練の開始時刻及び終了時刻の記載が患者毎の実施記録又は診療録と，リハビリテーション従事者毎に管理した実施記録の時刻が一致していない。

④ **適応及び内容**

- 医学的にリハビリテーションの適応に乏しい患者に実施している。
- 医学的に最も適当な区分とは考えられない区分で算定している（廃用症候群リハビリテーション料の対象となる患者に対して運動器リハビリテーション料を算定している等）。

⑤ **実施時間**

- 訓練時間が20分に満たないものについて算定している。

⑥ 運動器リハビリテーションについて，医師，理学療法士，作業療法士又は言語聴覚士以外の従事者が実施するに当たり，当該療法を実施後，医師又は理学療法士に報告していない。

⑦ 特掲診療料の施設基準等別表第九の八第一号に掲げる患者であって，標準的算定日数を超えて継続してリハビリテーションを行う患者について，治療を継続することにより状態の改善が期待できると医学的に判断できない例であるにもかかわらず，月13単位を超えて算定している。

（2）リハビリテーション総合計画評価料について，次の不適切な例が認められたので改めること。

① リハビリテーション総合実施計画書の記載内容が不十分である（最終的な改善の目標，改善までの見込み）。

② リハビリテーション総合実施計画書に基づいて行ったリハビリテーションの効果，実施方法等について共同して評価を行っていない。

③ リハビリテーション総合計画評価料1について，介護保険リハビリテーションの利用を予定している患者に対して算定している。

④ リハビリテーションが開始されてから評価ができる期間に達しているとは考え難い場合で算定している。

（3）目標設定等支援・管理料について，次の不適切な例が認められたので改めること。

① 目標設定等支援・管理シートに基づいた説明について，その内容，当該説明を患者等がどのように反応したかについて，診療録への記載がない又は不十分である。

（4）摂食機能療法について，次の不適切な例が認められたので改めること。

① 毎回の訓練内容について，診療録への記載がない又は不十分である。

② 毎回の実施時刻（開始時刻と終了時刻）について，診療録への記載がない又は画一的である。

9．精神科専門療法

（1）入院精神療法（Ⅰ）について，次の不適切な例が認められたので改めること。

① 診療録への当該療法に要した時間の記載がない。

② 診療録への当該療法の要点の記載がない又は不十分である。

（2）入院精神療法（Ⅱ）について，次の不適切な例が認められたので改めること。

① 診療録への当該療法の要点の記載がない又は不十分である。

（3）通院・在宅精神療法について，次の不適切な例が認められたので改めること。

① 当該療法に要した時間，診療の要点の診療録への記載がない又は不十分である。

② 家族関係が当該疾患の原因又は憎悪の原因と推定される場合でないにもかかわらず，患者の家族に対する通院・在宅療法として算定している。

（4）その他の精神科専門療法について，次の不適切な例が認められたので改めること。

① 精神科継続外来支援・指導料について，症状，服薬状況及び副作用の有無等の確認を主とした支援・指導の要点について診療録への記載がない又は不十分である。

② 入院集団精神療法について，個々の患者の診療録への実施した療法の要点の記載がない又は不十分である。

③ 精神科ショート・ケア，デイ・ケア，ナイト・ケア，デイ・ナイト・ケアについて，診療の要点の診療録等への記載が不十分である。

④ 精神科ショート・ケア，デイ・ケア，ナイト・ケア，デイ・ナイト・ケアについて，週4日以上算定できる場合に該当しないにもかかわらず，算定している。

⑤ 抗精神病特定薬剤治療指導管理料について，治療計画，指導内容の要点の診療録への記載がない又は不十分である。

10．処置

（1）創傷処置，皮膚科軟膏処置について，次の不適切な例が認められたので改めること。

① 処置を実施したこと及び処置した範囲の診療録への記載がない又は不十分である。

② 実際に皮膚科軟膏処置を実施した範囲と異なる範囲の区分で算定している。

（2）重度褥瘡処置について，次の不適切な例が認められたので改めること。

① 診療録に創傷面の深さ及び広さの根拠が記載されていない。

（3）人工腎臓について，次の不適切な例が認められたので改めること。

① 人工腎臓を行った時間（開始及び終了した時間を含む）の診療録等への記載が画一的である。

② 障害者加算について，糖尿病の病名のみで，頻回の処置検査がない患者に対して算定している。

③ 障害者加算について，常時低血圧症ではない患者に対して算定している。

（4）下肢末梢動脈疾患指導管理加算について，次の不適切な例が認められたので改めること。

① 「血液透析患者における心血管合併症の評価

と治療に関するガイドライン」等に基づく適切なリスク評価が不十分である。

（5）消炎鎮痛等処置について，次の不適切な例が認められたので改めること。

① 医師の指示，実施内容の診療録への記載がない又は不十分である。

② 医学的な必要性，有効性の評価がなされておらず，長期漫然と実施されている。

③ 湿布処置について，算定要件を満たさない狭い範囲に実施したものについて算定している。

（6）処置について，次の不適切な例が認められたので改めること。

① 耳垢塞栓除去（複雑なもの）について，耳垢水等を用いなければ除去できない耳垢塞栓を完全に除去したことが明らかではない。

11．手術

（1）手術料について，次の不適切な例が認められたので改めること。

① 実際には検査又は処置であるものについて，手術として算定している。

（2）手術について，次の不適切な例が認められたので改めること。

① 説明した内容について，文書で交付していない。

② 手術記録について，適切に記載していない。

③ 処置や検査として認識し，実施しており，手術についての説明や記録がなされていない。

（3）輸血料について，次の不適切な例が認められたので改めること。

① 必要性の乏しい患者に対して輸血を行っている（厚生労働省医薬食品局から示されている指針に準拠していない）。

② 文書により輸血の必要性，副作用，輸血方法及びその他の留意点等について，患者に説明していない。

③ 説明に用いた文書について，その文書の写しを診療録に貼付していない。

④ 一連ではない輸血の実施に際して，その都度，輸血の必要性，副作用，輸血方法及びその他の留意点等について，患者等に対して文書による説明を行い，同意を得ていない。

⑤ 文書での説明に当たって，参考様式で示している項目の一部（種類，使用量，必要性）の記載がない。

12．麻酔

（1）麻酔管理料（Ⅰ）について，次の不適切な例が認められたので改めること。

① 地方厚生（支）局長に届け出た常勤の麻酔科標榜医以外の者が麻酔，術前診察，及び術後診察を行ったものについて算定している。

② 緊急の場合ではないにもかかわらず，麻酔前の診察を麻酔を実施した日に行っている。
③ 麻酔前後の診察等に関する診療録等への記載がない。
（2）麻酔管理料（Ⅱ）について，次の不適切な例が認められたので改めること。
① 麻酔を担当する医師が麻酔前後の診察を行っていないものについて算定している。

Ⅱ 薬剤部門に係る事項

1．薬剤管理指導料
（1）薬剤管理指導料1について，次の不適切な例が認められたので改めること。
① 特に安全管理が必要な医薬品に関し，薬学的管理指導を行っていない患者について算定している。
② 特に安全管理が必要な医薬品に関し，薬剤管理指導記録に服薬指導及びその他の薬学的管理指導の内容を記載していない。

Ⅲ 食事に係る事項

1．食事〔入院時食事療養（Ⅰ）〕
（1）入院時食事療養（Ⅰ）について，次の不適切な例が認められたので改めること。
① 特別食加算について
・特別食に該当しない食事に対して，特別食加算を算定している。
・特別食を提供している患者の病態が算定要件を満たしていない。

Ⅳ 管理・請求事務・施設基準等に係る事項

1．診療録等
（1）診療録の様式が，定められた様式〔療担規則様式第一号(一)〕に準じていないので改めること。
① 労務不能に関する意見欄がない。
② 転帰を記載する欄がない。
③ 診療の点数等に関する様式（診療録第3面）がない〔療担規則様式第一号（一）の3〕。
④ 診療録第3面〔療担規則様式第一号（一）の3〕が作成されていない，又は合計点数のみで内訳が記載されていない例が認められる。
（2）診療録等の取扱いについて次のような不適切な事項が認められたので改めること。
① 医療機関として電子媒体を原本として定めているにもかかわらず，大部分の記録類を紙媒体で保存している。
（3）電子的に保存している記録の管理・運用について，次の不適切な事項が認められたので改めること。
① 「医療情報システムの安全管理に関するガイドライン第5版」に準拠していない。

・パスワードの有効期間を適切に設定していない。パスワードは定期的（2か月以内）に変更すること。
・パスワードが5文字である例が認められた。パスワードは英数字，記号を混在させた8文字以上の文字列が望ましい。
・代行操作に係る承認を速やかに実施していない。
・特定のIDを複数の職員が使用している。
・運用管理規定を定めていない。
・アクセス権限に係る運用管理規定の内容が不十分である。
・運用管理規定に定めているシステムの監査を実施していない。

2．診療報酬明細書の記載等
（1）診療報酬明細書の記載等について，次の不適切な例が認められたので改めること。
① 診療報酬の請求に当たっては，医師と請求事務担当者が連携を図り，適正な保険請求を行うこと。また，診療報酬明細書を審査支払機関に提出する前に，医師自ら点検を十分に行うこと。
② 実際の診療録の内容と診療報酬明細書上の記載が異なる（診療開始日，傷病名，転帰，診療実日数）。
③ 主傷病名は原則1つとされているところ，非常に多数の傷病名を主傷病名としている。
④ 主傷病名と副傷病名を区別していない（主傷病名がない）。

3．基本診療料
（1）初・再診料について，次の不適切な算定例が認められたので改めること。
① 初診について理解が誤っている。
・再診相当であるにもかかわらず，初診料を算定している。
② 再診料（電話再診を含む），外来診療料について理解が誤っている。
・初診又は再診に附随する一連の行為で来院したものについて再診料又は外来診療料を算定している。
・診療情報提供書のみを受け取りに来院した際に算定している。
・訪問診療後に薬剤のみを受け取りに来院した際に算定している。
・患者又はその看護に当たっている者から電話等によって治療上の意見を求められて指示をした場合とはいえないものについて，電話等による対応をしたことのみをもって再診料を算定している。
③ 時間外加算，時間外特例医療機関加算について理解が誤っている。
④ 外来管理加算について理解が誤っている。
・処置等を行っているにもかかわらず外来管理加算を算定している。
（2）入院基本料等加算について，次の不適切な例

が認められたので改めること。
① 救急医療管理加算について，誤った区分で算定している。
② 診療録管理体制加算について，一部の患者について，退院時要約を適切に管理していない。
③ 患者サポート体制充実加算について，入院期間が通算される再入院の初日に算定している。

4．医学管理等・在宅医療
（1）医学管理等について，次の不適切な例が認められたので改めること。
① 医師のオーダーによらず，自動的に算定している。
② 特定疾患療養管理料について，要件を満たしていない患者について算定している。
③ 診療情報提供料（Ⅰ）について，紹介先保険医療機関が同一にもかかわらず，月2回以上算定している。
（2）在宅医療について，次の不適切な例が認められたので改めること。
① 次の在宅療養指導管理料について，医師のオーダーによらず，請求事務担当者の判断で算定している。
・在宅寝たきり患者処置指導管理料

5．検査
（1）実際に行っていない検査，病理診断を算定している例が認められたので改めること。
① 病理診断のオーダーにより組織診断料を算定する仕組みとなっているため，未実施の組織診断料を算定している。
② 中止された検査を算定している。
（2）検査について，次の不適切な算定例が認められたので改めること。
① 悪性腫瘍の診断が確定した患者について，悪性腫瘍特異物質治療管理料ではなく，腫瘍マーカー検査を算定している。
② 悪性腫瘍特異物質治療管理料を算定しているにもかかわらず，血液採取（静脈）を別に算定している。

6．投薬・注射，薬剤料等
（1）実際に使用したものと異なる薬剤を算定している例が認められたので改めること。
（2）実際に使用した量を上回る量で薬剤を算定している例が認められたので改めること。

7．リハビリテーション
（1）リハビリテーションについて，次の不適切な算定例が認められたので改めること。
① 早期リハビリテーション加算について，誤った起算日に基づいて算定している。

8．特定保険医療材料等
（1）実際には使用していない又は本来の使用目的

とは異なった目的で使用した特定保険医療材料を算定している例が認められたので改めること。

9．一部負担金等
（1）一部負担金の受領について，次の不適切な事項が認められたので改めること。
① 受領すべき者から受領していない（従業員，家族）。
② 計算方法に誤りがある。
③ 未収の一部負担金に係る管理簿を作成していない。
（2）領収証等の交付について，次の不適切な事項が認められたので改めること。
① 領収証に消費税に関する文言がない。
② 明細書を発行していない。

10．保険外負担等
（1）保険外負担等について，次の不適切な事項が認められたので改めること。
① 療養の給付とは直接関係ないサービスとはいえないものについて患者から費用を徴収している。

11．掲示・届出事項等
（1）保険医療機関である旨の標示がないので改めること。
（2）掲示事項について，次の不適切な事項が認められたので改めること。
① 診療時間に関する事項の掲示がない。
② 診療時間に関する事項の掲示が誤っている。
③ 施設基準に関する事項を掲示していない。
④ 施設基準に関する掲示が誤っている。
⑤ 保険外負担に関する事項を掲示していない。
⑥ 明細書の発行状況に関する事項を掲示していない。
⑦ 明細書の発行状況に関する事項の掲示が誤っている。
⑧ 明細書の発行状況に関する事項の掲示について，一部負担金等の支払いがない患者に関する記載がない。
⑨ 明細書の発行状況に関する事項の掲示について，会計窓口に明細書の交付を希望しない場合の掲示がなく，患者の意向が確認できない。
⑩ 後発医薬品の使用に積極的に取り組んでいる旨を，当該保険医療機関の見やすい場所に掲示していない。
（3）次の届出事項の変更が認められたので，速やかに関東信越厚生局○○事務所（課）に届け出ること。
① 管理者の変更
② 診療時間，診療日，診療科の変更
③ 保険医の異動（常勤・非常勤）

レセプトチェック技術 ポイント チェックリスト 指摘事項

12. 管理・請求事務等に係るその他の事項

（1）届出後に施設基準を満たさなくなったものについては，診療報酬を算定しないだけではなく，速やかに変更（辞退）の届出を行うこと。

（2）請求事務について，診療部門と医事会計部門との十分な連携を図り，適正な保険請求に努めること。

（3）診療報酬の請求に当たっては，全ての診療報酬明細書について保険医自らが診療録との突合を行い，記載事項や算定項目に誤りや不備がないか十分に確認すること。

Ⅴ　包括評価に係る事項

1. 診断群分類及び傷病名

（1）妥当と考えられる診断群分類番号と異なる診断群分類番号で算定している次の不適切な例が認められたので改めること。

① 「最も医療資源を投入した傷病名」（ICD-10傷病名）の選択が医学的に妥当ではない。

② 実際には行っていない手術を行ったものとして包括評価している。

③ 実際には「手術・処置等1」，「手術・処置等2」を行っているものについて，行っていないものとして包括評価している。

（2）次の不適切に付与された傷病名の例が認められたので改めること。

① 主治医に確認することなく，事務部門（診療録管理部門）が「最も医療資源を投入した傷病名」を付与している。

② 病変の部位や性状が判明しているものについて，「部位不明・性状不明・詳細不明」等のICD-10傷病名を「最も医療資源を投入した傷病名」として記載している。

2. 包括評価用診療報酬明細書

（1）包括評価用診療報酬明細書の記載について，次の不適切な例が認められたので改めること。

① 「傷病情報」欄について，記載が不適切である。

・「主傷病名」「入院の契機となった傷病名」の記載が不適切である。

・診療録，出来高の診療報酬明細書に記載した傷病名で，「入院時併存傷病名」，「入院後発症傷病名」に相当する傷病名があるにもかかわらず，欄の全て又は一部が空欄となっている。

・「入院時併存傷病名」と「入院後発症傷病名」について，正しい区分に記載していない。

② その他

・予定入院・緊急入院の選択が誤っている。

・「診療関連情報」欄について，記載が不適切である。

3. 包括評価に関わるその他の事項

（1）包括範囲について，理解が誤っている次の例が認められたので改めること。

① 術後疼痛に対して，術後に使用した薬剤を手術薬剤として出来高で算定している。

第3章
症状詳記の重要性と記載のポイント

▶▶▶レセプトに的確な症状詳記をつけることで，診療内容が理解され，不要な査定減点を防ぐことが可能です。本章では，実際の事例を設定し，症状詳記の記載例を紹介します。

◇①◇　審査機関でのレセプトチェック方法

審査機関の大改革

　支払基金では，保険者からの業務効率化の要請をふまえ，1991年からレセプトの電子化に取り組み，2001年以降は電子レセプト請求が始まり，その翌年からはコンピュータによる画面審査がスタートした。また，2006年にはオンライン請求が始まり，2011年度から原則義務化され，2012年3月審査分から実施となった。

　また，これまでは，支払基金と国民健康保険団体連合会のそれぞれで審査基準が異なっていた。さらに，都道府県ごとに設置された各支部でも独自の基準があり，これらがレセプト審査の"ローカルルール"を生んでいた。これらの差異を解消すべく，基金・連合会双方のシステム1本化に向けた取組みが始まっている。

　図表1は，支払基金が作成した2024年までの審査結果の差異解消に向けた工程表である。

全国の査定状況

　毎年，支払基金では全国の医科歯科合計の査定額を都道府県別にホームページで公開している。

　2023年度の数字を見ると36億900万円を超えている（対前年度比14.75％増）。

　詳細は，支払基金のホームページを参照。

◆都道府県別査定額（原審査）

1位　東京都　6億3,500万円（↑）
2位　大阪府　5億8,700万円（↑）
3位　神奈川県 3億1,490万円（↓）
4位　北海道　2億6,800万円（↑）
5位　兵庫道　2億6,300万円（↑）

◆都道府県別査定額（保険者審査）

1位　大阪府　2億2,200万円（↑）
2位　東京都　1億2,600万円（↑）
3位　北海道　　9,800万円（↓）
4位　神奈川県　7,300万円（↑）
5位　愛知県　　6,800万円（↑）

図表1　審査結果の不合理な差異の解消に向けた工程表

| 2021.10 | 2022.4 | 2022.10 | 2023.4 | 2023.10 | 2024.4 | 2024.10 |

コンピュータチェック

支払基金のCCの全国統一（2021.10）
国保総合システムのCCの全国統一（2022.10）
支払基金と国保連の整合的なCCの実現（国保連外付けシステムの廃止）（2024.4）
新たなCCも全国で統一

国保連のCCの全国統一と並行した基金CCとの統一調整

事務点検・審査

各機関で都道府県の審査基準の重複や整合性を整理（現状：基金が約33,000，国保が約18,000）
左記で整理した都道府県の審査基準を各機関で原則全国統一し，（2024.4までに検討を一巡。統一完了までに要する期間は2022.10までに確定）
それ以外の新たな審査基準も，原則全国統一

審査基準統一のための連絡会議による両機関の審査基準の全国統一化に向けた取組（地域レベルで審査基準の検討を行う際に，両機関が情報共有・協議を行うなど全国統一につなげる方策を検討）
支払基金と国保連の審査委員の併任を順次実施

自動レポーティング

支払基金で，統一された審査基準に対する審査結果やCCの付せん処理の差異を見える化（約3％のレセプトがCC付せんあり）（CC付せんが貼付されないレセプトは，保険者等から再審査請求等を受けたものも含め，優先順位をつけレポーティングの対象として差異を見える化）
国保連で，支払基金と整合的な自動レポーティング機能を実装

支払基金で見える化した差異を公表（自動レポーティング結果とそのPDCAの状況を公表）
支払基金・国保連において，結果を比較できる形で，自動レポーティング結果とそのPDCAの状況を公表

職員・審査委員へのフィードバック　コンピュータチェックの精緻化及び

◆資格喪失返戻（保険者による受給資格なし）

1位　大阪府　　5億5,500万円（↑）
2位　東京都　　5億1,600万円（↑）
3位　神奈川県　2億3,600万円（↓）
4位　北海道　　2億300万円（↓）
5位　埼玉県　　1億990万円（↑）

突合点検実施の流れ

突合点検における審査結果は，増減点連絡書と併せて医療機関に郵送される。突合点検結果連絡書は増減点連絡書と同様に，請求した処方内容と査定後の補正内容および調剤した保険薬局名も記載されている。医療機関側は突合点検結果連絡書の内容を確認して，例えば，レセプトに薬剤に対する病名を明記しているにもかかわらず査定を受けた場合は，「処方箋内容不一致」として**異議申し立てをすることができる。**

その際，審査機関は保険薬局から処方箋を取り寄せ，医療機関と保険薬局のどちらに誤りがあるのかを確認したうえで，請求の翌々月に調整する。その結果，医療機関側に責任がある場合は，減点された薬剤に付随する処方箋料（記載された薬剤がすべて減点された場合のみ）や調剤報酬も減点の対象になる。

また，生活習慣病管理料や在宅時医学総合管理料などを算定して，レセプトに処方箋料の記載がない場合でも，院外処方箋を発行していれば突合点検の対象となる。さらに，薬局において，「先発品から後発品」，または「後発品から先発品」に変更された場合や，一般名処方で後発品を選択し，その後発品の適応に当該患者の疾患が適応になっていない場合がある。審査機関では，そのようなケースを考慮して審査を行うようではあるが，保険者からは「適応外」として再審査の申し出が想定される。

これについて，厚労省の回答は，「先発医薬品と効能効果に違いがある後発医薬品について，一律に査定を行うことは，後発医薬品への変更調剤が進まなくなること，また，それに伴い，医療費が増える可能性があること等を保険者に説明し，影響を理解してもらうよう努めていただきたい」というもので，何ともあいまいな返答である。

保険者の再審査防止には，2つの方法しかない。①医師が処方箋全体を「後発医薬品への変更不可」にする，あるいは②特定の先発医薬品だけを「後発医薬品への変更不可」にする。しかし，医師はどの医薬品が先発品（後発品）なのか理解していないことが多く，非常に悩ましい問題である。

図表3に，先発医薬品と後発医薬品で効能・効果の異なる医薬品を例示する。

突合点検の結果は，審査機関と医療機関側との間で「突合点検結果連絡書」にて，図表4のような方法で行われる。

縦覧点検とは

縦覧点検とは，患者ごとのレセプトを医療機関単位で複数月にわたってチェックを行う点検方法である。現在，基金が行っている縦覧点検は以下の方法である。

①複数月（過去6カ月）にわたって同一医療機関から請求された同一患者のレセプトを，コンピューターを用いて紐付ける。

図表2　突合点検の具体的項目

区分	チェック項目	チェック内容
算定ルール	医科・歯科のレセプトに記録されている処方箋料の種類と調剤レセプトに記録されている医薬品の品目数の適否等	医科・歯科のレセプトでは，7種類未満の内服薬の投与を行った場合の処方箋料が算定されているのに対して，調剤レセプトで7種類以上の内服薬が記録されていないか等 ★7種類以上の内服薬の処方箋料⇒32点 ★7種類未満の内服薬の処方箋料⇒60点
医薬品チェック	適応症	調剤レセプトに記録されている医薬品に対する適応傷病名が，医科・歯科レセプトに記録されているか
	投与量	調剤レセプトに記録されている医薬品の投与量が，医科・歯科レセプトに記録されている傷病名に対する投与量として妥当か
	投与日数	調剤レセプトに記録されている医薬品の投与日数が制限を超えていないか
	医薬品の併用禁忌	調剤レセプトに記録されている医薬品のなかに併用禁忌，併用注意に該当するものはないか
	傷病名と医薬品の禁忌	調剤レセプトに記録されている医薬品のなかに禁忌病名が医科・歯科レセプトに記録されていないか

図表3　先発医薬品と後発医薬品で効能・効果の異なる医薬品（例）

一般名	先発医薬品商品名	先発医薬品のみが有する効能・効果
イトラコナゾール	イトリゾールカプセル50	爪カンジダ症，カンジダ性爪囲爪炎
ウルソデオキシコール酸	ウルソ錠50mg，100mg	①原発性胆汁性肝硬変における肝機能の改善 ②C型慢性肝疾患における肝機能の改善
オメプラゾール	オメプラゾン錠10mg，20mg オメプラール錠10mg，20mg	胃・十二指腸潰瘍におけるヘリコバクター・ピロリの除菌の補助（アモキシシリン，メトロニダゾールとの3剤併用）【10mgのみ】 非びらん性胃食道逆流症
カルベジロール	アーチスト錠10mg	虚血性心疾患または拡張型心筋症に基づく慢性心不全
クラリスロマイシン	クラリシッドドライシロップ10%小児用，錠50mg小児用，錠200mg クラリスドライシロップ10%小児用，錠50小児用，錠200	後天性免疫不全症候群（エイズ）に伴う播種性マイコバクテリウム・アビウムコンプレックス（MAC）症【200mg錠のみ】 胃潰瘍・十二指腸潰瘍におけるヘリコバクター・ピロリ感染症（アモキシシリン・ラベプラゾールナトリウムとの併用）
クレンブテロール	スピロベント錠	腹圧性尿失禁
シクロスポリン	ネオーラル10mgカプセル，25mg，50mg サンディミュン内容液10%	心移植，肺移植，膵移植における拒絶反応の抑制【ネオーラルのみ】 全身型重症筋無力症（胸腺摘出後の治療において，ステロイド剤の投与が効果不十分，又は副作用により困難な場合）
シロスタゾール	プレタール錠OD50mg，100mg	脳梗塞（心原性脳塞栓症を除く）発症後の再発抑制
ベラパミル	ワソラン錠40mg	頻脈性不整脈〔心房細動・粗動，発作性上室性頻拍〕
プランルカスト水和物	オノンカプセル112.5mg	アレルギー性鼻炎
ベラプロストナトリウム	ドルナー錠20μg プロサイリン錠20	原発性肺高血圧症
ランソプラゾール	タケプロンカプセル15，30 タケプロンOD錠15，30	胃潰瘍又は十二指腸潰瘍におけるヘリコバクター・ピロリの除菌の補助【15mgのみ】 非びらん性胃食道逆流症

②同一月に同一医療機関から請求された同一患者の「入院」及び「入院外」レセプトを，コンピューターを用いて紐付ける。

③点検は，当月請求されたレセプトについて，過去の請求内容を参照しながら行う（入院と入院外は同一月のレセプトの請求内容）。なお，参照する過去のレセプトについては，ただちに査定の対象とはならない（つまり，査定対象となるのは当月のレセプトだけ）。ただし，誤りを発見した過去のレセプトは，必要に応じて保険者または医療機関に連絡し，再審査請求を受けて改めて審査を行うこととしている。

また，現在のところ，紐付けを行うのは，同一医療機関から請求された同一患者のみであり，同一患者の複数医療機関にわたる請求まではチェックしない。基金が縦覧点検でチェックする具体的な項目は（図表5）のとおりである。

なお，従来，保険者が行っていた縦覧点検は，同一患者の複数医療機関にわたる紐付けも含め継続される。

縦覧点検による留意意項

〈検　査〉

①同一患者の同一診療月で入院分，外来分が請求されている場合には，次の事項を確認する（月遅れ請求は要注意）。
・入院，外来で同一の検査の実施。
・同一区分の検査判断料の算定。
・2回目以降の生体検査が90/100で算定されていないもの。

②連月，疑い病名で同一検査の実施有無を確認する。

③診療開始日より数年経過している慢性疾患に対する連日セット検査の実施に注意する。

④連月に多病名で多項目の検査を行っているもの（診療内容からみて疾患の経過に合理性が見当たらないもの）に注意する。

⑤スクリーニング検査が繰り返し行われていないかを確認する。

⑥術前検査の繰り返しはできないので注意する。

図表4　突合点検の流れ

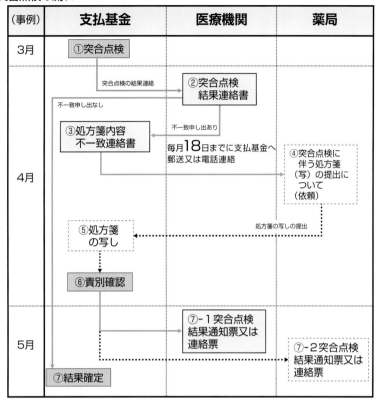

図表5　縦覧点検の具体的項目

区分	チェック内容	チェック条件
算定ルールチェック	一定期間内における算定回数等の適否	3月に1回を限度として算定できる診療行為が3月に2回以上算定されていないか等
医薬品チェック	投与量	調剤レセプトに記録されている医薬品の投与量が，医科・歯科レセプトに記録されている傷病名に対する投与量として妥当か
	投与日数	調剤レセプトに記録されている医薬品の投与日数が制限を超えていないか
診療行為チェック	実施回数	特定の診療行為が過剰に算定されていないか
過去の審査履歴に照らしたチェック	過去の査定事例と同じ請求	前月の査定事例と同じ請求が同一患者について行われていないか

⑦検査や手術が行われていない場合の検査前や術前検査の実施に注意する。

⑧経過観察のための検査の実施回数に注意する。

⑨3カ月1回，1カ月に1回など，算定回数に制限がある検査（図表6）の算定に注意する。

〈投　薬〉

①同一患者の同一診療月で，入院分，外来分が請求されている場合は，調剤技術基本料の重複算定，薬剤管理指導料と調剤技術基本料の重複算定または在宅患者訪問薬剤管理指導料の重複算定がされていないか確認する。

②同一患者の同一診療日で，入院分，外来分が請求されている場合，外来で処方箋せんの交付が

あった場合は，入院での調剤技術基本料が算定されていないかを確認する。

③使用期間に制限のある薬剤が，期間を超えて投与されていないかを確認する。

　例：オメプラゾン，タケプロン，パリエット，プロスタンディン軟膏等

審査機関による医療機関の格付け

　支払基金，国保連合会から毎月，増減点通知書＋突合点検結果連絡書＋返戻レセプトが送付されてくる。その郵便物の厚み＝医事課の成績のように捉えている院長・事務長も少なくはない。

　医事課として特に留意しなければならない返戻

図表6　算定回数制限のある検査（主なもの）

検査項目	算定回数制限	その他留意事項等
D001「8」トランスフェリン(尿)	3月に1回限度	――
D001「9」アルブミン定量(尿)		
D001「13」ミオイノシトール(尿)	1年に1回限度	
D001「15」IV型コラーゲン(尿)	3月に1回限度	
D001「18」シュウ酸(尿)	1年に1回限度	
D001「19」L型脂肪酸結合蛋白（L-FABP）(尿)	3月に1回限度	医学的必要性がある場合は摘要欄に必要理由を記入
D003「9」カルプロテクチン（糞便）		医学的必要性がある場合は摘要欄に必要理由と検査結果を記入
D004「7」IgE定性(涙液)	1月に1回限度	――
D004「9」マイクロバブルテスト	1週に1回限度	
D005「9」ヘモグロビンA1c（HbA1c）	1月に1回限度	クロザピン投与中の患者について月2回
D006-2 造血器腫瘍遺伝子検査	1月に1回限度	――
D006-6 免疫関連遺伝子再構成	6月に1回限度	
D006-9 WT1mRNA	1月に1回限度	
D007「8」マンガン（Mn）	3月に1回限度	
D007「17」グリコアルブミン	1月に1回限度	妊娠中，1型糖尿病，経口血糖降下薬，インスリン開始から6か月以内の患者について月2回
D007「21」1,5-アンヒドロ-D-グルシトール（1,5AG）		
D007「23」総カルニチン，遊離カルニチン	6月に1回限度	先天性代謝異常症の診断補助か経過観察のために実施する場合は月1回
D007「28」ヘパリン	1月に1回限度	――
D007「27」リポ蛋白(a)	3月に1回限度	
D007「30」シスタチンC		
D007「31」25-ヒドロキシビタミンD		診断時に1回，その後は3月に1回
D007「32」ペントシジン		――
D007「33」イヌリン	6月に1回限度	
D007「47」アセトアミノフェン	1月に1回限度	
D007「44」レムナント様リポ蛋白コレステロール（RLP-C）	3月に1回限度	
D007「50」マロンジアルデヒド修飾LDL（MDA-LDL）		糖尿病患者の経皮的冠動脈形成術治療時に治療後の再狭窄に関する予後予測の目的で測定する場合，別に術前1回
D007「57」ロイシンリッチα2グリコプロテイン		医学的必要性がある場合は摘要欄に必要理由と検査結果を記入
D007「63」1,25-ジヒドロキシビタミンD_3		活性型ビタミンD_3剤による治療開始後1月以内は2回を限度。その後は3月に1回
D007「64」血管内皮増殖因子（VEGF）	1月に1回限度	――
D008「18」脳性Na利尿ペプチド（BNP）		
D008「20」脳性Na利尿ペプチド前駆体N端フラグメント（NT-proBNP）		
D008「24」低カルボキシル化オステオカルシン（u-cOC）	6月に1回限度	
D008「25」I型コラーゲン架橋N-テロペプチド（NTX）（骨粗鬆症），酒石酸抵抗性酸ホスファターゼ（TRACP-5b）		治療開始前に1回に限り算定可。その後は6月以内に1回
D008「34」I型コラーゲン架橋C-テロペプチド-β異性体（β-CTX）(尿)		
D008「35」I型コラーゲン架橋C-テロペプチド-β異性体（β-CTX）		
D008「39」デオキシピリジノリン（DPD）(尿)		骨粗鬆症の場合
D008「52」抗ミュラー管ホルモン（AMH）		――
D009「2」α-フェトプロテイン（AFP）	1月に1回限度	
D009「9」前立腺特異抗原（PSA）	3月に1回限度	検査実施間隔等の詳細は通知等を参照
D009「10」PIVKA-II半定量または定量	1月に1回限度	
D009「22」抗p53抗体		
D009「32」プロステートヘルスインデックス（phi）	3月に1回限度	前立腺生検法等により前立腺癌の確定診断がつかない場合，3月に1回限り3回限度。
D013「12」HBVコア関連抗原（HBcrAg）	1月に1回限度	――
D014「19」抗RNAポリメラーゼIII抗体	3月に1回限度	腎クリーゼリスクが高い者，腎クリーゼ発症後の場合
D014「24」抗シトルリン化ペプチド抗体定性または同定量（陰性の場合）		関節リウマチ治療薬選択のために実施する場合は患者1人1回

（次ページにつづく）

図表6　（つづき）

検査項目	算定回数制限	その他留意事項等
D014「46」抗グルタミン酸レセプター抗体	1月に1回限度	——
D014「48」抗HLA抗体（スクリーニング検査）	1年に1回限度	
D015「18」TARC	1月に1回限度	——
D015「26」SCCA2		
D023「4」HBV核酸定量		検査実施間隔の詳細は通知を参照
D023「8」EBウイルス核酸定量		免疫抑制剤投与や化学療法を行う悪性リンパ腫等の患者にB型肝炎の再活性化を考慮して行った場合。治療中及び治療後1年以内に月1回
D023「26」HIVジェノタイプ薬剤耐性	3月に1回限度	
D211-3 時間内歩行試験	1年に4回限度	
D215 超音波検査「2」断層撮影法「イ」訪問診察時に行った場合	1月に1回限度	
D215-2 肝硬度測定	3月に1回限度	医学的必要性から3月に2回以上実施する場合は，医学的根拠等を明記
D215-3 超音波エラストグラフィー		
D215-4 超音波減衰法検査		
D216-2 残尿測定検査	1月に2回限度	——
D217 骨塩定量検査	4月に1回限度	
D219 ノンストレステスト	1週に1回限度	入院患者の場合は1週間に3回
D225-3 24時間自由行動下血圧測定	1月に1回限度	
D233 直腸肛門機能検査	1月に1回限度	
D237 終夜睡眠ポリグラフィー「1」「2」	6月に1回限度	
D237 終夜睡眠ポリグラフィー「3」	1月に1回限度	——
D237-2 反復睡眠潜時試験（MSLT）	1月に1回限度	
D244-2 補聴器適合検査	1月に2回限度	
D255-2 汎網膜硝子体検査	1月に1回限度	
D256-2 眼底三次元画像解析	1月に1回限度	
D258-2 網膜機能精密電気生理検査（多局所網膜電位図）	3月に1回限度	初回診断時1回，以降3月に1回（網膜手術前後は各1回）
D258-3 黄斑局所網膜電図，全視野精密網膜電図	1年に1回限度	年2回実施の場合，レセプト摘要欄に医学的必要性を記載
D265-2 角膜形状解析検査	2月に1回限度	角膜移植後の患者
D285 認知機能検査その他の心理検査「1」操作が容易なもの「イ」簡易なもの	3月に1回限度	医学的必要性から3月以内に2回以上算定の場合，レセプト摘要欄に理由と医学的根拠を記載
D286-2 イヌリンクリアランス測定	6月に1回限度	——
D287 内分泌負荷試験	1月に1回限度	下垂体前葉負荷試験の成長ホルモンは月2回
D290-2 尿失禁定量テスト（パッドテスト）	1月に1回限度	
D291-2 小児食物アレルギー負荷検査	12月に3回限度	——
D291-3 内服・点滴誘発試験	2月に1回限度	
D324 血管内視鏡検査	1月に1回限度	

は，①事務的チェックミス，②健康保険証の記号番号等の入力転記ミスおよび資格喪失後受診である。2023年度の支払基金における事務的返戻額は全国で10億7500万円を超え，②による資格返戻額にいたっては40億800万円を超えている。この数字は支払基金分のみのデータであり，これに国保を加えると，さらに大きな額が毎月各医療機関に返戻されている。当然，査定減点対策も重要ではあるが，この返戻問題もしっかり対策を講じておく必要がある。返戻レセプトの額が多いほど，医事責任者は院長・事務長からの冷たい視線を浴びることになる。

そのため，返戻理由を分析することは言うまでもない。まず，健康保険証に関する返戻の多くは，保険証の記号番号の誤入力が原因である。防止策として恐らくどの医療機関でも行っているであろう，入力者と確認者のダブルチェック。しかし返戻はあまり軽減されない。ということは，残念ながらそのチェック方法は機能していない。原始的な手法であるが，まず実施していただきたいことは「指さし確認」である。確認者は，医事コン画面と保険証の記号番号等を目視ではなく，指でなぞりながら確認していく。実際，私の経験でもゼロにはならなかったが，この手の返戻は激減した。

ぜひ実施してみていただきたい。

　なお，2021年10月20日からマイナンバーカードによる健康保険利用が開始されたが，いまだに10％にも満たない状況である。

　一方，診療報酬算定ルールの理解不足による査定も少なくはない。審査機関はシステムを用いて算定ルールをチェックしているため，誤算などは容易に確認することができてしまう。医療機関側も医事コンピュータの算定ロジックがどうなっているのか確認してほしい。ロジックをかけるには，医事職員が算定ルールをしっかりと理解しなければならない。そのためには，再度，点数本を1ページ目から開くことが必要であろう。

　そしてもう一つの問題は，請求もれである。原因は，医師・看護師等のカルテ記載不備や，医事課職員の診療報酬に対する理解・知識不足から起こる請求ロスである。さらには，医師が保険診療のルールを理解していないために発生する査定・返戻も大きな原因の一つである。

　以前，筆者が現場責任者をしていたとき，返戻・査定額については，「事務的要因」と「療養担当規則理解不足要因」に分けて集計・管理をした。責任の所在をはっきりさせるためである。

　しかし，どれだけ医事職員のスキルがアップしても，また医師等が保険診療を理解したとしても，返戻・査定がゼロになることはない。なぜなら審査機関が査定減点に関する明確な基準を公表しておらず，また個々の審査委員の判断にも見解の相違があるからである。例えば，今まで査定をされていなかった検査等が突然査定されるようになることがある。多くの場合は，審査委員の交代によるものだ（毎年6月に交代がある）。また，毎月送られてくる増減点連絡通知表では，査定理由をA〜Dの記号で知らせてくるが，正直，「なぜ？」という査定もあるのではないだろうか。

　一方，審査機関では医療機関自体をA・B・Cにランク付けをしている。一般的にはランクAが一番よいと判断されるが，審査委員会では逆のようで，ランクCが審査上，最も優良な医療機関と格付けされる。

　また，ランクAと格付けされた医療機関の審査は相当厳しいようで，審査機関からの返戻や注意事項等を守らないような場合は，ランクAよりもさらに上の格付け（S）となる。Sは特別審査対象医療機関として取り扱われ，審査事務職も知識・経験が豊富な精鋭たちが審査事務に当たっている。したがって，同じような内容のレセプトでも，その医療機関の格付けにより，ランクCの医療機関では査定されない場合でも，ランクAやSの医療機関では査定となる場合もあり得る。

　しかしながら，医療機関は，審査委員会でどのような格付けが行われているのかはまったくわからない（当然，なぜAやSになっているのかも不明である）。

　ただ，一つ言えることは，①毎月同じ指摘を受けても一向に修正されない，②検査項目が画一的で，疑い病名の羅列が多い，③診療内容に対する返戻が多い——など，医療機関側の改善が見えてこない場合に，A・S等への格付け変更が行われているのではないかと推測する。

納得のいかない査定減点

　査定は，明らかに「医療機関の単純ミス」によるものと，「どうしても納得できない」ものの2つに大別される。問題は後者の場合である。医療機関によっては，再審査請求は手間がかかるし，審査機関等に睨まれるので行わないというところもある。しかし，これは大きな間違いである。

　以前，ある審査委員が話してくれたことがある。「査定されても何も言ってこない医療機関（医師）は，保険医として本当に信念をもって診療を行っているのかなあ。自身が判断をして診療をしたのに，レセプト1枚だけを見た者に不適当，過剰などと判断されることに対して何も思わないのは，保険医としてどうなんだろうか」とつぶやいていた。私自身もそうだと思い，現場の責任者をしていたときは，積極的に再審査請求を行うように努めていた。

　再審査請求を行うためには，医師の協力が必要である。では，どのように協力してもらうのか。まずは医師任せにしないということである。多くの医師は，文章などの作成は面倒でやりたくないものである。再審査請求は文章そのものであり，医師が嫌いな作業である。

　そのため，まず医事として再審査請求を行うための準備（分析）が必要である。特に過剰・不必要・不適当と判断された項目は，例えば，①注射薬等の薬剤については病名に問題はなかったの

注 文 書

2024.10

※この面を弊社宛にFAXして下さい。あるいはこのハガキをそのままご投函下さい。

医学通信社・直通FAX → 03-3512-0250

お客様コード		（わかる場合のみで結構です）		
ご住所〔ご自宅又は医療機関・会社等の住所〕	〒		**電話番号**	
お名前〔ご本人又は医療機関等の名称・部署名〕	（フリガナ）		**ご担当者**	（法人・団体でご注文の場合）

〔送料〕1～9冊：100円×冊数，10冊以上何冊でも1,000円（消費税別）

書籍	ご注文部数		ご注文部数
診療点数早見表 2024年度版 〔2024年5月刊〕		最新 検査・画像診断事典 2024-25年版 〔2024年5月刊〕	
DPC点数早見表 2024年度版 〔2024年5月刊〕		手術術式の完全解説 2024-25年版 〔2024年6月刊〕	
薬価・効能早見表 2024年4月版 〔2024年4月刊〕		臨床手技の完全解説 2024-25年版 〔2024年6月刊〕	
診療報酬Q＆A 2025年版 〔2024年12月刊予定〕		医学管理の完全解説 2024-25年版 〔2024年6月刊〕	
受験対策と予想問題集 2024年版 〔2024年7月刊〕		在宅医療の完全解説 2024-25年版 〔2024年9月刊〕	
プロのレセプトチェック技術 2024-25年版 〔2024年8月刊〕		レセプト総点検マニュアル 2024年版 〔2024年6月刊〕	
請求もれ＆査定減ゼロ対策 2024-25年版 〔2024年10月刊〕		診療報酬・完全マスタードリル 2024-25年版 〔2024年5月刊〕	
在宅診療報酬Q＆A 2024-25年版 〔2024年10月刊〕		医療事務【BASIC】問題集 2024 〔2024年5月刊〕	
労災・自賠責請求マニュアル 2024-25年版 〔2024年8月刊〕		医療事務100問100答 2024年版 〔2024年4月刊〕	
医師事務作業補助・実践入門BOOK 2024-25年版 〔2024年8月刊〕		入門・診療報酬の請求 2024-25年版 〔2024年7月刊〕	
"保険診療＆請求"ガイドライン 2024-25年版 〔2024年7月刊〕		レセプト請求の全技術 2024-25年版 〔2024年6月刊〕	
医療＆介護ハンドブック手帳 2025 〔2024年9月刊〕		介護報酬早見表 2024-26年版 〔2024年6月刊〕	
診療報酬・完全攻略マニュアル 2024-25年版 〔2024年6月刊〕		介護報酬パーフェクトガイド 2024-26年版 〔2024年7月刊〕	
医療事務【実践対応】ハンドブック 2024年版 〔2024年5月刊〕		介護報酬サービスコード表 2024-26年版 〔2024年5月刊〕	
窓口事務【必携】ハンドブック 2024年版 〔2024年5月刊〕		特定保険医療材料ガイドブック 2024年度版 〔2024年8月刊〕	
最新・医療事務入門 2024年版 〔2024年4月刊〕		標準・傷病名事典 Ver.4.0 〔2024年2月刊〕	
公費負担医療の実際知識 2024年版 〔2024年4月刊〕		【電子カルテ版】診療記録監査の手引き 〔2020年10月刊〕	
医療関連法の完全知識 2024年版 〔2024年6月刊〕		"リアル"なクリニック経営―300の鉄則 〔2020年1月刊〕	
		（その他ご注文書籍）	

電子辞書BOX『GiGi-Brain』申込み　　※折返し，契約・ダウンロードのご案内をお送りいたします

□　『GiGi-Brain』を申し込む　　（□欄に ✓ を入れてください）

メールアドレス（必須）

『月刊／保険診療』申込み（番号・文字を○で囲んで下さい）　　※割引特典は支払い手続き時に選択できます

① 定期購読を申し込む　〔　　　　　〕年〔　　　　　〕月号から　　〔　1年　or　半年　〕

② 単品注文する（　　　年　　　月号　　　冊）　　③『月刊／保険診療』見本誌を希望する（無料）

101-8795

308

（受取人）
東京都千代田区神田神保町 2-6
（十歩ビル）

医 学 通 信 社 行
TEL.03-3512-0251　FAX.03-3512-0250

|||I·|·||·||·|·||·|||·||·|·||·|·||·|·|·||·||·|·|·|||·||

【ご注文方法】
①裏面に注文冊数，氏名等をご記入の上，弊社宛に FAX して下さい。
　このハガキをそのまま投函もできます。
②電話(03-3512-0251)，HP でのご注文も承っております。
→振込用紙同封で書籍をお送りします。(書籍代と，別途送料がかかります。)
③または全国の書店にて，ご注文下さい。

（今後お知らせいただいたご住所宛に，弊社書籍の新刊・改訂のご案内をお送りい
　たします。）

※今後，発行してほしい書籍・CD-ROM のご要望，あるいは既存書籍へのご意見
　がありましたら，ご自由にお書きください。

か，②用法容量はどうなのか，③患者の状態はどうだったのか，④手術材料の場合はどこに何本使用しているのか，⑤血液検査の場合は実施日の値と患者状態などを，メモ書きにしておき再審査が十分可能である趣旨を医師に説明を行い，作成したメモに医学的な判断，より詳しい患者の状態等を医師に説明をしてもらい，医事職員が文章化することで医師の負担も大幅に軽減される。

また，医事職員にとっても疾患に対する知識が増えるため大いに勉強となるはずである。まずは，話しやすい医師からスタートしてみてはどうか。また，医局会などでも再審査請求の実施状況等の資料を作成して説明を行い，医師たちに医事が再審査請求に対する積極的サポートをしていることを理解してもらうことも重要である。

経験談として，医事がサポートすることで協力する医師が増え，最終的には病院全体で再審査請求を取り組むようになった。また，リハなどの査定についてはリハスタッフも文書サポートをしてくれるようになり，薬剤については薬剤師の視点で医師に改めて使用方法，禁忌などの留意事項を説明してもらい，今後の診療に結びつけてもらうように努めた。スタートして半年後には，再審査請求の結果も数字として表れ概ね7割強も復活となった経験がある。

私自身，このような体制を作り上げるために相当力を入れたつもりである。その結果，医師も業務として理解するようになり，医事課職員も医師とコミュニケーションが取れるようになり，同時に医学的知識の向上にもつながり業務の幅が広ったように思えた。

審査機関の現状

医療機関が審査機関に提出したレセプトは，毎月同一期間に開催される審査委員会で審査が行われている。現在は，9割以上がオンライン等の電子請求となっているため，事務職員による事務点検はほぼコンピュータによるチェックが主な作業となっている。事務点検終了後，順次審査員による「審査」が行われる。

基本的には審査委員会で決められた審査基準に基づいて審査を行っていると聞いているが，実際には，厳しい審査委員もいれば，そうでもない審査委員もいるようである。ちなみに，審査委員は

自分が勤務している地区以外の審査を行うが，その期間は概ね1年間（6月交代）と聞いている。

しかし，**審査基準はまさに「ブラックボックス」**であるため，なかなか査定防止対策の決定打がないのが実状である。また，健康保険組合等の財政難により，保険者による再審査請求件数が増えていることは，冒頭で述べたとおりである。

「病名もれ」による査定対策

医療機関でも審査機関同様にレセプトチェックは，点検システム等を用いながら，病名もれ等がないように行っているのではないだろうか。それでも送られてきた増減点連絡書を見ると，「病名もれ」による査定はいまだに減っていないと聞く。

医療機関側は，病名もれについて再審査請求は無理だとあきらめているのではないだろうか。実際は，「病名もれ」とはいえ，診療行為が行われていれば診療報酬の請求権は法的に存在する。審査支払機関側に再審査申出を拒否する法的根拠はないことから，「病名もれ」を理由にした再審査請求は，「客観的な検査データ等に基づいた，詳細な説明がなされ，病態等が確認できる場合にあたってはこれを参考に再審査決定する」という回答を以前審査機関から聞いた。

ここで重要なことは，客観的なデータを証拠書類として，例えばカルテの写しを再審査請求書に添付して提出してみる等，最後まであきらめないことが肝心である。もちろん，病名もれのないことが一番であることは言うまでもない。

内科的診療の審査上のチェックポイント1

審査機関の事務担当者が審査委員会前にシステム等を用いてチェックを行っている主な項目をピックアップしたので，自院でも確認していただければと思う。ただし，地域によっては考え方が異なる場合もあるので，ご了承いただきたい。

〈初再診関係〉
・時間外・休日・深夜加算の査定：症状等に緊急を要さない患者に対する時間外加算は認められない。例えば，患者の都合で会社帰りに注射を行った時の時間外加算などである。加算に対してレセプトの病名から緊急性がないと判断された場合は，査定または返戻対象となる。また，最近は保険者が時間外加算に対してきびしくチ

ェックしている。

・外来管理加算の査定：外来管理加算を算定できない項目（処置・超音波検査・内視鏡検査）等を確認し，医事システムに反映させることで誤算定を防止に努める。

〈医学管理等・在宅医療〉

　医学管理等と在宅医療は，他の指導料との重複算定が認められない，医療行為の一部が包括になるなど複雑な算定ルールがあるため留意しておく必要がある。

・特定疾患療養管理料の対象疾患がない場合や，初診から1カ月を経過していないもの

・悪性腫瘍特異物質治療管理料を悪性腫瘍以外の病名で算定しているもの

・特定薬剤治療管理料の逓減ミス

・各管理料に含まれる採血料，検査判断料の査定

・在宅自己注射指導管理でノボレット（注入器一体型キット）投与時の注入器加算

〈投薬〉

　査定額の多いトップ3は「投薬，注射，検査」である。薬の場合，能書に明記されている病名，用法，用量が守られていない場合は査定原因となる。したがって，学会等で常識になっている病名も能書に記載されていない場合は用法・用量も含めて，保険診療としては認められない。また最近，増加傾向を示している「禁忌処方」には特に注意が必要である。

・内服薬の長期投与対象外疾患および薬剤で14日を超えて投与

・外用薬の長期投与対象外疾患および薬剤で7日を超えて投与

・同一患者に対して同一日に院内と院外の投薬を算定

・同一患者に対して同一月内に院内と院外の投薬を算定した場合の調剤技術基本料

・処方料，調剤料，調剤技術基本料が複数科処方を除いて診療実日数を超えて算定

・特定疾患処方管理加算を対象疾患以外で算定

・オメプラール，オメプラゾン，タケプロン（プロトンポンプ阻害剤）の投与日数が胃潰瘍8週，十二指腸潰瘍6週を超えて投与

・胃粘膜保護剤の重複投与またはH2ブロッカーを粘膜保護剤投与

・キネダックを単なる糖尿病で投与

・フォイパンを慢性膵炎における急性症状の緩解，術後逆流性食道炎以外で投与

・パナルジンを血管手術および血液体外循環に伴う血栓・塞栓の治療，ならびに血流障害の改善・慢性動脈閉塞症に伴う潰瘍，疼痛および冷感などの阻血性諸症状の改善・虚血性脳血管障害〔一過性脳虚血発作（TIA），脳梗塞〕に伴う血栓・塞栓の治療・クモ膜下出血術後の脳血管攣縮に伴う血流障害の改善以外で投与

・ビタミン剤の適応疾患以外での投与

・ゾビラックス眼軟膏を単純ヘルペスに起因する角膜炎以外で投与

〈注射〉

・点滴手技料（1日につき）の回数が実日数を超えて算定

・点滴手技料を200ccまたは500cc未満で算定

・ガスター注を消化管出血，手術侵襲ストレス等を伴わない疾患に対して投与

・アルツディスポを変形性膝関節症，肩関節周囲炎，関節リウマチ以外で投与

・強力ネオミノファーゲンCを慢性肝炎による肝障害，皮膚疾患以外で投与

・アミノレバンを肝性脳症を伴う慢性肝不全以外で投与又は重篤な腎障害のある患者に投与

・ハイカリック等の高カロリー輸液を肝性昏睡のおそれのある場合や重篤な腎障害の患者に投与

・アミノレバンを重篤な腎障害のある患者に投与

・イントラリポス（静注用脂肪乳剤）を血栓症，重篤な肝障害，出血傾向，高脂血症のある患者に投与

〈検査〉

　検査の査定は，施行回数の過剰，意味の同じ検査の同時施行，画一的なセット検査の実施などが主な理由である。

・定性と定量，一般検査と精密検査を同一検体で算定しているもの

・排泄物，浸出物又は分泌物の細菌顕微鏡検査と尿沈渣（鏡検法またはフローサイトメトリー法）を併せて行った場合は，主たる検査の所定点数のみ算定する。

・包括対象項目を同一検体で別算定しているもの

・検査を採血回数または実日数を超えて算定

・炎症性疾患の病名がないCRPを算定

・TIBC，UIBCおよびFeを同一検体で算定

- HDL-コレステロテール，総コレステロールおよびLDL-コレステロールを測定した場合は，主たるもの２つの所定点数を算定する。
- 網赤血球数（レチクロ）を貧血，白血病，重症感染症の病名がなく算定
- シスタチンCは，BUNまたはクレアチニンの検査結果から腎機能低下が疑われた場合に，３月に１回に限り算定できる。
- 炎症性疾患がなくシアル酸を算定
- ADA（アデノシンデアミナーゼ）を肝疾患，白血病，癌以外で算定
- リポ蛋白分画，アポリポ蛋白を高脂血症以外で算定
- 肝炎ウイルス関連検査（HCV抗体，HBs抗原）を肝疾患，術前検査，内視鏡検査前以外で算定
- HBc抗体半定量・定量とHBc-IgM抗体を同時算定
- IgG型とIgM型ウイルス抗体価を同一ウイルスで併せて算定
- 慢性肝疾患の経過観察，肝生検の適応確認以外でのヒアルロン酸の算定
- 梅毒定性検査を梅毒，術前検査，内視鏡検査前以外で算定
- 腫瘍マーカー検査を同一疑い病名で月２回算定
- 特別な理由がないHbA1cを月２回以上算定
- 糖尿病以外でHbA1c，1.5AGを算定
- 耐糖能精密検査と採血料を同一日に算定
- 結合型と遊離型のT$_3$，T$_4$を同時算定
- 血中Cペプチドと尿中Cペプチドを同時算定
- フィブリノゲンとトロンビン時間を同時算定
- ABO血液型，Rh(D)血液型を２回以上算定
- ABO血液型，Rh(D)血液型，梅毒検査を再入院で算定
- 腎炎，腎不全，白血病，胃癌等の疾患がなく，β_2-マイクログロブリンを算定
- 細菌培養同定検査（簡易培養検査以外）と簡易培養検査を同一検体で算定
- 細菌性疾患がなく細菌培養同定検査を算定
- 細菌培養同定検査が回数過剰
- 血中SS-A/Ro抗体と血中SS-B/La抗体を同時測定
- 内視鏡検査と内視鏡を用いて行う手術を同時に算定
- 骨塩定量検査を骨粗鬆症以外で算定

- 重篤な心機能，呼吸障害，術中等の疾患がなくて呼吸心拍監視を算定
- 初診時に眼鏡処方せん交付以外で屈折検査と矯正視力検査を併せて算定

〈処置〉
- 処置点数が部位，範囲，病名から過大
- 創傷処置を対象疾患がなく算定
- 膀胱洗浄と留置カテーテル，導尿を同時に算定
- 人工呼吸と同時に行った喀痰吸引
- 手術に関連して行う術前，術後の処置を算定
- 在宅時医学総合管理料および施設入居時等医学総合管理料を算定した月は，留置カテーテル設置・膀胱洗浄の算定はできない。

〈病名・症状詳記〉
- 急性期傷病名が長期間残っている場合
- 定期的な病名整理がないため不要な病名が多すぎる場合
- 疑い病名が多数，転帰がない場合
- 病名欄と症状詳記欄の病名および左右の不一致
- 高点数であるのに症状詳記の添付がない場合

内科的診療の審査上のチェックポイント2

審査委員会では，病名の整理を定期的に行っていない医療機関については重点チェック医療機関とする傾向があるという。具体的には，現在治療をしていないにもかかわらず病名だけがレセプト上に残っている場合，また，重症の傷病名の診療開始日が古いもの，急性期疾患の病名開始日が古いものなどが問題となる。

①診療開始日と診療実日数の確認

診療開始日の記入もれや，診療開始日と初診料算定日のズレはないか，診療実日数と再診料の算定回数にズレがないか，などをチェックする。

②傷病名の記載不備

傷病名の記載不備による査定は，残念ながら意外に多い。主傷病名の記載不備は少ないようだが，合併症や疑い病名，転帰病名の不備が目立つ。審査委員によっては，即査定にはせず返戻するケースもあるようだが，最近は即減点する場合が多いので要注意。また，傷病名の記載不備で査定を受けた場合，再審査請求を行ったとしても復活することはないと聞いている。

さらに，いわゆる保険傷病名と思われるものは，一度返戻され，主治医に当該行為を行う必要性等

についてのコメントが求められることもある。しかし，返戻されたレセプトに対して，医師がコメントを書けないというケースも実際にはあると聞いている。なぜか。答えは簡単である。保険病名を記載したからである。

以前こんな事例があったことを，ある審査委員から聞いた。

レセプトにはMRSA肺炎の傷病名があり，症状詳記でも培養の結果MRSAが検出されタゴシッドを使用したと明記されていた。審査委員は，全体的な抗生剤の投与量から見て，MRSA以外にどのような細菌が検出されていたのか等を確認するため，レセプトを返戻して細菌培養検査結果を添付して再請求するように医療機関に依頼をした。

通常であれば，培養結果と簡単なコメントを添付して再請求を行うことになるが，実際はMRSAが一度も検出されていないのにタゴシッドを投与していたという。タゴシッドの適応傷病名がMRSA感染のみであるため，医師はやむなく保険病名としてMRSAと明記してしまったという何ともお粗末なケースである。

このように返戻の原因が保険病名の場合，主治医はコメントを書くこともできず，結果的に机のなかに埋もれてしまう可能性も高い。最終的には，医師から「事務で何とか処理してほしい」と言われるのが関の山である。ここで，留意したいのはレセプトの請求時効を忘れないことである。レセプトの請求時効は，診療月から3年間と定められている。返戻された月から3年間ではないので注意しなければならない。

では，上記のような事例ではどのように対処すべきなのか。問題は，MRSAが検出されていないという事実をどう説明するかである。はっきり言って得策などあり得ない。ここでは，正直に訂正した内容で再度レセプトを提出するしかない。

そして，もう一つ重要なことは迅速に対応することである。再審査請求するまでの期間が長ければ，審査機関の疑念が増大するばかりで，何のメリットもない。結果的に修正をして請求するのであれば，即刻対応すべきである。

再審査請求が遅れることにより，患者側に支払われる高額療養費の還付も遅くなり，患者に迷惑をかけてしまうことにもなる。同時に病院側への入金も遅くなる。このように保険病名が原因の返戻が発生した場合は，正直にMRSA感染を感受性検査から検出されなかった旨を明記するとともに，タゴシッドは請求分から削除して再請求をすることが現実的ではないかと思われる。

■再請求時の記載例

> カルテを精査したところ，MRSA感染を断定できるような結果はありませんでした。そのため当初，請求をしていたタゴシッドについては，削除して再請求をさせていただきます。大変申し訳ありませんでした。

③傷病名羅列に注意する

医療機関によっては，病名を20～30以上羅列している。審査委員に必ず目をつけられるため，不必要な傷病名はできるだけ整理する。

また，似たような傷病名が重複している場合（例えば冠不全と狭心症など）や，早期治癒が見込まれる疾患が何カ月も続いている場合も注意する。傷病名は必ず転帰を記載し，一定期間ののち再発した疾病については，再発・再燃など新たにその状態となった日を診療開始日とすべきである。

内科的診療の審査上のチェックポイント3

一般的な診療よりも濃厚診療を行っている医療機関については，毎月審査委員会で取り上げられ，審査記録簿にもその医療機関の診療内容の傾向が残される。

さらに，入院の「食あり」「食なし」も審査の判断ポイントとなる。例えば，「食なし」の重症患者であるにもかかわらずリハビリテーションを行っているようなケースなどが問題となる。

また，レセプトや症状詳記の内容から，重症患者として治療が行われているにもかかわらずリハビリテーションが実施されている場合は，査定あるいは返戻される可能性が高い。

内科的診療の審査上のチェックポイント4

内服薬の投与期間は，一部の薬剤を除いて「医師の予見できる範囲」となっている。しかし，保険請求上では，検査が適時行われていない場合，つまりレセプトからは投薬しか判断できないケースでは，査定あるいは減点となる薬剤もある。審査委員会として検査が必要と判断されることが多い代表的な薬剤を紹介する。

①フオイパン錠（慢性膵炎における急性症状の緩解・術後逆流性食道炎への使用）

　＊注目すべき点は「急性症状」である。審査委員の見解によると，慢性膵炎に対しフオイパン投与を行った場合は，アミラーゼ検査を行い，その結果と症状等を記載する必要があるとのこと。実際には，毎回検査を行うのは困難だと思われるが，そのときは前回の検査値等を記載するとよいだろう。

②リーバクト顆粒（食事摂取量が十分であるにもかかわらず，低アルブミン血症を呈する非代償性肝硬変患者への使用）

　＊注目すべき点は「低アルブミン血症」である。同剤を保険請求する場合，病名が「肝硬変」のみでは認められないことがある。能書上，「肝硬変を伴った低アルブミン血症」となっているため，「肝硬変」「低アルブミン血症」などの記載が必要だろう。

　　また，「低アルブミン血症」を伴っていることを示す検査結果がレセプト上に表れていなければならない。当月検査を実施していなければ，せめて直近の値を記載しておくとよいだろう。

内科的診療の審査上のチェックポイント5

〈適応外処方等〉

・胃・十二指腸潰瘍と診断されない患者に対するヘリコバクター・ピロリ除菌療法
・静脈留置針穿刺以外に使用したペンレス
・単なる逆流性食道炎に8週超えて投与したパリエット
・治癒後の傷病にもかかわらず投与し算定しているアストミン錠10mg
・胃腸炎関連痙攣の患者に投与したテグレトール細粒
・統合失調症の患者に投与したマイスリー錠
・適応外の疾患に使用した二次感染の併発等のない湿疹にリンデロンVG軟膏
・適応外の疾患に使用した女性に対するキシロカインゼリー2％（女性患者の導尿）
・適応外として使用した術直後の創傷処置に対するソフラチュール
・適応外の疾患に投与したアゼプチン，オパルモン
・適応傷病名がないにもかかわらず投与したパキシル，PL顆粒

〈病名禁忌〉

・消化性潰瘍のある患者に投与したカロナール，ロキソニン，ボルタレンサポ
・胃潰瘍の患者に投与したボルタレンサポ
・胃潰瘍，十二指腸潰瘍の病名がありながら投与したロキソニン
・緑内障の患者に投与したレンドルミン，PL顆粒，ニトロール錠
・うっ血性心不全の患者に投与したリスモダン，テノーミン

〈多剤投与等〉

・睡眠導入剤，下剤などの多剤投与
・慢性膵炎に対するフオイパンの6錠投与（6カ月上限）
・適宜増減との記載がないものは1日最大量まで。適宜増減とある薬剤は「2倍量」を上限とし，上限量が示されている薬剤はその量を上限とする。ただし，上限量を超える理由が注記され，その医学的必要性を審査委員会が認めた場合は，例外的に算定を認めることがある。

〈肝・胆・消化機能改善剤〉

・ウルソ，ウルソデオキシコール酸錠他：肝機能障害，肝炎，脂肪肝は300mgまで。慢性肝炎，B型肝炎，胆石は600mgまで。原発性胆汁性肝硬変，C型（慢性）肝炎，肝硬変，自己免疫性肝炎は900mgまで

〈タンパク分解酵素阻害剤〉

・慢性膵炎の急性増悪から，6カ月以内→1日6Tまで，6カ月超→1日3Tまで
・急性膵炎は診療開始日から，6カ月以内→1日6Tまで，6カ月超→3Tまで
・術後逆流性食道炎の場合，胃癌・食道癌があって逆流性食道炎がある場合は1日3Tまで。
・レセ詳記に膵炎の増悪と記載があれば6Tまで

〈投与量〉

・ブロプレス（高血圧，腎実質性高血圧，慢性腎不全，腎疾患）：1日12mgまで
・PGE1製剤（オパルモン，プロレナール）：慢性動脈閉塞症，閉塞性動脈硬化症，閉塞性血栓血管炎→6錠まで，腰部脊柱管狭窄症→3錠まで
・アラセナA軟膏：単純疱疹，カポジー水痘様発疹症→5gまで。帯状疱疹，ハント症候群→30gまで。アラセナとバルトレックス併用は基本的

には単純・帯状ともに不可。帯状疱疹は不可だが, 単純疱疹は併用可とするところもあり。

外科的診療の審査上のチェックポイント

（1）保険医療養担当規則を逸脱していないか
（2）医科点数表に準拠しているか
（3）Drugs in Japanの適応・使用法に合致しているか

——を基本としている。ただし, 医師の裁量権により, 上記を満たさなくても, 内容が審査上十分納得できる場合は査定しない。また, 内容が判然としない場合は返戻を原則としている。

〈初診料・指導料・管理料〉

・同一患者・同一疾患で初診料が算定できるのは, 慢性疾患（OAなど）で3カ月後, 骨粗鬆症で4カ月後であり, 疾患ごとにすでに治癒後・一定期間中止後の受診の有無を判断する。
・肺血栓塞栓症予防管理料はガイドラインに沿って, 中リスク以上とするが, 低リスクでも医学的に合理的なコメントがあれば認めている。

〈投薬・注射〉

・17点以下の薬剤の投与に関して, 使用の原因となった傷病名が主傷病名などから類推できる場合は, すべての医療機関で, その傷病名記載が省略できるとあるが, 17点以下でも, 強心剤・糖尿病薬・血管拡張剤・血圧降下剤・副腎皮質ホルモン剤高脂血症用剤については除かれる。
・ロキソニンやボルタレン等のNSAIDsは胃潰瘍に禁忌であるが, 胃潰瘍に対する処方がない場合, もしくは胃潰瘍病名の診療開始日が古い場合は, 医学的有用性が上回れば認める。
・ユベラ錠・ユベラNは末梢循環障害が適応。神経症状に対する処方は査定もありうる。
・経口摂取可能な外来患者への栄養補助目的の安易なエンシュア・リキッド投与は認められていない。市販のものを利用するか流動食が優先。
・術後感染予防の抗生剤使用は下記のとおり。
 1）一般手術：7日間まで, 抜釘は3日間まで, 使用量は常用量の1.5倍まで, または常用量使用で2剤まで
 2）人工関節：期間は2週間まで, 1剤ならば常用量の2倍まで, 2剤なら常用量使用
・リュウマトレックス（MTX剤）にフォリアミン（葉酸）の肝障害防止目的の投与は認めてい

る。
・エルシトニン10単位の適応は, 骨粗鬆症に伴う疼痛が軽減する3～6カ月程度が妥当と考えられるが, この期間を超えても特に査定はない。

　骨粗鬆症治療薬は, Ca剤, VitD剤, VitK剤, ビスフォスネート, ラロキシフェン（エビスタ）等があるが, これらの併用はCa剤以外で注射1剤＋内服2剤までが妥当としている。
・トリガーポイント注射の薬剤として, 局麻剤とノイロトロピン, 局麻剤とノイコリンエーの併用は可（注：医学的必要性があり, 局所麻酔剤・神経破壊剤にそれ以外の薬剤を混合注射した場合は, 必要性をコメントすれば算定可）。
・肩関節周囲炎に関節腔内ステロイド注射と肩甲上神経ブロックの同時施行は過剰としている。
・硬膜外ブロックの術前検査として, 感染症・梅毒・肝炎, 出血性素因検査, 出血凝固等の検査の算定は認められていない。
・硬膜外ブロック時の安全のための血管確保は薬剤のみ算定可とし, 点滴手技料の算定は認められていない。
・カテラン硬膜外注射にステロイドの併用は, 神経症状があれば認めている。
・長期経過した変形性膝関節症に対して, 毎週のヒアルロン酸製剤投与は過剰とし, 再開はコメントが必要となる。
・アルツ, スベニールは6～7回までは週1回可, 以後は2週に1回程度とし, ステロイド剤, 局麻剤の併用は認めている。
・アルツ, スベニールを肩関節に使用する場合の病名は, 変形性肩関節症や肩板断裂では返戻・査定となる。適応は肩関節周囲炎。
・関節内ステロイド注射は2週間に一度, 最大月3回まで認めている。

〈処置〉

・6大関節の創傷処置（手, 肘, 肩, 股, 膝, 足関節）は, 半肢の範囲が妥当としている。単なる打撲などは, 湿布処置に準ずるとしている。
・鶏眼処置は, 一連の治療で1回のみとしている。
・デブリードマン加算は, 汚染された挫創に対して当初1回のみ算定し, 切創では算定できない。
・処置に使用するイソジン液等の消毒液は, 通常20mLまでが適当としている。
・皮膚科軟膏処置は, 成人で概ね10g以上, 小児

で5g以上の軟膏を塗布した場合に算定するの
が望ましい。

・湿布処置は傷病開始後1年以内とし，その後は
外用剤処方を原則としている。

・RA，DM，高血圧症，痛風は，特にコメントが
なくても尿沈査を認めている。

〈皮膚欠損用創傷被覆材の算定〉

・次の創傷等に対する皮膚欠損用創傷被覆材（真
皮に至る創傷用）の算定は，（1）挫創，（2）
挫滅創，（3）褥瘡，（4）皮膚潰瘍，（5）表
皮剥離，（6）熱傷・凍傷（Ⅱ度以上），（7）
擦過創——については真皮に至る創傷に使用し
ているので原則として認められる。また，（1）
熱傷・凍傷（Ⅰ度），（2）挫傷については，真
皮に至る創傷外であるため認められない。

〈必要性の乏しいとして査定されやすい検査〉

・貧血のない患者に対する網赤血球数検査を実施

・白血球数に異常のない患者に対する末梢血液像
検査を実施

・DICの診断・治療に反映されないTAT，D-Dダ
イマー，可溶性フィブリンモノマー，プラスミ
ン，α2プラスミンインヒビター・プラスミン
複合体を実施

・入院，転科，転棟の際，血液型，感染症検査等
をその都度実施

・超音波検査の際，医学的必要性がなくパルスド
プラを実施

〈X線検査・CT・MRIなど〉

・手術中のX線透視は，手術行為の一部であるの
で算定はできない。

・X線の多方向撮影（4-6方向）は症例を選ん
で行い，一律に行っている場合は査定となる。

・比較のための健側撮影は一連となり，個別には
算定できない。

・同一日同一部位2回の画像診断（CT，MRI含む）
検査は，理由，症状の変化を説明するコメント
があれば認めている。

・単なる加齢性の病名：変形性脊椎症などでは
MRIの適応になりにくく，病名に注意を要する。

・手術を要すると思われる関節内骨折のCTは，
術前検査の適応としている。

・不全骨折や骨壊死に対して，医学的に必要なコ
メントがあればMRIを認めている。

〈その他〉

・傷病名もれの取扱い：基本的には個々について
返戻・照会は行っていないが，高額なもの，処置，
検査，手術が不明な場合は返戻している。

・医療機関から再審査請求時の注意点：査定後の
再審査請求には，事実確認が必要で，病名欄，
該当部分のカルテのコピーが必要。また，査定
となった部分の詳細な経過説明，復活を要求す
る根拠が必要。

〈保険診療における神経ブロックの適応（抜粋）〉

①体性神経ブロック

・肩甲上神経ブロック・肩甲背神経ブロック

　適応症：頸腕症候群，肩関節周囲炎（五十肩），
　　　胸郭出口症候群及び類似疾患

・傍脊椎神経ブロック（頸部，胸部，腰部）

　適応症：痛みが脊髄分節に限局している場合。

・坐骨神経ブロック

　適応症：坐骨神経痛

・神経根ブロック

　適応症：椎間板ヘルニア，脊柱管狭窄症，根性
　　　神経痛，帯状疱疹，帯状疱疹後神経痛，悪性
　　　腫瘍

　注：神経根ブロックはX線透視下に行うブロッ
　　　クで，部位確認のための造影法も必要。

・各ブロックの回数について

　　原則として週1〜2回である。漫然と長期に
　　わたる施行は望ましくない。

②交感神経節ブロック

・星状神経節ブロック

　適応症：帯状疱疹，帯状疱疹後神経痛，癌性疼
　　　痛，反射性交感神経性ジストロフィー，幻肢
　　　痛，カウザルギー，断端痛，乳房切除後症候
　　　群，振動病などで激痛があり，他の療法では
　　　効果のない病態，その他

・各ブロックの回数について

　　星状神経節ブロックは，原則として急性期は，
　　症例によって月10〜20回毎日施行されること
　　がある。以後は原則週1〜2回になる。

③硬膜外ブロック・くも膜下脊髄神経ブロック

　このブロックは，体性神経ブロックと交感神経
ブロックを同時に行えるという大きな長所があ
る。しかし，血圧低下など重大な合併症を起こす
こともあり，十分な設備と監視が必要である。

・他のブロックとの同時併施は認められない。

　適応症：反射性交感神経性ジストロフィー，幻

症状詳記

肢痛，カウザルギー，断端痛，乳房切除後症候群，振動病などで激痛があり他の療法では効果のない病態，血行障害（レイノー病，バージャー病，閉塞性動脈硬化症，外傷性浮腫，栓塞，潰瘍，褥瘡），帯状疱疹，帯状疱疹後神経痛，脊椎手術後疼痛，脊柱管狭窄症，癌性疼痛及び各部位適応症

（頸部・胸部）

筋緊張性頭痛，外傷性頸部症候群，頸椎椎間板ヘルニア，頸椎椎間板障害，頸腕症候群，群発頭痛

（腰部・仙骨部）

腰椎椎間板ヘルニア，腰椎椎間板障害，根性坐骨神経痛（腰部脊柱管狭窄症）

・各ブロックの回数について

週1〜2回程度で，漫然と長期にわたる施行は望ましくない。ただし，癌性疼痛など特殊な病態ではこの限りではない。帯状疱疹などその他急性期の重症例では頻回に行うこともある。

④その他のブロック（注射）

a　トリガーポイント注射
・圧痛点に局麻剤あるいは局麻剤を主剤とする薬剤を注射する手技である。
・ネオビタカイン及び同系の薬剤は適応。
・ノイコリンエー，ノイロトロピン特号は局麻剤と併用した場合は適応。

b　神経幹内注射
・Ⅰ〜Ⅳに掲げた神経ブロック以外で神経幹内に注射をした場合に算定する。

症状詳記

多くの医師は書き仕事が大嫌いである。

これを念頭に，医事職員として医師に対してどのような症状詳記サポートができるであろうか。多忙な医師が作成した詳記内容に物言いをつけるのは，なかなか難しいのが現状ではないだろうか。そのため，医師に症状詳記を依頼する前に，当月のレセプトで最も重要なポイントをあらかじめ医事職員が整理しておく必要がある。

例えば，高額な薬剤，投与日数が決まっている薬剤，頻回に行った検査などは，実施した日や検査データ等を抽出して，表などに示しておくだけでも，医師は症状詳記が書きやすくなる。その結果，査定を減らすことにもつながる。少々大変な

作業ではあるが，医事職員にとってもポイントをまとめると次のようになる。

（1）当該診療行為が必要な具体的理由を簡潔明瞭かつ正確に記述する。

（2）客観的事実（検査結果等）を中心に記載する。

（3）診療録やレセプトの内容と矛盾しない。

我々が努力をしている姿を，医師は必ず評価してくれるはずである。そのためにも，前向きに医師と正面からぶつかることも必要である。

症状詳記以外に添付すべき物

審査委員は医療機関が提出したレセプトのみで審査するわけである。医療機関側としては，審査委員に患者の状態をできるだけ理解してもらうため，必要に応じて症状詳記をレセプトに添付して請求する。これは多くの医療機関でも行っていると思うが，文章だけではなく，検査結果など視覚的なものを添付することもポイントである。加えて審査委員が読みやすいように，症状詳記は日付を入れながら，その日の状態を説明することで，よりリアルに患者の状態を読み取ることができるため，ぜひ医師には日記のようなかたちで，詳記を依頼してみることも重要だと思われる。

また，添付資料としては例えば，脳外科等でCT・MRIを頻回に撮影した場合は，フィルムや画像データを添付するなど，審査委員に，よりインパクトを与えることが重要であり，結果的にそれが査定対策にもつながるものと思われる。経験上，同じような症例で症状詳記のみで請求した場合と写真を添付した場合とでは，画像診断の査定に違いが見られた。

このように審査委員に対してアピールする文章と材料を添付することが，査定を減らす有用な方法の一つでもある。

② 再審査請求における症状詳記事例

再審査請求を行うには医師の協力がなければ始まらない。しかし医師は一度書いた詳記を再度書きたがらない。「再審査しても無駄だよ」等々である。そのため，医事として医師に再度やる気を出してもらうために，サポートは必須である。

以下の事例は実際に査定減点を受け，再審査請求を行い，復活となった事例である。再審査請求時の詳記内容等を確認してもらいたい。

文章を医師と一緒に作り上げる体制を取ることが，再審査請求の第一歩だと思われる。

事例1　検査が実施されていないと判断された査定事例

> **レセプト**（令和5年2月外来／外科）
> 【年齢】56歳
> 【傷病名】爪白癬（令和5年2月）
> 【摘要欄（抜粋）】
> (23)クレナフィン爪外用薬7.12q×1
> 【査定項目】
> (23)クレナフィン爪外用薬7.12q×1⇒0
> 【査定事由】A項

白癬に対する検査が実施されていないと判断された査定事例である。

白癬の主な種類

いわゆる水虫は，白癬菌というカビが原因で起こる皮膚の感染症である。「水虫＝足」というわけでもない。実際には，爪白癬，頭部浅在性白癬，体部白癬，股部白癬，手白癬というように様々な場所に感染し，感染した場所によって病名が異なる。足白癬の患者数は約2000万人，爪白癬を併発している患者数は約800万人，爪白癬のみの患者数は約300万人と言われている。

当該患者は普段，外科で通院中であり，患者から，以前他院で処方されて効果があったクレナフィン液を処方してほしいと相談があった。医師は目視で爪白癬を確認できたとの理由で同剤を処方したが，A項（医学的に適応と認められないもの）と判断され査定された。

考えられる査定理由

当該薬剤の能書には，効能または効果に関連する注意に「直接鏡検又は培養等に基づき爪白癬であると確定診断された患者に使用すること」と記載されている。請求時のレセプトにて検査もなく，また他院で検査済とのコメントもないため査定対象になったと思われる。外科では，皮膚科で診察していれば，同剤を皮膚科医が処方する場合，必要な検査を行ったのではないかと推測された。

再審査請求時の症状詳記

患者は外科にて通院中である。他院皮膚科にて爪白癬と診断されていること，また同剤を他院から処方され効果があった理由から当科で処方した。能書に明記されている検査は当院では実施していないが，他院で検査を実施して診断・処方されているため，再審査請求させていただきます。

図表7　増減点事由記号　2024年9月現在

記号	文言	区分における主な概念
A	療養担当規則等に照らし，医学的に適応と認められないもの	療養担当規則等に照らし，傷病名等から判断して，使用薬剤の効能，効果，もしくは診療行為に医学的有用性が認められないもの
B	療養担当規則等に照らし，医学的に過剰・重複と認められるもの	療養担当規則等に照らし，診療内容を通覧して，薬剤の投与量，投与日数が医学的に過量であるもの，もしくは診療行為が医学的に過剰であるもの
C	療養担当規則等に照らし，A・B以外の医学的理由により適当と認められないもの	診療内容を通覧して，A，Bに該当するもの以外で告示・通知等に照らし，医学的に不適当と認められるもの
D	告示・通知の算定要件に合致していないと認められるもの	告示，通知に示された算定要件に，診療行為が合致しないもの

症
状
詳
記

事例2　出血性ショックで投与したアルブミン製剤が不要と判断された査定事例

レセプト（令和5年4月入院／消化器内科）

【年齢】48歳
【傷病名】
肝硬変（令和3年10月1日）
食道静脈瘤（令和3年10月1日）
食道静脈瘤破裂（令和5年4月2日）
急性循環不全（令和5年4月2日）
出血性ショック（令和5年4月2日）
【摘要欄（抜粋）】
(33)＊中心静脈注射
赤十字アルブミン20　50mL　5瓶
ラクテック注500mL　5袋
アドナ(AC-17)注射液0.5%　10mL 2A
【査定内容】赤十字アルブミン20　50mL　5瓶
【査定事由】D項

経過解説

　食道静脈瘤にて外来通院中の患者で，適時，硬化療法を実施。自宅で突然吐血して救急搬送され，救急外来にて治療開始。吐血量1300cc以上であり，出血性ショック状態でアルブミン投与。

アルブミン製剤

【適応疾患】
　アルブミンの喪失（熱傷，ネフローゼ症候群など）およびアルブミン合成低下（肝硬変症など）による低アルブミン血症，出血性ショック
【使用基準（低アルブミン血症時）】
　投与後の目標血清アルブミン濃度としては，急性の場合は3.0g/dL以上，慢性の場合は2.5g/dL以上とする。本剤の投与前には，その必要性を明確に把握し，投与前後の血清アルブミン濃度と臨床所見の改善の程度を比較して，投与効果の評価を3日間を目途に行い，使用の継続を判断し，漫然と投与し続けることのないよう注意する。アルブミン2本3日間が標準的な使用と言われている。
【出血性ショックに対するアルブミン投与】
ア．循環血液量の30%以上の出血をみる場合：細胞外液補充液の投与が第一選択となり，人工膠質液の併用も推奨されるが，原則としてアルブミン製剤の投与は必要としない。
イ．循環血液量の50%以上の多量の出血が疑われる場合や血清アルブミン濃度が3.0g/dL未満の場合：等張アルブミン製剤の併用を考慮する。
ウ．腎機能障害などで人工膠質液の使用が不適切と考

えられる場合には，等張アルブミン製剤を使用する。また，人工膠質液を1,000mL以上必要とする場合にも，等張アルブミン製剤の使用を考慮する。明確な基準が能書等でも打ち出されていないが，出血性ショックの場合は，循環血漿量を増やす必要があるため，救命医は10本以上使用するケースも珍しくない。
　今回の事例では，通常の低アルブミン血症で使用する量以上に投与が必要と思われる。

再審査請求時の症状詳記

　患者は肝硬変・食道静脈瘤にて外来通院中である。4月2日，自宅にて突然吐血し救急車にて搬送となる。来院時，血圧100，Hb8.9であり，CVカテを挿入し輸血を開始した。その後，再度吐血，約1300ccの大量吐血をきたし，血圧50台，末梢冷感，HR30となり，出血性ショックに伴う急性循環不全を併発し，アルブミン製剤を5本投与し体外循環血漿量を増やす必要があった。

事例3　気管支喘息に伴う酸素飽和度測定の査定

レセプト（令和5年2月入院／内科）

【年齢】49歳
【傷病名】
気管支喘息（令和4年4月12日）
気管支喘息重積発作（令和5年1月12日）
【摘要欄（抜粋）】
経皮的動脈血酸素飽和度測定×20
【査定項目】
(60)＊経皮的動脈血酸素飽和度測定×20⇒0
【査定事由】D項

経過解説

　気管支喘息にて入退院を繰り返している患者である。今回，喘息重積発作にて1月12日入院となった。点滴治療及び酸素療法等にて改善傾向を示しており，そのため1月末で酸素投与を中止とし，以後は経皮的酸素飽和度測定を適時施行している。2月請求レセプトに対して，同検査を28日入院に対して，20日施行するも，すべて査定された。

解説

　経皮的酸素飽和度測定は診療報酬点数表には，「呼吸不全若しくは循環不全又は術後の患者であって，酸素吸入を現に行っているもの又は酸素吸入を行う必要があるもの」と記載されている。今回査定された理由は恐らく，単純に同検査に対し

て酸素吸入がないためと思われる。

しかしながら，喘息重積に対して前月までは酸素療法を行い管理を行っていたため，酸素療法が中止された理由のみで査定をされるのは医学的に不適切であるとの判断で再審査請求を行うこととした。ただし，漫然と同検査を施行するのは審査会で不適切と判断されることが多い。ちなみに重積発作・喘息発作は呼吸不全に分類される。

再審査請求時の症状詳記

患者は喫煙歴30年のヘビースモーカーである。令和3年5月頃から呼吸困難がみられるも受診せず。翌年，ようやく外来受診し診断の結果，気管支喘息であることが判明した。以後は数回，他院にて気管支喘息重積発作を繰り返し，入退院を繰り返している患者である。今回入院後，パルス療法および酸素療法を行った。同治療により発作は軽減するものの酸素飽和度結果に変化が認められるため，酸素療法中止後も同検査は引き続き施行する必要があった。

重積発作を繰り返している場合，パルス療法等により一時的に酸素飽和度値は良好になることが多いが，コントロールが非常にむずかしく一定期間は同検査を行い，値をみながら治療を続けていく必要がある。

事例4 　出血性胃潰瘍において，トロンビン末と内視鏡検査の回数が査定された事例

レセプト （令和5年3月入院／消化器内科）

【患者】69歳，男性
【傷病名】出血性胃潰瘍（令和5年2月28日）
【摘要欄（抜粋）】
(23)＊トロンビン液モチダ
　　　　ソフトボトル5千　5mL　　16本×1
(60)＊胃・十二指腸ファイバースコピー
　　　　（3日・10日・25日）　　　×3
【査定項目・査定事由】
トロンビン液16本⇒4本（【査定事由】B項）
3日に行った内視鏡検査（【査定事由】D項）

胃潰瘍とは

胃潰瘍は，自己消化作用により胃壁に組織欠損を生じた状態をいう。胃潰瘍は，長い間，胃酸やペプシンの分泌過剰や胃内壁粘膜への刺激などの攻撃因子と，粘膜における防御因子のバランスの崩壊により発生すると理解され，ストレス，飲酒・

喫煙，暴飲暴食などがその発生因子と言われてきた。しかし，胃潰瘍発生には，ピロリ菌感染が関与していることや，非ステロイド性消炎鎮痛剤（NSAIDS）の服用がその要因となることなどがしだいに明らかになってきた。自覚症状は，心窩部痛や上腹部痛，あるいは上腹部の不快感や胸やけ，げっぷ，呑酸など多様であり，非特異的な症状が多い。出血に伴う鉄欠乏性貧血，下血，吐血などの症状から，初めて診断されることもある。

事例

出性胃潰瘍に対して内視鏡検査を入院期間31日に4回行い，トロンビン液16本投与を行っている。内視鏡検査1回とトロンビン液12本が査定された事例である。出血性胃潰瘍にてトロンビン投与を行い，入院日数31日間に対して4回ほど，週1回ペースで内視鏡検査を実施している。

通常，出血性胃潰瘍に対して治療効果および状況を把握するために，週1回程度の内視鏡検査は通常のエビデンスに基づいた検査であると考え，特に症状詳記等の記載はしなかった。しかしながら以下の項目で査定された。

再審査請求時の症状詳記

・**内視鏡検査**：出血性胃潰瘍のため内視鏡検査を入院31日に対して，4回施行している。今回，減点となった3/3の内視鏡検査については，Hb8.1→7.4と低下を認め，潰瘍部の出血を確認するため実施した。案の定，潰瘍底に小さい露出血管が認められた。1日のHb値と比較してわずか2日間でHb値が減少していることから，新たな出血病変が発症していることが予測された。そのため3日に行った内視鏡検査は必要不可欠であると考えている。

・**トロンビン**：出血性胃潰瘍の場合，トロンビン液5000単位を1日当たり3万単位（6本）3日間投与することが一般的な治療である。今回，3日に行った内視鏡検査結果より，通常のトロンビン投与と同様に3日間の服用が必要と考えた。投与2日間は3万単位（6本），残りは2万単位（4本）の計16本投与を行った。3日間連続服用することと，3万単位および2万単位投与と，出血の状況から鑑みても必要範囲と考えている。

| 事例5 | 禁忌によるアルツ注射査定事例 |

レセプト（令和5年11月外来／整形外科）

【患者】68歳
【傷病名】
左変形性膝関節症（令和5年9月11日）
左膝関節水腫（令和5年9月11日）
【摘要欄（抜粋）】
＊関節腔内注射（左膝）　　　　　　×1
　　アルツディスポ関節注25mg　　×1

　傷病名は特に問題ないが，「関節水腫」という病名が表記されていたことで禁忌扱いとなり，査定を受けることがある。

能書上の重要な基本的注意

1．変形性膝関節症，関節リウマチにおける膝関節痛については，投与関節の炎症または関節液貯留が著しい場合は，本剤の投与により局所炎症症状の悪化を招くことがあるので，炎症症状を抑えてから本剤を投与することが望ましい。

2．本剤の投与により，ときに局所痛が現れることがあるので，投与後の局所安静を指示するなどの措置を講じる。

3．関節腔外に漏れると疼痛を起こすおそれがあるので，関節腔内に確実に投与する。

4．関節リウマチにおける膝関節痛については以下の点に注意する。

（1）本剤による治療は原因療法ではなく局所に対する対症療法であるので，抗リウマチ薬等と併用する。本剤は漫然と連用する薬剤ではない。

（2）抗リウマチ薬等の治療により全身の病勢がコントロールできていても膝関節痛がある場合，当該膝関節腔内に投与する。

（3）膝関節以外の使用経験はなく，他の関節については有効性・安全性が確立していないため本剤を投与しない。

（4）関節リウマチでは，膝関節の器質的変化が高度なものは，有効性・安全性が確立していないため本剤を投与しない。

　上記が重要な基本的注意事項として定められている。今回の事例では，"関節水腫＝関節液貯留"が傷病名に表記されていたことで査定を受けた。レセプト点検においては，適応症の有無ばかりに目を向けがちだが，能書には禁忌を含めて，今回のような重要な基本的注意等も表記されているため，少なくとも高額な薬剤・頻度の高い薬剤等については，調べておく必要がある。

膝関節水腫とは

　膝に水が貯まるのは，O脚の女性に多いと言われている。理由としては，年齢的に膝関節内の老化で軟骨などの弾力性が低下したうえに，O脚のため歩くときに膝の内側に体重がかかるようになり，膝関節の内側の軟骨が集中的に傷んでくるためと考えられている。膝の水（関節液）は正常な場合2～3mL程度あり，毎日吸収され入れ替わるが，軟骨が傷むことなどにより水が異常に増加する。これを関節水腫という。

| 事例6 | ウルソ錠の1日投与量と対象疾患に関する査定 |

レセプト（令和5年10月外来／消化器内科）

【年齢】57歳
【傷病名】胆のう結石症（令和5年1月12日）
【摘要欄（抜粋）】ウルソ錠100mg　6錠×60
【査定項目】
(20)ウルソ錠100mg　6錠×60⇒3錠×60
【査定事由】B項

胆石解説

　胆石を成分で大きく分類するとコレステロール胆石，色素胆石，その他の3種類に分けられる。

● コレステロール胆石（結石中のコレステロール含有量が70％以上）

・純コレステロール石

・混成石：割面で明らかに内層と外層に区別でき，内層は純コレステロール石または混合石から成る胆石

・混合石：割面で放射状構造と層状構造が混在した，コレステロールを主成分とする胆石

● 色素胆石

・ビリルビンカルシウム石

・黒色石

● その他の結石（まれな結石）

・炭酸カルシウム石

・脂肪酸カルシウム石

・その他

　「外殻石灰化を認めないコレステロール系胆石」とは，上記のうち，純コレステロール石および混合石が該当する。

　他のウルソ錠の効能・効果としては以下の
①原発性胆汁性肝硬変における肝機能の改善
②C型慢性肝疾患における肝機能の改善

について適応がある。

考えられる査定理由

能書上，ウルソ錠の用法・用量で1日600mgの投与が認められているのが，「外殻石灰化を認めないコレステロール系胆石の溶解」「原発性胆汁性肝硬変における肝機能の改善」「C型慢性肝疾患における肝機能の改善」である。そのため，今回の疾患「胆のう結石症」は適応外として査定されたものと推測する。

再請求のポイント

ポイントは石灰化を認めないコレステロール系胆石である。ちなみに石灰分が多いとレントゲンに写るため，腹部単純X-Pで確認できるようである。そのため再請求をする場合は，そのような状況を具体的に明記することで復活が期待できる。

事例7　同月内2回行った頭部CTスキャン等の査定事例

レセプト（令和5年9月外来，脳神経外科）
【患者】80歳，男性
【傷病名】
頭部外傷（令和5年12月1日）
慢性硬膜下血腫疑い（令和5年12月22日）
【摘要欄（抜粋）】
(70)頭部CTスキャン（16列以上64列未満マルチスライス型の機器による場合）
電子画像管理加算
画像診断管理加算2（コンピューター断層撮影）
コンピューター断層診断
(70)頭部CTスキャン（16列以上64列未満マルチスライス型の機器による場合）
電子画像管理加算
2回目以降減算(CT)
【査定内容】
(70)頭部CTスキャン（16列以上64列未満マルチスライス型の機器による場合）
電子画像管理加算
【査定事由】B項

原因

患者は80歳で有料老人ホーム入居者。12月1日，施設内で転倒して頭部外傷にて脳神経外科を受診。頭部CT撮影を行った。医師からは現時点での出血・血腫等は認められないが，2～3日は行動を注意して観察する等，注意事項を記載した文書を施設職員に渡した。また，高齢者の場合，打

撲後3週間程度後に血腫が認められる場合があり，再度CT撮影が必要であることも伝えた。

考えられる査定理由

2回目のCT検査日に慢性硬膜下血腫疑い病名はあるが，審査側としては，症状があってのCT検査と判断したと推測される。請求時には特に症状詳記等のコメントは添付していなかった。

再審査請求時の症状詳記

患者は施設内で転倒し，頭部外傷にてCTを行ったが，著明な出血等は認められず，頭部外傷に関する注意事項を記載した文書を施設職員に渡した。もともと認知症があるため，患者自らが症状を訴えることが困難であり，施設内でもときおり言動がおかしい場面もあることから，慢性硬膜下血腫を疑い，再度頭部CTを行う必要があった。

事例8　診療開始日翌月に使用したボルヒール査定事例

レセプト（令和5年4月分入院／外科）
【患者】60歳，男性
【傷病名】
十二指腸乳頭癌（令和5年3月10日）
難治性腸壁瘻孔（令和5年4月14日）
【摘要欄（抜粋）】ボルヒール3mL1瓶　×1
【査定項目】(40)ボルヒール3mL1瓶　×1⇒0
【査定事由】C項

使用理由と患者の状態

十二指腸乳頭部癌に対して，膵頭部十二指腸切除を行った患者である。基礎疾患として糖尿病・高脂血症がある。術後に急性腎不全を併発，腹壁から胆汁と膵液の漏出が続き，瘻孔造影を施行した。腸管腹壁瘻を認めた。瘻孔造影時の創部より出血が見られ止血（ボルヒール）を使用するもA項（不必要）査定を受けた。

ボルヒールの適応は，組織の接着・閉鎖（ただし，縫合あるいは接合した組織から血液，体液または体内ガスの漏出をきたし，他に適切な処置法のない場合に限る）。

考えられる査定理由

使用が手術当月でないこと，使用した理由について症状詳記を添付していなかったためと考えられる。査定を受けて，某審査委員に確認をしたところ，ボルヒールは高額であり，使用した場合は必ず詳記が必要とのことであった。詳記は全体の

状況と止血が困難であったことに加え，血糖コントロール不能の糖尿病を加えて説明した。

再審査請求コメント

十二指腸乳頭部癌術後の患者である。腹壁より胆汁および膵液漏が続き精査目的で瘻孔造影を行った。空腸輸入脚の穿孔による腸管腹壁瘻を認めた。造影時に創部から出血が著しく，また，血糖コントロール不能である糖尿病があるため，止血が困難を極めた。そのため，ボルヒールを用いて止血を行った。

事例9　四肢軟部腫瘍摘出術

> **レセプト**（令和5年3月外来／外科）
> 【年齢】39歳
> 【傷病名】右前腕皮下脂肪腫
> 【摘要欄（抜粋）】
> (50)四肢軟部腫瘍摘出術（前腕）×1
> 　　伝達麻酔×1
> 【査定項目】
> (50)四肢軟部腫瘍摘出術（前腕）×1⇒術式変更⇒
> 皮膚皮下腫瘍摘出術
> 【査定事由】B項

皮下脂肪腫とは

脂肪腫は，皮下に発生する軟部組織の腫瘍のなかで最も多くみられる良性腫瘍であり，皮下組織に見られる浅在性脂肪腫と，筋膜下，筋肉内，筋肉間に見られる深在性脂肪腫がある。普通は，成熟脂肪組織で構成される柔らかい単発性腫瘍だが，まれに多発することがある。

考えられる査定理由

病名が皮下脂肪腫になっていたことから，筋層まで達していることがレセプト上では不明であるため，軟部腫瘍摘出術ではなく，皮膚皮下腫瘍摘出術に減額査定されたものと推測される。

再審査請求時の症状詳記

伝達麻酔下において，筋膜に癒着の脂肪腫を上腕から摘出した。したがって，皮膚・皮下にある腫瘍ではない。

事例10　妊娠週数と超音波検査

> **レセプト**（令和5年1月分外来／産婦人科）
> 【患者】32歳，女性
> 【傷病名】
> 妊娠35週切迫早産（令和5年1月25日）
> 妊娠35週胎盤機能不全症（令和5年1月25日）
> 【査定項目】
> (60)超音波検査〔断層撮影法（心臓超音波検査を除く）〕（胸腹部）　　　×1⇒0
> コメントとして妊娠35週と明記
> 【査定事由】A項

切迫早産とは

切迫早産とは早産となる危険性が高いと考えられる状態をいう。腹部の張りや痛みが規則的かつ頻回に起こり，子宮口が開き，胎児が出てきそうな状態。また，破水が先に起きたりすることもある。切迫早産の治療では，子宮口が開かないようにするために，子宮収縮を抑える目的で子宮収縮抑制薬を使用することがある。

考えられる査定理由

レセプトのコメントに書かれている妊娠週数は35週である。図表8の超音波検査の基準表を見ると，切迫早産は妊娠16週〜35週未満である。未満はその数字を含まないという意味なので，妊娠34週の場合であれば査定をされることはなかったものと推測する。

産婦人科での超音波検査の保険適応有無は，産婦人科医会の基準（図表8）を参考にしている。

事例11　肝硬変とリーバクト顆粒投与

> **レセプト**（令和5年11月外来／内科）
> 【患者】64歳，男性
> 【傷病名】
> 肝硬変（令和3年1月14日）
> 低アルブミン血症・腹水症（令和4年10月21日）
> 【査定項目】
> (21)リーバクト顆粒　12.45g　　　×35
> 【査定事由】D項

肝硬変とは

肝炎やアルコールが原因で肝臓の細胞が破壊され続けると，再生能力の高い肝臓であっても再生

図表8　産科における超音波検査の基準(参考)

適応疾患	保険適用基準	検査回数
胎児正常発育	保険給付外	
妊娠週数の確認		
切迫流産	妊娠5週～16週未満	外来　1回/週 入院　2回/週
切迫流・早産 (症状があるとき) (頸管長の測定など)	妊娠16週～35週未満	
子宮内胎児(芽)死亡	妊娠5週以降	
胞状奇胎		
子宮頸管無力症	妊娠12週以降	診断のため1回 頸管縫縮術の前後 各1回
多胎妊娠	妊娠5週以降	1～2回
子宮内胎児発育遅延	妊娠22週以降	外来　1回/2週 入院　1回/週
		入院1回/週
児頭骨盤不均衡	妊娠37週以降	1～2回
胎児異常(胎児奇形・胎児水腫・水頭症・胎児内臓異常,等),巨大児	原則給付外 巨大児,水頭症により分娩に支障をきたす恐れのある場合は児頭骨盤不均衡等の病名で算定可	
胎児心奇形	胎児心エコー法の適応準じる	
胎位異常	妊娠28週以降	28週以降　1回/月
骨盤位・横位・斜位		36週以降　1回/月
前置胎盤・低置胎盤	妊娠22週以降	1～2回/2週
常位胎盤早期剥離	妊娠22週以降	1～2回
臍帯異常,臍帯巻絡・単一臍帯動脈等	給付外	
羊水過多症・羊水過少症	妊娠22週以降	1回/2週
子宮外妊娠・頸管妊娠	妊娠5週以降	1回/週、1～2回

が追いつかない。そのため肝臓の中にある線維が増えて固くなり，肝臓内部の血液循環に異常が生じ，胆汁の流れにも障害を来たし，肝臓の本来の働きが果たせなくなる。また，肝臓の表面にゴツゴツした凹凸が現れてくる。

リーバクト

リーバクトの適応患者は，血清アルブミン値が3.5g/dL以下の低アルブミン血症を呈し，腹水・浮腫または肝性脳症を現有するか，その既往のある非代償性肝硬変患者のうち，食事摂取量が十分にもかかわらず低アルブミン血症を呈する患者，または糖尿病や肝性脳症の合併等で総熱量や総蛋白（アミノ酸）量の制限が必要な患者である。糖尿病や肝性脳症の合併等がなく，十分な食事摂取が可能にもかかわらず食事摂取量が不足の場合には，食事指導を行う。なお，肝性脳症の発現等が原因で食事摂取量不足の場合には，熱量および蛋白質（アミノ酸）を含む薬剤を投与する。

請求上の留意点

注目すべき点は「低アルブミン血症」である。

リーバクト顆粒は「肝硬変を伴った低アルブミン血症」に使用することとなっているため，保険請求する場合，病名が「肝硬変」のみでは認められないことがある。「肝硬変」「低アルブミン血症」などの記載が必要だろう。また，「低アルブミン血症」を伴っていることを示す検査結果がレセプト上に表れていなければならない。もし当月に検査をしていなければ，直近の値を記載しておくことが必要と思われる。

事例12　禁忌処方の留意点

保険医が患者の病態等で薬剤を処方する場合，患者の他疾患によっては「禁忌」となるケースがある。当然，禁忌については理解しているとは思われるが，実際はかなりの禁忌処方が行われているようである。これは先に述べた審査機関での病名と薬剤のチェックにより発見されてしまう。

当然，医学的に必要であったとしても，能書上，禁忌とされていれば査定を受けることになる。

さらに地方厚生局等による個別指導が実施された場合は，その処方医師が行政担当者から指導を受けるでだけなく，過去3年間もしくは5年間をさかのぼり，禁忌処方を行ったものに対して返還命令を受けることもあるため，十分に注意しなければならない。

【外来処方で多く見られる禁忌処方例】

・ロキシーン（**筋緊張弛緩剤**）：緑内障・前立腺肥大・重篤な心疾患等には禁忌

・アーチスト（**持続性高血圧・狭心症治療剤**）：気管支喘息・高度徐脈等には禁忌

・ロキソニン，ポンタール（**鎮痛・抗炎症・解熱剤**）：消化性潰瘍等には禁忌

　＊非ステロイド剤長期投与による消化性潰瘍患者で，本剤の長期投与が必要の場合は慎重投与を行う（保険請求時はコメントを記載する）。

・ベザトールSR（**高脂質血症用剤**）：人工透析患者には禁忌

・ミケラン（**狭心症・心臓神経症**）：気管支喘息・高度徐脈・うっ血心不全には禁忌

・プレタール錠（**慢性動脈閉塞症**）：出血患者・うっ血性心不全には禁忌

禁忌に対する査定防止および再審査事例

　二次審査（保険者）による査定のなかでも相当な件数を占めている「禁忌」査定である。薬剤添付文書能書を見ると，禁忌に対する疾患・状態等が大なり小なり記載されている。例えば慢性動脈閉塞症等で投与する「プレタール錠」の適応は以下の2通りのみである。

【効能・効果】

・慢性動脈閉塞症に基づく潰瘍，疼痛及び冷感等の虚血性諸症状の改善
・脳梗塞（心原性脳塞栓症を除く）発症後の再発抑制

　一方，禁忌に対しての疾患等については，適応の2倍もの禁忌が記載されている。

【禁忌（次の患者には投与しないこと）】

1．出血している患者（血友病，毛細血管脆弱症，頭蓋内出血，消化管出血，尿路出血，喀血，硝子体出血等）〔出血を助長するおそれがある〕
2．うっ血性心不全の患者〔症状を悪化させるおそれがある〕
3．本剤の成分に対し過敏症の既往歴のある患者
4．妊婦又は妊娠している可能性のある婦人（「6.妊婦，産婦，授乳婦等への投与」の項参照）

　保険者では審査支払機関から提出されたレセプトに対して，まずは禁忌対象の有無を，コンピュータシステム等を用いてチェックする保険者まで現れてきたようで，ますますきびしいチェックが続くことだけは間違いないようだ。しかしながら，医師はたとえ禁忌だと知っていても，当該治療を止めれば他に大きな影響を及ぼす可能性があれば，継続治療を続けなければならないこともあるのではないだろうか。そのため以下のことに留意しておく必要があると思われる。

① 禁忌対象となっている疾患が，継続的に治療を行っている場合
② 単純に病名だけが残っている場合
③ 治療は継続しているが，状態が安定しているため，特に治療はしていない場合

　このなかで最も留意すべきは②である。
　例えば，ボルタレン錠を投与する患者に対して，レセプト上，すでに治療を行っていない胃潰瘍等の病名が記載されていた場合，保険者側では治療の有無にかかわらず，禁忌として取り扱われる可能性がある。
　そして，次に留意したいのは③である。禁忌対象疾患について治癒はしていないため，病名削除

あるいは中止等はできないが，現在の状態が安定しているため，積極的な治療はしていないケースである。この場合，症状詳記等で現在の状態を記載することが望ましい。現に詳記を記すことで査定減点を受けなかったこともあり，再審査請求でも復活となった事例も数多く経験している。

事例13　病名と禁忌

　点滴注射は内服薬以上に禁忌が多数ある。二次審査では禁忌対象疾患について目を皿のようにしてチェックを行っている。
　例えば，当月に治療がなく単純に禁忌対象の病名のみがレセプトに明記されていただけで，査定されることが多々ある。それを回避するためには，当月の治療行為に対して不要な病名がレセプトに残っている場合は，医師に確認したうえで「中止」とするなどの方策をとる必要がある。
　また，禁忌病名を明記した状態で保険請求する場合は，禁忌対象病名の状況等の説明が必要である。例えば，アミノフリードを投与している患者で，特に治療は行っていない「慢性心不全」の病名があった場合は，禁忌として「うっ血性心不全」があるため，査定対象となる可能性が高い。そのため，次のような詳記が必要だと思われる。

再審査請求時の症状詳記

　食事を提供しているが経口摂取不十分の状態が続き，低蛋白血症を認めアミノフリード投与を行った。慢性心不全については，理学療法が行える程度まで改善を示しており，適時，胸部X−p・浮腫等のチェックをしている。以上の理由により慢性心不全の状態は安定傾向であることと，著明な低蛋白血症が認められていることから，アミノフリード投与は必要と考えた。

事例14　意外と多い高カロリー輸液に対する禁忌

　経口摂取が不能あるいは不十分な患者に対して，日常的に行われているのが高カロリー輸液による中心静脈注射である。一般的に食事と中心静脈注射との併用は，特に医学的な理由がない限り，10日間程度が併用期間と言われている。
　そのため10日を超えて食事と併用する場合，その必要理由がなければ査定減点となる可能性がき

わめて高い。また，高カロリー輸液には禁忌疾患が多いので，特に注意が必要となる。

【フルカリック・ピーエヌツインの禁忌一覧】

（１）本剤又は本剤配合成分に過敏症の既往歴のある患者

（２）血友病の患者〔出血時間を延長することがある（パントテノール含有のため）〕

（３）乳酸血症の患者〔乳酸血症が悪化するおそれがある〕

（４）高ナトリウム血症の患者〔高ナトリウム血症が悪化するおそれがある〕

（５）高クロール血症の患者〔高クロール血症が悪化するおそれがある〕

（６）高カリウム血症，乏尿，アジソン病，高窒素血症の患者〔高カリウム血症が悪化又は誘発されるおそれがある〕

（７）高リン血症，副甲状腺機能低下症の患者〔高リン血症が悪化又は誘発されるおそれがある〕

（８）高マグネシウム血症，甲状腺機能低下症の患者〔高マグネシウム血症が悪化又は誘発されるおそれがある〕

（９）高カルシウム血症の患者〔高カルシウム血症が悪化するおそれがある〕

（10）肝性昏睡又は肝性昏睡のおそれのある患者〔肝性昏睡が悪化又は誘発されるおそれがある〕

（11）重篤な腎障害のある患者〔高窒素血症が誘発されるおそれがある〕

（12）アミノ酸代謝異常のある患者〔アミノ酸インバランスが助長されるおそれがある〕

【アミノフリードの禁忌一覧】

（１）肝性昏睡又は肝性昏睡のおそれのある患者〔アミノ酸の代謝が十分に行われないため，症状が悪化するおそれがある〕

（２）重篤な腎障害のある患者又は高窒素血症の患者〔水分，電解質の過剰投与に陥りやすく，症状が悪化するおそれがある。また，アミノ酸の代謝産物である尿素等が滞留し，症状が悪化するおそれがある〕

（３）うっ血性心不全のある患者〔循環血液量を増すことから心臓に負担をかけ，症状が悪化するおそれがある〕

（４）高度のアシドーシス（高乳酸血症等）のある患者〔症状が悪化するおそれがある〕

（５）電解質代謝異常のある患者〔症状が悪化するおそれがある〕
　　○高カリウム血症（乏尿，アジソン病等）の患者
　　○高リン血症（副甲状腺機能低下症等）の患者
　　○高マグネシウム血症（甲状腺機能低下症等）の患者
　　○高カルシウム血症の患者

（６）閉塞性尿路疾患により尿量が減少している患者〔水分，電解質の過負荷となり，症状が悪化するおそれがある〕

（７）アミノ酸代謝異常症の患者〔投与されたアミノ酸が代謝されず，症状が悪化する〕

【イントラリポスの禁忌一覧】

（１）血栓症の患者〔凝固能亢進により症状が悪化するおそれがある〕

（２）重篤な肝障害のある患者〔症状が悪化するおそれがある〕

（３）重篤な血液凝固障害のある患者〔出血傾向があらわれるおそれがある〕

（４）高脂血症の患者〔症状が悪化するおそれがある〕

（５）ケトーシスを伴った糖尿病の患者〔ケトーシスが亢進するおそれがある〕

事例15　術中の止血に対する薬剤

　外科系手術に組織の接着・閉鎖・止血等の目的で使用される代表的な薬剤として，タココンブ，ボルヒール，ベリプラスト等がある。そのなかでも，タココンブは効能効果に手術領域が明記されている。

タココンブ

【効能又は効果】肝臓外科，肺外科，心臓血管外科，産婦人科及び泌尿器外科領域における手術時の組織の接着・閉鎖（ただし，縫合あるいは接合した組織から血液，体液又は体内ガスの漏出をきたし，他に適切な処置法のない場合に限る）

【用法・用量】接着・閉鎖部位の血液，体液をできるだけ取り除き，本剤を適切な大きさにし，乾燥状態のままあるいは生理食塩液でわずかに濡らし，その活性成分固着面を接着・閉鎖部位に貼付し，３〜５分間圧迫する。

タココンブに代わる薬剤

　タココンブは最小のものでも薬価が約１万７千円と非常に高価なものであるため，能書にある手術領域以外で使用した場合は，基本的に査定減点の対象となる。当然，医学的な見地から適応手術以外で使用する場合もあるが，少なくとも外科系の医師には能書上でしばりがあることは伝えておく必要がある。

　例えば，腹腔鏡下による胆嚢摘出術を行った際に，胆嚢が肝臓に癒着しており剥離後に止血が困難となった場合，組織接着に優れた効果があるタ

ココンブを使用したとする。術式は腹腔鏡下による胆嚢摘出術であるため，適応手術外と判断され査定減点につながることが予想される。医師に適応がないため使用しないでほしいと言ったとしても，医学的に必要だと言われてしまえば，事務サイドとしてはお手上げである。

そこで，タココンブに代わる薬剤を探してみることも重要なことだと筆者は考えている。

まずは，原点に戻って医師に適応外術式でタココンブを使用する意義を確認してみることだ。実は筆者自身の医療機関でも，前述した腹腔鏡下での胆嚢摘出術にタココンブを使用して査定減点を受けた経験がある。医師は胆嚢に肝臓が癒着している場合，出血量が多くなるため止血目的でタココンブを使用したとの返答であった。

この医師の返答のなかにヒントがある。「止血目的」ということは，止血を主とした材料がほかにもあれば，タココンブを使用せずに済む可能性がある。そのため，薬局に相談して検討した結果，可吸収性止血剤である「サージセル・アブソーバブル・ヘモスタット」という材料があった。

サージセル

【効能又は効果】各種手術時の止血及び創腔充填
【用法・用量】通常，出血創面に適当量を直接適用するか，創腔に充填する。本剤には，各種の外科的適用例があり，腹部，脳神経外科，整形外科，或は耳鼻咽喉科領域等の処置・手術に際して，毛細血管及び静脈出血抑制の為の補助材として有用である。例えば，腹嚢手術，肝臓部分切除術，痔核切除術，膵臓，腎臓，前立腺，腸，乳房，或は甲状腺等の損傷や切除術，さらに四肢切断術等への適用例が報告されている。

サージセルの採用

サージセルの薬価はタココンブと比較して10分の1であり，仮に査定減点を受けたとしても大きな打撃は受けないと判断。医師には胆嚢手術に対する止血の適応がある旨を説明して，現在では必要に応じて同材料を使用している。今のところ査定減点はない。また医師からも特に問題となるような話は聞いていない。あくまでも一例だが，あまり型にとらわれず，柔軟な発想をもつことで，意外と簡単に解決の糸口はみつかるものである。

事例16　能書に書かれている適時増減とは

内服薬・注射薬の多くは，1日当たりの投与量が能書に記載されており，薬剤によっては「適宜増減」と明記されている薬剤がある。

例えば，「アーチスト錠（1.25mg・2.5mg・10mg・20mg）」の場合，次のように示されている。

○本態性高血圧症（軽症～中等症），腎実質性高血圧症：通常，成人1回10～20mgを1日1回経口投与する。なお，年齢，症状により適宜増減する。

○狭心症：通常，成人1回20mgを1日1回経口投与する。なお，年齢，症状により適宜増減する。

○虚血性心疾患又は拡張型心筋症に基づく慢性心不全：通常，成人1回1.25mg，1日2回食後経口投与から開始する。1回1.25mg，1日2回の用量に忍容性がある場合には，1週間以上の間隔で忍容性をみながら段階的に増量し，忍容性がない場合は減量する。用量の増減は必ず段階的に行い，1回投与量は1.25mg，2.5mg，5mg又は10mgのいずれかとし，いずれの用量においても，1日2回食後経口投与とする。

通常，維持量として1回2.5～10mgを1日2回食後経口投与する。なお，年齢，症状により，開始用量はさらに低用量としてもよい。また，患者の本剤に対する反応性により，維持量は適宜増減する。

このように適宜増減と明記されている薬剤の場合，当然，医師が必要とした患者のみ対象となるが，審査機関では倍量までは認めているようである。もちろん，審査委員の考え方により，異なる見解をもっている場合もあるので，「一般的に」ということで理解していただきたい。医学的に倍量投与を行った場合は，念のために投与理由をレセプトに明記しておいたほうよいだろう。

事例17　腫瘍マーカー検査および悪性腫瘍特異物質治療管理料の請求時留意点

悪性腫瘍の傷病名があるため，腫瘍マーカー検査を悪性腫瘍特異物質治療管理料（B001「3」）で請求した場合に，査定を受けることがある。なぜ，査定されるのだろうか。その理由の一つに，

請求上の算定ルールの理解不足があるようだ。腫瘍マーカー検査と悪性腫瘍特異物質治療管理料の関係は，どのように考える必要があるのか。

当院では，スタッフに理解をしてもらうため，**図表9**のような「対象疾患一覧」を作成している。

一覧では，各腫瘍マーカー検査において，特異性が高いものについては「◎」，高値を示すには「○」，ほぼ半数に陽性を示すには「●」を表示している。また，算定上の留意点として，悪性腫瘍特異物質治療管理料とは別に腫瘍マーカー検査料として請求できる疾患も記載している。

さらに，本来，腫瘍マーカー検査は通知上において，「診察，腫瘍マーカー以外の検査，画像診断等の結果から，悪性腫瘍の患者であることが強く疑われる者に対して検査を行った場合」に算定できるとあるが，触診等による診察および血液・尿検査結果で悪性腫瘍が強く疑われるかを診断可能である疾患についても一覧にしている。この一覧は，医師用として作成したものである。医事職員については，そのほか特に注意が必要な算定事例をQ＆Aで作成した。

まとめ

レセプト審査におけるコンピュータシステムの導入により，薬剤等の禁忌適応の確認などが容易になり，医療機関としても従来のレセプト点検からシステムなどを利用する手法にシフトしつつある。システム化することで審査機関同様，禁忌・傷病名チェックが簡単にできるようになり，さらに点数算定においても様々なチェックロジックを使うことで，これまで気づきにくかった重複点数や過剰請求など，診療報酬上のルールに基づいた点検を行うことが可能になった。

また，再審査請求においては，いまだに審査機関に「睨まれる」と勘違いしている医療機関も多数あると聞いているが，まったくの思い違いである。むしろ積極的に再審査請求を行っている医療機関に対しては，審査委員も「一目おく」という話もあるくらいで，主治医が信念に基づいて行った治療であるのなら，プライドをもって再審査請求を行ってもらいたいものである。なお，最近は，医療機関が元審査委員の医師を雇用してレセプト点検・再審査請求等を行っているところもあるようだ。

いずれにしても何も行わなければ何も始まらない。今日から，まずは1歩進めることから始めてみてはいかがだろうか。

症状詳記

図表9　腫瘍マーカー検査に伴う対象疾患一覧

腫瘍マーカー検査 ＼ 癌	神経芽細胞	胚細胞腫（脳）	その他腫瘍	頭・喉頭・耳	鼻・副鼻腔・咽	甲状腺	食道	胃	肝臓	胆道・胆管	膵臓	大腸	肺・扁平上皮	肺腺	肺小細胞	腎臓	膀胱	前立腺	精巣・睾丸	陰茎	乳房	子宮	卵巣	絨毛疾患	皮膚
AFP									◎																
BCA225																					◎				
BFP										○	○					○	○						○	○	
BTA（尿）																	●								
CA15-3											○			○							◎	○	●		
CA19-9							○	○	○	◎	●		○			○							●		
CA50								○		○	●	●													
CA54/61																							◎		
CA72-4								○				○									○		○		
CA125																					●		●		
CA130																							●		
CA602																							●		
CEA		○		○		○	○	○	○			○				○							●		●
CEA（乳頭分泌液）																					◎（非腫瘍性）				汗腺癌術後経過
CSLEX																					◎				
CYFRA													◎												
DUPAN-2										○	●	●													
エラスターゼ1											●														
GAT																							◎		
γSm																		◎							
フコース（尿）									○	○	○														
HCG		○																	◎				◎	◎	
HCGβ分画（尿）		○																	◎		●	●	●	●	
HER2タンパク（血清）																					◎（再発）				
HER2タンパク（乳頭分泌液）																					◎（非腫瘍性）				
IAP	●							●	○		●	●	○		○		○								
NCC-ST-439										●	●	○													
NMP22（尿）																	◎（尿路上皮癌疑いのみ可）								
NSE	○			○	○			○				○			◎			○				●			
PAP																		◎							
PIVKAⅡ									◎																
POA								○		●	●	●													
ProGRP															◎										
PSA																		◎							
PSA F/T比																		○（前立腺癌疑いのみ可）							
SCC				◎				●					◎							○		◎			
SLX																						○	●	◎	
SP1									○	○															
SPan-1									◎	○	○	○											○	●	
TPA									○	○	○	●										○	●		

※　◎特異性が高い（80〜100%）　　　○高値を示す　　　●ほぼ50%程度陽性を示す

〈算定上の留意点〉

(1) 腫瘍マーカー検査は悪性腫瘍特異物質治療管理料とは別に検査料として算定できる（上記表の色アミ＋色文字で記載した項目）

検査項目	疾病
AFP・PIVKAⅡ	肝硬変・B型肝炎・C型肝炎・肝芽細胞腫
CA125・CA130・CA602	子宮内膜症の治療前後各1回
CSLEX・CA15-3	乳癌が疑われた場合
エラスターゼ1	急性膵炎・慢性膵炎
尿中BTA	膀胱癌再発の診断
尿中NMP	尿沈査で赤血球が認められ，尿路上皮癌が疑われた場合

(2) 触診および血液・尿検査等で診断可能な疾患

①触診等画像診断がなくても診断可能な疾患
　乳癌・甲状腺癌・前立腺癌・子宮癌・直腸癌
②血液検査・尿検査等で悪性腫瘍が想定できる疾患
　肝臓癌・尿路癌・膵臓癌

〈大原則〉悪性腫瘍と診断された場合の検査料は上記を除き管理料にて算定する。ただし，診断された悪性腫瘍に有意でない検査を実施した場合（対象表参照）は，算定上は管理料として算定はするが，レセプトには○○癌の疑いと記載が必要である。

〈算定事例〉	回答
大腸癌＋肝臓癌疑いに対して腫瘍マーカー（CA19-9・CEA・AFP）を施行した。	CA19-9・CEAは上記表により大腸癌に優位な検査とされているが，AFPは肝臓のみが適応である。算定上は悪性腫瘍管理3項目で請求するが，病名は「肝癌疑い」を記載すること。
胃癌・慢性膵炎・肝硬変に対して，腫瘍マーカー（SPan-1・CEA・PIVKAⅡ・エスタラーゼI）を施行した。	肝硬変・慢性膵炎に対して行ったPIVKAⅡ・エラスターゼIは悪性腫瘍管理料とは別に検査料として算定できるため，SPan-1・CEAは悪性腫瘍管理，エラスターゼI・PIVKAⅡは検査料で算定。レセプトには肝癌・膵癌疑いは不要。
精巣癌＋転移性肝癌疑いに対して，腫瘍マーカー（AFP）を施行した。	AFP検査は直接精巣癌に関係のない腫瘍マーカー検査であるが，癌が確定しているため，悪性腫瘍管理料で算定する。ただし「肝癌疑い」病名をレセプトに記載すること。

第4章
レセプトチェック事例

▶▶▶間違いのあるレセプト事例を集めました。2章で学んだレセプトチェックのポイントを参考に，実際に点検を行い，正しい算定に改めてください。

※　すべてのレセプト事例は2024年10月現在の診療報酬に準拠しています。

外来事例

外来事例1　《緊急手術と複数科受診の事例》

施設の概要　病院（外・整・内・神経内・小・耳鼻・眼・泌・精神・リハ・麻酔），一般病棟199床，救急輪番制病院（24時間365日），電子カルテ，PACSシステム
届出等　薬剤管理指導料，検体検査管理加算（Ⅰ）・（Ⅱ），画像診断管理加算1，処方箋料（抗悪性腫瘍剤処方管理加算），体外衝撃波胆石破砕術，体外衝撃波腎・尿管結石破砕術，麻酔管理料（Ⅱ），外来・在宅ベースアップ評価料（Ⅱ）2
〔診療時間〕　月～金曜日　　9：00～17：00
　　　　　　　土曜日　　　　9：00～12：00
　　　　　　　日曜日，祝日　休診
〔所在地〕　4級地

泌尿器科等／男性　S42.6.25生（58歳）（199床の救急輪番制病院）　　　　令和6年10月分

傷病名				診療開始日					転帰				診療実日数	保険	3 日
（1）高血圧症，肺気腫，慢性呼吸不全（主）				（1）	5 年	5 月	8 日		治ゆ	死亡	中止			公費①	日
（2）尿管結石症				（2）	6 年	10 月	12 日							公費②	日
（3）				（3）	年	月	日								
（4）				（4）	年	月	日								

⑪初　診	時間外・休日・深夜		回	点	公費分点数
⑫再診	再　　診	75 ×	3 回	225	
	外来管理加算	52 ×	2 回	104	
	時　間　外	×	1 回	65	
	休　　日	×	回		
	深　　夜	×	回		
⑬医学管理					
⑭在宅	往　　診		回		
	夜　　間		回		
	深夜・緊急		回		
	在宅患者訪問診療		回	7,571	
	そ　の　他				
	薬　　剤				

㉚注射	㉛皮下筋肉内	回	
	㉜静　脈　内	回	
	㉝そ　の　他	1 回	206
㊵処置		回	
	薬　　剤		3
㊿手術麻酔		2 回	23,150
	薬　　剤		226
⑥検査病理		9 回	986
	薬　　剤		
⑦画像診断		2 回	497
	薬　　剤		
⑧その他	処　方　箋	5 回	300
	薬　　剤		

療養の給付	保険	請求 33,271 点	※決定 点	一部負担金額 円
				減額割 （円）免除・支払猶予
	公費①	点	※ 点	円
	公費②	点	※ 点	円

⑫　＊再診料　　　　　　　　　　　　　　　　　75 × 3
　　＊時間外（8日）　　　　　　　　　　　　　65 × 1

⑭　＊在宅酸素療法指導管理料2
　　　（酸素飽和濃度　96.3％）　　　　　　 2,400 × 1
　　＊酸素濃縮装置加算　　　　　　　　　　 4,000 × 1
　　＊酸素ボンベ加算1　　　　　　　　　　　　880 × 1
　　＊呼吸同調式デマンドバルブ加算　　　　　 291 × 1

㉝　＊（点滴注射）
　　　アクメインD輸液　500mL 2袋，
　　　スルバシリン静注用1.5g 2瓶，
　　　生食溶解液キットH50mL 2キット　　　　206 × 1

㊵　＊ボルタレンサポ50mg 1個　　　　　　　　　 3 × 1

㊿　＊体外衝撃波腎・尿管結石破砕術（一連につき）（12日）
　　　体外衝撃波消耗性電極加算　　　　　　22,300 × 1
　　＊脊椎麻酔（30分）（10日）　　　　　　　 850 × 1
　　＊キシロカイン注ポリアンプ1％ 10mL 1管，
　　　アナペイン注7.5mg/mL（0.75％ 20mL）1管，
　　　マーカイン注脊麻用0.5％等比重4mL 1管，
　　　フェンタニル注射液0.1mg「テルモ」
　　　　0.005％ 2mL 1管　　　　　　　　　　 160 × 1
　　＊ラクテック注500mL 2袋，
　　　ドルミカム注射液10mg 2mL 1管　　　　　 58 × 1
　　＊液体酸素・可搬式液化酸素容器（LGC）
　　　200L（0.32円× 200L × 1.3）　　　　　　 8 × 1

⑥　＊ECG（12）　　　　　　　　　　　　　　 130 × 1
　　＊末梢血液一般　　　　　　　　　　　　　 21 × 1
　　＊像（自動機械法）　　　　　　　　　　　 15 × 1
　　＊TP，BUN，クレアチニン，T-cho，TG，
　　　BIL／総，AST，ALT，アルカリホスファターゼ，
　　　γ-GT，CK，Na・CL，K，グルコース　　 163 × 1

	＊STS 定性	15 × 1		電子媒体保存撮影（単純）2 回	
	＊HBs 抗原，HCV 抗体定性・定量	131 × 1		電子画像管理加算（単純撮影）	287 × 1
	＊CRP	16 × 1	⑧⓪	＊院外処方箋（6 種類以下）	
	＊B-V	40 × 1		泌尿器科（12，29日）	
	＊ 判血 , 判生Ⅰ , 判免 , 検管Ⅰ	453 × 1		外科（24日）	
⑦⓪	＊X-P 胸部			呼吸器内科（24日）	
	電子媒体保存撮影（単純）1 回			消化器内科（29日）	60 × 5
	電子画像管理加算（単純撮影）	210 × 1			
	＊X-P 腹部				

事例の経過　10月13日（土）午後1時頃，腹部の激痛にて，救急車で来院した。腹部のレントゲン撮影の結果から，尿管結石と診断。痛みが激しいため，当日中に緊急手術を施行。点滴，投薬のあと，本人の希望で外来扱いとした。
　その後，他医療機関において，胆嚢炎の緊急入院手術を行うことになった。10月14日より入院して，15日に胆嚢摘出術を施行し，19日に退院したという。
　胆嚢炎の手術を行った病院では，治療指針の説明，肝炎に対する治療計画作成が行われた。軽快したため，当院に再紹介があり，以後，当院にて従前から治療中の在宅酸素療法等を行うこととなった。

カルテの記載（10月）

10.12（土）（午後1時以降，救急二次当番日）：
　泌尿器科：腹部痛があったため，救急車にて来院。かなりの腹痛があるため，点滴と服薬を行う。
　若干，痛みが軽減したので，腹部レントゲン（午後1時半）を施行したところ，尿管結石と診断。緊急破砕術を施行することとした。
　午後1時半から各種検査（血液，生化学，CRP），胸部レントゲン，その他の術前検査を施行した。担当医と麻酔医から手術の詳細と麻酔（脊椎麻酔）のリスク等について説明を行う。
　手術後，診療計画書を渡し，外来にて投薬（5日分）を行って帰宅となった。
　なお，緊急検査の結果，B型肝炎陽性が判明。当院の消化器内科での主病治療として，受診を予約する。

10.24（木）：
　他医療機関に入院（14 ～ 19日）し，胆嚢摘出術を行ったとのこと。退院後，当院を受診した。
　同院からの紹介状には，胆嚢炎の手術フォローに加え，その他の疾患のフォローも，当院にて行ってもらいたい旨の記述あり。
　呼吸器内科：この日は，呼吸器内科医師が診察し，従前から行っている在宅酸素療法について，各種検査・指導等を行った。在宅酸素の管理については，2カ月後のフォローとする。
　外科：また，外科にて胆嚢結石の術後フォローを行った。以後は，消化器内科での受診とした。
　両科にて，院外処方箋を発行する（呼吸器内科14日分，外科7日分）。

10.29（火）：
　呼吸器内科：順調に回復傾向にあることから，来月，腹部レントゲン撮影を施行することとし，予約する。
　泌尿器科：尿管結石のフォロー。
　消化器内科：本日予約の消化器内科にて，肝炎（慢性B型肝炎）の治療計画を提供し，外科から胆嚢結石術後の定期的なフォローを予定した。
　各科にて，院外処方箋を発行する（泌尿器科5日分，消化器内科28日分）

レセプトチェック事例

外来

入院

点検事項と修正内容

① 傷病名のもれ

　12日のカルテの記載から，患者はB型肝炎の陽性であることが判明している。また，胆囊炎，胆石症について，20日からフォローを行っている。傷病名もれがあるため，追加した。

② 同一日2科受診時の再診料の算定誤り

　12日は土曜日である。再診料に「時間外加算」が算定されているが，同院は救急輪番制病院（24時間365日）であり，当番日の受診であることから，**時間外特例加算での算定に変更する。**

　また，診療内容より，24日と29日はともに2つの診療科に受診している。診療内容が異なるので，**2科目の受診について，再診料が算定可能**と思われるので，追加した。

③ 「2カ月に一度指導」の場合の加算の算定

　24日のカルテ記載に「在宅酸素の管理については，2カ月後のフォローとする」とある。酸素ボンベ加算等は「3月に3回」の算定が認められるので，本事例のように，2カ月間に一度の受診として指導管理を行っている場合，**加算は2回の算定が認められる。**

　なお，「翌月・翌々月と合わせて3回分算定」とするのか，「前月・前々月と合わせて3回分算定」するのかは，とくに規定はなく，いずれについても認められる。

④ 手術の加算算定もれ

　診療時間外に行われた手術・麻酔であるため，それぞれに**時間外加算を算定できる。**手術医療機器等加算に対しては算定できない。

　また，患者がB型肝炎陽性であることがわかっているので，手術の部の「通則11」の**感染症患者加算（1,000点）**も算定可能である。

　さらに，診療内容から，常勤の麻酔医より術前・術後の説明がなされていると思われるので，**麻酔管理料（Ⅱ）の算定を追加する。**

　※短期滞在手術等基本料3での手術対応なので，外来では出来高算定となる。

《緊急破砕術時の入院》

　本事例では，12日の緊急破砕術のあと，患者本人の希望で帰宅し，外来での扱いとなっている。

　だが，一般的に破砕術のあとは，当日中に帰宅する場合でも，いったん病棟に上がって経過観察などを行うことが多く，「1日入院」の扱いとなるケースが多い。

傷病名	（1）高血圧症，肺気腫，慢性呼吸不全（主） （2）尿管結石症 ~~(3) 慢性B型肝炎（主）~~ ~~(4) 胆囊炎，胆石症~~				

⑪初　診		時間外・休日・深夜		回	点	公費分点数
⑫再診	再　　診	×	**5** 回	**301**	
	外来管理加算	52 ×	**2** 回	**104**	
	時　間　外	×	**1** 回	**180**	
	休　　日	×	回		
	深　　夜	×	回		
⑬医学管理				**240**	
⑭在宅	往　　診		回		
	夜　　間		回		
	深夜・緊急		回		
	在宅患者訪問診療		回	**12,742**	
	そ　の　他				
	薬　　剤				
⑳投薬	㉑内服 { 薬剤		単位		
	㉑内服 { 調剤	×	回		
	㉒屯服　薬剤		単位		
	㉔内服 { 薬剤		単位		
	㉔内服 { 調剤		回		
	㉕処　方	×	回		
	㉖麻　毒		回		
	㉗調　基				
㉚注射	㉛皮下筋肉内		回		
	㉜静　脈　内		回		
	㉝そ　の　他		**1** 回	**206**	
㊵処置			回		
	薬　　剤			**3**	
㊿手麻術酔			**3** 回	**32,360**	
	薬　　剤			**218**	
⑥検病査理			**10** 回	**1,124**	
	薬　　剤				
⑦画診像断			**2** 回	**607**	
	薬　　剤				
⑧そ の 他	処　方　箋		**5** 回	**356**	
	薬　　剤				

療養の給付	保険	請求 **48,441** 点	※決　定 点	一部負担金額 円
				減額　割（円）免除・支払猶予
	公費①	点	※ 点	円
	公費②	点	※ 点	円

診療開始日					転帰	治ゆ 死亡 中止	診療実日数	保険	3 日
	(1)	5 年	5 月	8 日				公費①	日
	(2)	6 年	10 月	12 日					
	(3)	6 年	10 月	12 日				公費②	日
	(4)	6 年	10 月	24 日					

⑫ ＊再診料　　　　　　　　　　　　　　　75 × 1
　＊時間外特例加算（12日）　　　　　　180 × 1
　＊再診料（外科）（24日）　　　　　　 75 × 1
　＊再診料（同一日2科目；呼吸器内科）（24日）　38 × 1
　＊再診料（消化器内科）（29日）　　　 75 × 1
　＊再診料（同一日2科目；泌尿器科）（29日）　38 × 1

⑬ ＊ウイルス疾患指導料「イ」
　　（B型肝炎）　　　　　　　　　　　 240 × 1

⑭ ＊在宅酸素療法指導管理料2
　　（酸素飽和濃度　96.3%）　　　　　2,400 × 1
　＊酸素濃縮装置加算　　　　　　　　 4,000 × 2
　＊酸素ボンベ加算1　　　　　　　　　 880 × 2
　＊呼吸同調式デマンドバルブ加算　　　 291 × 2

㉝ ＊（点滴注射）
　　アクメイン注　500mL 2袋,
　　スルバシリン静注用1.5g 2瓶,
　　生食溶解液キット H50mL 2キット　 206 × 1

㊵ ＊ボルタレンサポ50mg 1個　　　　　　 3 × 1

㊿ ＊体外衝撃波腎・尿管結石破砕術（一連につき）（12日）
　　時間外加算
　　体外衝撃波消耗性電極加算
　　B型肝炎加算　　　　　　　　　　 31,020 × 1
　＊脊椎麻酔（30分），時間外加算（12日）1,190 × 1
　＊麻酔管理料（Ⅱ）　　　　　　　　　 150 × 1

　＊キシロカイン注ポリアンプ1％ 10mL 1管,
　　アナペイン注7.5mg/mL（0.75% 20mL）1管,
　　マーカイン注脊麻用0.5%等比重4mL 1管,
　　フェンタニル注射液0.1mg「テルモ」
　　　0.005% 2mL 1管　　　　　　　　 160 × 1
　＊ラクテック注 500mL 2袋,
　　ドルミカム注射液10mg 2mL 1管　　　 58 × 1
　＊液体酸素・可搬式液化酸素容器（LGC）
　　200L（0.32円× 200L × 1.3）　　　　　 8 × 1

⑥〇 ＊ECG（12）　　　　　　　　　　　 130 × 1
　＊末梢血液一般　　　　　　　　　　　 21 × 1
　＊像（自動機械法）　　　　　　　　　 15 × 1
　＊TP，BUN，クレアチニン，T-cho，TG,
　　BIL／総，AST，ALT，アルカリホスファターゼ,
　　γ-GT，CK，Na・CL，K，グルコース　103 × 1

※高額療養費	円	※公費負担点数	点	※公費負担点数	点

　＊STS定性　　　　　　　　　　　　　 15 × 1
　＊HBs抗原，HCV抗体定性・定量　　　131 × 1
　＊CRP　　　　　　　　　　　　　　　 16 × 1
　＊B-V　　　　　　　　　　　　　　　 40 × 1
　＊判血 判生Ⅰ 判免 検管Ⅰ　　　　　453 × 1
　＊時間外緊急院内検査加算（12日13:30）200 × 1

⑦〇 ＊X-P胸部
　　電子媒体保存撮影（単純）1回
　　電子画像管理加算（単純撮影）　　　 210 × 1
　＊X-P腹部
　　電子媒体保存撮影（単純）2回
　　電子画像管理加算（単純撮影）　　　 287 × 1
　＊時間外緊急院内画像診断加算（12日13:30）110 × 1

⑧〇 ＊院外処方箋（6種類以下）
　　泌尿器科（12，29日）
　　外科（24日）
　　呼吸器内科（24日）
　　消化器内科（29日）　　　　　　　　 60 × 5
　＊特定疾患処方管理加算　　　　　　　 56 × 1

　症状詳記
　　8日午後に，腹部の強度の痛みのため，救急車に
　て来院し，当日に緊急手術を施行（体外衝撃波）。本
　来は入院加療を必要としたが，本人の都合により，
　入院とせずに，外来とした。
　　今回の手術は，肺気腫と慢性呼吸不全の既往もあ
　ることから，脊椎麻酔にての実施とした。
　　他医療機関にて，胆石症からの胆嚢炎にて手術を
　施行したが，再度当院にて治療希望があり，外来フ
　ォロー中である。
　　　　　　　　　　　　　泌尿器科医　〇〇　〇〇

⑤　**緊急で実施した検査・画像診断**

　　12日は時間外に受診し，緊急で検査や画像診断
　を実施しているので，**時間外緊急院内検査加算**と
　同画像診断加算が算定できる。

⑥　**処方加算の修正**

　　処方箋料について「特定疾患処方管理加算」を
　算定している。しかし，診療内容より，29日に消
　化器内科から出された処方箋は，B型肝炎に対す
　る28日分のものである。B型肝炎は主病であり要
　件を満たすので，「**特定疾患処方管理加算**」56点を
　算定する。

⑦　**肝炎の治療計画作成を指導**

　　12日の検査でB型肝炎であることがわかった患
　者である。29日の診察で，治療計画を提供し指導
　を行ったことが読み取れるので，B001「1」ウイ
　ルス疾患指導料を算定できる。
　　また，症状詳記についても追記した。

外来事例2 《在宅患者の酸素療法と大腸ポリープ切除》

施設の概要 病院（外・整形・内・神経内・小・耳・眼・泌・精神・リハビリ科・麻酔），一般病床150床，紹介率22%，救急輪番制病院（24時間365日）

届出等 急一般4，看必1，臨修2（協力型），救医，録管2，医1の40，急25上，夜50，安全1，患サポ，感向3，感連，感サ，後使，看処遇33，薬管，医機安1，検管Ⅱ，画像診断管理加算2，CT撮影イ（16列以上），MRI（1.5テスラ：施設基準2），処方せん料（抗悪性腫瘍剤処方管理加算），退院時

共同指導料2，手術「通則5」および「6」承認（胸腔鏡・腹腔鏡），麻管Ⅱ，在宅療養支援病院，入院食事療養費（Ⅰ）

〔その他〕 オンライン資格確認システム運用開始（4月1日）

〔診療時間〕 月～金曜日 9：00～17：00
　　　　　　　土曜日 9：00～12：30
　　　　　　　日曜日，祝日 休診

〔所在地〕 静岡県沼津市（6級地）

呼吸器内科／男性　S46.4.15生（55歳）（199床の救急輪番制病院）　　　　　令和6年6月分

傷病名		診療開始日			転帰	診療実日数	
（1）重症睡眠時無呼吸症候群（主）		（1）	令2年7月4日			保険	2日
（2）てんかん		（2）	令2年3月6日			公費①	日
（3）維持療法が必要な難治性逆流性食道炎		（3）	令2年3月6日			公費②	日
（4）高脂血症，糖尿病，慢性心不全		（4）	令3年5月15日				

⑪初 診	時間外・休日・深夜	回	点	公費分点数
⑫再診	再　診	回		
	外来管理加算	× 回		
	時　間　外	× 回		
	休　　日	× 回		
	深　　夜	× 回		
⑬医学管理				
⑭在宅	往　　診	回		
	夜　　間	回		
	深夜・緊急	回		
	在宅患者訪問診療	2回	1,776	
	そ　の　他	回		
	薬　　剤		1,350	

〜〜〜〜〜〜〜〜〜〜〜〜〜〜〜〜〜

㉚注射	㉛皮下筋肉内	回		
	㉜静　脈　内	回		
	㉝そ　の　他	回		
㊵処置		回		
	薬　剤			
㊿手麻術酔		回		
	薬　剤			
⑥検病査理		8回	3,461	
	薬　剤			
⑦画診像断		回		
	薬　剤			
⑧その他	処　方　箋	1回	60	
	薬　剤			

⑭
* 在宅患者訪問診療料（Ⅰ）
　（同一建物居住者以外）（1日につき）　　　888 × 2
* 在宅持続陽圧呼吸療法指導管理料2
　（初回：令和2年7月4日）　　　　　　　　250 × 1
　在宅持続陽圧呼吸療法用治療器加算（CPAPを使用）
　　　　　　　　　　　　　　　　　　　　1,000 × 1
　在宅持続陽圧呼吸療法材料加算　　　　　　100 × 1

⑥
* 大腸ファイバースコピー（ハ）（14日）　1,550 × 1
* 内視鏡下生検法（1臓器につき）　　　　　310 × 1
* ペチジン塩酸塩注射液35mg　3.5%　1mL　1管
　ミダゾラム注射液10mg　2mL　1管　　　　43 × 1
* 末梢血液一般検査　　　　　　　　　　　　21 × 1
* 末梢血液像（自動機械法）　　　　　　　　15 × 1
* 生化学的検査（Ⅰ）10項目以上
　Crr，NaCL，TP，Alb，ALT，ALP，BIL-t，BIL-D，
　c-GT，CK，Amy，Tcho，LDL-c，TG，BUN，UA，
　K，Ca　　　　　　　　　　　　　　　　103 × 1
* CRP　　　　　　　　　　　　　　　　　　16 × 1
* 判血，判生Ⅰ，判免　　　　　　　　　　413 × 1
* T-M（1臓器）　　　　　　　　　　　　　860 × 1
* 判病判　　　　　　　　　　　　　　　　130 × 1

⑧
* 処方箋料（リファイル以外・その他）　　　60 × 1
* 一般2（処方箋料）　　　　　　　　　　　 8 × 1

　（14日は大腸検査施行）

療養の給付	保険	請求 点 6,647	※決定 点	一部負担金額 円
				減額割（円）免除・支払猶予
	公費①	点	※ 点	円
	公費②	点	※ 点	円 ※高額療養費 円 ※公費負担点数 点 ※公費負担点数 点

事例の経過 　令和2年7月4日に健診でいくつか
の項目で再検査になり，当院に受診した。このうち
無呼吸症候群の症状について，簡易検査と精密検査
実施後，重症睡眠時無呼吸症候群と診断。持続陽圧
呼吸療法を行い，以後外来フォロー中であったが，
仕事中に急に意識を喪失し，令和3年3月6日に緊
急入院。てんかんと診断された。その後，令和5年
12月28日に容態が急変して準寝たきり状態となっ
た。令和5年3月以降は在宅にてフォロー中である。

カルテの記載（6月）

5.21（火）：
急性胃腸炎があるため，来月，内視鏡検査を予定
　した。各種感染症等の検査は本日施行。

6.4（火）：
計画どおり訪問診療（同一建物居宅者以外）。
本日，在宅持続陽圧呼吸療法指導管理を実施。
　　直近の無呼吸低呼吸指数：20.8
　　睡眠ポリオグラフィー所見（C107-2）
　　算定日の自覚症状（C107-2）
　　　※CARP装着で睡眠時の呼吸停止は解消。自
　　　　覚症状も改善されている。療法継続可能の
　　　　理由（C107-2）
　　　※日中の傾眠といった日常生活の支障が軽減
　　　　するため，継続治療が必要と判断
　　体温36.9℃，血圧118/84mmHg，脈拍108/min
　　SpO$_2$：96%

胃腸の調子は良く，日中はリモートにて仕事もし
ている。
病院受診（大腸ファイバー）は14日で予定。
定期処方と次回訪問は27日とする。
Rp）タケキャブ錠10mg　1錠　1日1回朝食後
　　フロセミド錠20mg　1錠　1日1回朝食後
　　デパケンR錠200mg　2錠
　　　　　　　　　　　　1日朝・夕食後　28日分
　　レパミピド錠100mg　3錠　1日毎食後14日分
大腸検査食

6.14（金）：
特に，熱発なし，本日予定どおり検査施行。便等
の確認問題なし。
大腸ファイバー施行。
大腸内に3個のポリープあり，内視鏡的大腸ポリ
ープ切除術施行。切除ポリープは病理へ提出。
安静後，特に出血もなく，帰宅とする。
帰宅前に各種検査（血，生化，免学的検査）施行。
また，携帯型の無呼吸検査を施行。

6.25（火）：
計画どおり訪問診療（同一建物居宅者以外）。
在宅時医学総合管理料2（在宅支援病院）（ロ）
包括的支援加算（該当する状態：1-4　要介護5）
14日の検査以後，特に問題なし。
指導内容：居宅でいつもどおりに過ごして下さい。
食事はカロリーの取りすぎに注意。

点検事項と修正内容

① 傷病名の記載もれ

　診療内容から急性胃腸炎で大腸ファイバーを実施していることがわかるが，レセプトの「傷病名欄」に記載がない。急性胃腸炎の発症日は不明なので，**大腸ポリープを実施した6月14日に両病名を追加**する。

② 再診料の算定もれ

　14日の外来受診について再診料が算定されていない。当初は検査（大腸ファイバー）のみの予定だったため，算定担当者が算定できないと考えたものと思われるが，**再診料は算定可能である**。とくに実際には手術（ポリープ切除術）も実施されているので，算定もれのないようにしたい。

　なお，本事例では，医療情報取得加算に関する記述がないため（実際には確認が必要だが），ここでは算定していない。

③ 在宅時医学総合管理料の算定もれ

【誤】在宅持続陽圧呼吸療法指導管理料2
（初回：令和2年7月4日）250×1

　施設基準の届出状況と診療内容より，当該医療機関が在宅療養支援病院であること，訪問診療の実施が2日あることがわかる。これより，**C002在宅時医学総合管理料「2」（在支診等）「ロ」（月2回以上の訪問）（1）（在宅患者）（3,700点）と「注10」包括的支援加算（150点）**を算定する。なお，注加算については明細書の記載に注意する。

　一方，C002在宅時医学総合管理料2（在支診等）（ロ）に含まれることになるC107-2在宅持続陽圧呼吸療法指導管理料2については削除する。

　なお，在宅時医学総合管理料2（在支診等）（ロ）には**症状詳記を追加**することをお勧めしたい。

レセプトチェック事例
外来
入院

《ワンポイント解説　「往診」と「訪問診療」》

　在宅医療のなかで医師が患者さんの自宅などに出向いて行う診療は「**往診**」や「**訪問診療**」と言います。

　2つの違いに混乱する人もいるかもしれませんが，医師が，診療上必要があると判断したとき，予定外に患者さんの自宅などに赴いて行う診療は「**往診**」であり，医師があらかじめ診療の計画を立て，患者さんの同意を得て定期的に患者さんの自宅などに赴いて行う診療を「**訪問診療**」と言います。

　今回の事例は，定期的な計画ですから「**訪問診療**」となっていて，大腸ポリープ切除術のため病院に外来受診しているので「**再診料**」を算定しています。

傷病名	（1）重症睡眠時無呼吸症候群（主） （2）てんかん （3）維持療法が必要な難治性逆流性食道炎 （4）維高脂血症，糖尿病，慢性心不全 （5）**大腸ポリープ，急性胃腸炎**				

⑪	初 診	時間外・休日・深夜		回	点	公費分点数
⑫再診	再　　診	75×	1回		75	
	外来管理加算	×		回		
	時　間　外	×		回		
	休　　日	×		回		
	深　　夜	×		回		

⑬	医学管理	

⑭在宅	往　　診		回	
	夜　　間		回	
	深夜・緊急		回	
	在宅患者訪問診療	2回		1,776
	そ　の　他			4,950
	薬　　剤			

⑳投薬	㉑内服	薬剤		単位	
		調剤	×	回	
	㉒屯服 薬剤			単位	
	㉓外用	薬剤		単位	
		調剤	×	回	
	㉕処　　方	×	回	
	㉖麻　　毒		回	
	㉗調　　基			

㉚注射	㉛皮下筋肉内		回	
	㉜静　脈　内		回	
	㉝そ　の　他		回	

㊵処置		1		
	薬　　剤			4

㊿手術麻酔		1回	5,000
	薬　　剤		43

⑥⓪検査病理		6回	2,278
	薬　　剤		

⑦⓪画像診断		回	
	薬　　剤		

⑧⓪その他	処　方　箋	回	
	薬　　剤		

療養の給付	保険	請求	14,122	点	※決定	点	一部負担金額	円
							減額 割（円）免除・支払猶予	
	公費①			点	※	点		円
	公費②			点	※	点		円

診療開始日				転帰	治ゆ	死亡	中止	診療実日数	保険	3日
(1)	平成30年	7月	4日						公費①	日
(2)	平成31年	3月	6日						公費②	日
(3)	平成31年	3月	6日							
(4)	令和1年	5月	15日							
(5)	令和6年	6月	14日							

⑫ **＊再診　75 × 1**

⑭ ＊在宅患者訪問診療料（Ⅰ）
（同一建物居住者以外）（１日につき）　888 × 2
＊在宅時医学総合管理料２（在支診等）（ロ）
（月２回以上・単一建物診療患者１人）　3,700 × 1
＊包括的支援加算
（該当する状態：1－4 要介護５）　150 × 1
（訪問診療日：４，25日）
＊在宅持続陽圧呼吸療法指導管理料２（包括）
（初回：令和２年７月４日）
＊在宅持続陽圧呼吸療法用治療器加算（CPAPを使用）
1,000 × 1
＊在宅持続陽圧呼吸療法材料加算　100 × 1

(50) **＊内視鏡的大腸ポリープ・粘膜切除術（長径２cm 未満）**
（14日）　5,000 × 1
＊ペチジン塩酸塩注射液 35mg　3.5%　1 mL　1管
ミダゾラム注射液 10mg　2 mL　1管　43 × 1

(60) ＊末梢血液一般検査　21 × 1
＊末梢血液像（自動機械法）　15 × 1
＊生化学的検査（Ⅰ）10 項目以上
Crr，NaCL，TP，Alb，ALT，ALP，BIL-t，
BIL-D，γ-GT，CK，Amy，Tcho，LDL-c，
TG，BUN，UA，K，Ca　103 × 1
＊ CRP　16 × 1
＊判血，判生Ⅰ，判免　413 × 1
＊ T-M（１臓器）　860 × 1
＊判病判　130 × 1
＊終夜睡眠ポリグラフィー１　720 × 1

直近の無呼吸低呼吸指数　20.8
睡眠ポリオグラフィー所見（C107-2）
算定日の自覚症状（C107-2）
＊睡眠は，CARP をつけての睡眠で，呼吸停止が解消し，自覚症状が改善されている。
療法継続可能である理由（C107-2）
＊日中の傾眠等日常生活の支障が軽減する為，継続治療が必要
体温 36.9℃，血圧 118/84mmHg，脈拍 108/min，SpO_2：96%

※高額療養費　円	※公費負担点数　点	※公費負担点数　点

④ 大腸ファイバー検査から内視鏡的大腸ポリープ切除術へ変更

【誤】大腸ファイバースコピー（ハ）（14日）
1,550×1
内視鏡下生検法（１臓器につき）　310×1

元々は検査（「大腸ファイバースコピー」と「生検」）の予定であったが，ポリープが確認され，その切除を行ったので，手技を**K721 内視鏡的大腸ポリープ・粘膜切除術へ変更**する必要がある。なお，ポリープの大きさは不明なので，ここでは最も小さい「１」直径２cm未満での請求とした。

また，これにより，**D414 内視鏡下生検法は手術に包括されることになるため，削除**した。

なお，左記変更に伴い，薬剤は「検査」から「手術」の項へ変更となる。

⑤ 終夜睡眠ポリグラフィの算定もれ

14日の診療内容から，この日以降に携帯型の無呼吸検査を実施していることがわかる。**D237 終夜睡眠ポリグラフィ「１」が算定可能**である。

⑥ 院外処方箋料の削除

【誤】処方箋料（リフィル以外・その他）　60×1
一般名処方加算２（処方箋料）　8×1

「ポイント３」で在宅時医学総合管理料を算定することになった。本項目に包括されるため，**処方箋料と一般処方加算については削除**する。

《ワンポイント解説　睡眠時無呼吸症候群》

睡眠中に無呼吸状態（呼吸が止まっている状態）が繰り返される病気です。

Sleep Apnea Syndromeの頭文字をとって「SAS（サス）」とも言われます。医学的には10秒以上の気流停止（気道の空気の流れが止まった状態）を無呼吸とし，無呼吸が一晩（７時間の睡眠中）に30回以上，もしくは１時間当たり５回以上あれば，睡眠時無呼吸です。

寝ている間の無呼吸に私たちはなかなか気付くことができないために，検査・治療を受けていない多くの潜在患者がいると推計されています。

この病気が深刻なのは，寝ている間の無呼吸が，起きているときの私たちの活動に様々な影響を及ぼすことです。主な症状として，以下があります。

■寝ている時：いびき，いびきが止まり，大きな呼吸とともに再びいびきをかき始める，呼吸が止まる，呼吸が乱れる・息苦しさを感じる，むせる，何度も目が覚める，寝汗等
■起床時：すっきり起きれない，熟睡感がない等
■起きてる時：強い眠気，だるさ，倦怠感，集中力がない等

また，睡眠中の体内の酸素量が不足するため，心筋梗塞や脳卒中などの合併症を起こしやすくなります。

この病気の検査・診断には，問診をもとに睡眠検査（精密・簡易）〔D237 終夜睡眠ポリグラフィ（PSG検査）〕を行います。のどや鼻の異常が疑われる場合は，レントゲンやCT検査も用います。診断確定後は，半年に１回程度，実施することが多いようです（各医療機関，支払サイドで確認して下さい）。治療方法は，生活改善や投薬，マウスピースやCPAP（経鼻的持続陽圧呼吸療法），手術─などがあります。

② 入院事例

入院事例1　　《帝王切開による出産》

事例の経過　令和5年12月3日初診で，妊娠6週と確定し，以後産婦人科にてフォロー。第1子は，帝王切開にて誕生しており，今回の第2子も令和6年7月23日，帝王切開にて誕生した。

診察内容（令和6年7月）　産科自費と保険による併用受診者であり，令和6年6月29日，前置胎盤（妊娠34週）をエコーとレントゲン撮影にて確認しており，帝王切開での出産となった。7月19日より入院し，同日エコーにて最終確認し，翌22日に帝王切開術（選択）を行った。術部の処置を手術日以降1週間行い，同月の28日に経過順調にて退院となった。

産婦人科／女性　Ｈ9.9.4生（27歳）（一般病床250床の病院／薬剤師常勤）　　　　　**令和6年7月分**

<table>
<tr><td rowspan="2">傷病名</td><td colspan="5">（1）帝切（妊娠38週）（主）
（2）前置胎盤（妊娠34週）</td><td>診療開始日</td><td>（1）
（2）</td><td>6年
6年</td><td>7月
6月</td><td>19日
29日</td><td>転</td><td>治ゆ</td><td>死亡</td><td>中止</td><td rowspan="2">診療実日数</td><td>保険</td><td colspan="2">10日</td></tr>
<tr><td></td><td></td><td></td><td></td><td></td><td></td><td></td><td></td><td></td><td></td><td>帰</td><td></td><td></td><td></td><td>公費①
公費②</td><td colspan="2">日
日</td></tr>
</table>

⑪ 初診	時間外・休日・深夜	回	点	公費分点数
⑬ 医学管理			325	
⑭ 在宅				

⑬ ＊薬剤管理指導料2（令和6年7月28日）　325 × 1

⑳投薬
- ㉑内服　単位
- ㉒屯服　2単位　4
- ㉓外用　1単位　4
- ㉕調剤　3日　21
- ㉖麻毒　日
- ㉗調基

㉒ ＊プロテカジン錠10　1錠　2 × 2

㉓ ＊ザーネ軟膏0.5%　20g　4 × 1

㉚注射
- ㉛皮下筋肉内　回
- ㉜静脈内　2回　406
- ㉝その他　3回　903

㉜ ＊パンスポリン静注用1gバッグS
（生理食塩液100mL付）2キット（1日2回施行）　203 × 2

㉝ ＊点滴注射　500mL以上
ラクテック注　500mL　6袋
アドナ注（静注用）100mg0.5%20mL　1A
ソリタ-T3号輸液　500mL　2瓶
パントール注射液100mg　2A
パンスポリン静注用1gバッグS
（生理食塩液100mL付）2式（1日2回施行）　504 × 1
＊点滴注射　500mL以上
ラクテック注　500mL　2袋
ソリタ-T3号輸液　500mL　2瓶
パントール注射液100mg　2A
パンスポリン静注用1gバッグS
（生理食塩液100mL付）2式（1日2回施行）　399 × 2

㊵処置		8回	435
薬剤			15
㊿手術麻酔		回	
薬剤			
⑥検査病理		11回	1,036
薬剤			
⑦画像診断		回	
薬剤			
⑧その他		回	
薬剤			

㊵ ＊グリセリン浣腸液50%「ムネ」120mL　1個　15 × 1
＊酸素吸入（1日につき）　65 × 1
酸素・液体酸素〔可搬式液化酸素容器（LGC）〕@0.32円／L
補正率：1.3　135L　6 × 1
＊創傷処置1（術後）　52 × 7

⑥ ＊ノンストレステスト（一連）　210 × 1
＊TP，AST，ALT，BiL-T，LD，BUN，
クレアチニン，Na・Cl，K（8～9項目）　99 × 3
＊CRP　16 × 3
＊末梢血液一般検査　21 × 2
＊尿一般検査　26 × 1
＊判血　判生Ⅰ　判免　413 × 1

<table>
<tr><td colspan="2">入院年月日</td><td>6年</td><td>7月</td><td>19日</td></tr>
<tr><td>病</td><td>診</td><td colspan="3">⑨ 入院基本料・加算　点</td></tr>
<tr><td colspan="2">急一般5</td><td colspan="2">3,453 × 1日間</td><td>3,453</td></tr>
<tr><td colspan="2">録管1</td><td colspan="2">2,270 × 9日間</td><td>20,430</td></tr>
<tr><td colspan="2">医2の40</td><td colspan="2">× 日間</td><td></td></tr>
<tr><td colspan="2">急25上</td><td colspan="2">× 日間</td><td></td></tr>
<tr><td colspan="2">夜50</td><td colspan="2">× 日間</td><td></td></tr>
<tr><td colspan="2">感向2</td><td colspan="2">× 日間</td><td></td></tr>
<tr><td colspan="2">デ提1</td><td colspan="3">⑫ 特定入院料・その他</td></tr>
<tr><td colspan="2">患サポ</td><td colspan="3"></td></tr>
<tr><td colspan="2">後使1</td><td colspan="3"></td></tr>
<tr><td colspan="2">急夜看</td><td colspan="3"></td></tr>
</table>

⑨ ＊急一般5（14日以内），
録管1，地域加算（5級地），医2の40，急25上，夜50，
感防2，デ提1，急夜看，患サポ，後使1　3,453 × 1
＊急一般5（14日以内），
急25上，夜50，地域加算（5級地）　2,270 × 9

<table>
<tr><td rowspan="3">⑨</td><td colspan="4">※高額療養費</td><td>円</td><td colspan="2">※公費負担点数</td><td>点</td></tr>
<tr><td rowspan="2">⑨食事・生活</td><td>基準Ⅰ</td><td>670円×</td><td>24回</td><td></td><td colspan="2">※公費負担点数</td><td>点</td></tr>
</table>

⑨食事・生活	基準Ⅰ	670円×	24回	基準（生）	円×	回
	特別	円×	回	特別（生）	円×	回
	食堂	50円×	8日	環境	円×	日
	環境	円×	日	減・免・猶・Ⅰ・Ⅱ・3月超		

療養の給付	保険	請求	27,032 点	※決定	点	負担金額	円	食事・生活療養	保険	24 回	16,480 円	※決定	円	（標準負担額）11,760 円
	公費①		点	※	点		円		公費①	回	円	※	円	円

（レセプトチェック事例／外来／入院）

点検事項と修正内容

⑪初　診	時間外・休日・深夜		回		点	公費分点数
⑬医学管理					325	
⑭在　宅						
⑳投薬	㉑内　　服		単位			
	㉒屯　　服		2単位		4	
	㉓外　　用		1単位		4	
	㉕調　　剤		3日		21	
	㉖麻　　毒		日			
	㉗調　　基					
㉚注射	㉛皮下筋肉内		回			
	㉜静　脈　内		2回		406	
	㉝その　他		**2回**		**801**	
㊵処置			8回		435	
	薬　　剤				15	
㊿手術麻酔			**1回**		**20,140**	
	薬　　剤				△△	
⑥検査病理			**12回**		**1,566**	
	薬　　剤					
⑦画像診断			回			
	薬　　剤					
⑧その他			回			
	薬　　剤					

⑬	*薬剤管理指導料2　（令和6年7月28日）	325 × 1
㉒	*プロテカジン錠10　1錠	2 × 2
㉓	*ザーネ軟膏0.5%　20g	4 × 1
㉜	*（内容省略）	203 × 2
㉝	*点滴注射　500mL以上 （薬剤内容省略）	504 × 1
	*点滴注射　500mL以上 　ラクテック注　500mL　2瓶 　ソリタ-T3号輸液　500mL　2瓶 　パントール注射液100mg　2A 　パンスポリン静注用1gバッグS 　（生理食塩液100mL付）2式（1日2回施行）	**297 × 1**
㊵	*グリセリン浣腸液50%「ムネ」　120mL　1個	15 × 1
	*酸素吸入（1日につき）	65 × 1
	酸素・液体酸素〔可搬式液化酸素容器（LGC）〕@0.32円／L 　補正率：1.3　135L	6 × 1
	*創傷処置1（術後）	52 × 7
㊿	*帝王切開術（選択帝王切開） （手術日　令和6年7月22日）	**20,140 × 1**
	*脊椎麻酔　60分（7/23），キシロカイン等の薬剤，酸素代 （※確認のうえ算定する）	**△△ × 1**
⑥	*ノンストレステスト（一連）	210 × 1
	*TP, AST, ALT, BiL-T, LD, BUN, 　クレアチニン, Na・Cl, K（8～9項目）	99 × 3
	*CRP	16 × 3
	*末梢血液一般検査	21 × 2
	*尿一般検査	26 × 1
	*判血, 判生I, 判免	413 × 1
	*超音波検査断層撮影法（胸腹部） （※保険適用可能の施行かどうか確認して算定する）	**530 × 1**
⑨	*急一般5（14日以内）， 　録管1，地域加算（5級地），医2の40，急25上， 　夜50，感向2，デ提1，急夜看，患サポ，後使1	3,453 × 1
	*急一般5（14日以内）， 　急25上，夜50，地域加算（5級地）	2,270 × 9
	*ハイリスク分娩管理加算	**3,200 × 8**
	前置胎盤（出血を伴う）妊娠34週 （※施設基準，症状の確認が必要）	

ポイント①　ポイント②

レセプトチェック事例　外来　入院

⑨入	入院年月日	6年　7月　19日		
	病　　　診	⑨入院基本料・加算　　点		
	急一般5	3,453 ×	1日間	3,453
	録管1	2,270 ×	9日間	20,430
	医2の40	**3,200 ×**	**8日間**	**25,600**
	急25上	×	日間	
	夜50	×	日間	
	感向2	⑨特定入院料・その他		
	デ提1			
	ハイ分娩			
	患サポ			
	後使1			
	急夜看			

	※高額療養費	円	※公費負担点数	点
⑨食事・生活	基準I	670円× 24回	※公費負担点数	点
	特別	円× 回	基準(生)	円× 回
	食堂	50円× 8日	特別(生)	円× 回
	環境	円× 日	減・免・猶・I・II・3月超	

療養の給付	保険	請求 **73,200 + △△** 点	※決定 点	負担金額 円
	公費①	点	※ 点	円
食事・生活療養	保険	24回	16,480 ※決定 円	(標準負担額) 11,760 円
	公費①	回	円	円

　このレセプトにおけるチェックポイントは，産婦人科の**請求における自費と保険の取扱い**である。

① 点滴注射の**手技料の算定が手術日に当たる場合**には算定不可となるので，確認が必要である。

② 治療経過・診療内容から，自費の算定となっている**帝王切開術（選択）を保険算定**とする。

③ 自費と保険適用の**超音波検査断層撮影法（腹部）の算定**の確認が必要である。本症例では，前置胎盤に対する検査であるため，保険適用となる。

④ 施設基準の届出によるが，妊娠28週以降の前置胎盤の患者なので，症状によっては（出血等の状態），**ハイリスク妊娠管理加算**の対象となる場合もあるので，確認が必要である。このほか，①妊娠22週から32週未満の早産の患者（早産するまでの患者に限る），②妊娠高血圧症候群重症の患者，③妊娠30週未満の切迫早産の患者であって，子宮収縮，子宮出血，頸管の開大，短縮または軟化のいずれかの兆候を示し，かつ一定の要件を満たす患者，④多胎妊娠の患者，⑤子宮内胎児発育遅延の患者，⑥当該妊娠中に帝王切開術以外の開腹手術（腹腔鏡による手術を含む）を行った患者，または行う予定のある患者——なども同加算の算定対象となる。

入院事例２　《前交通動脈瘤破裂に対して脳動脈瘤頸部クリッピング術を施行した事例（DPC）》

施設の概要：病院（脳外・外・循内・消内・呼内・整形・呼外），一般病床280床，２次救急医療機関

届出等：急性期一般入院料１，臨床研修病院入院診療加算（基幹型），救急医療管理加算，診療録管理体制加算２，医師事務作業補助体制加算２（75対１），急性期看護補助体制加算（25対１），医療安全対策加算１，感染対策向上加算１，地域医療体制確保加算，夜間休日救急搬送医学管理料，救急搬送看護体制加算１，薬剤管理指導料，検体検査管理加算（Ⅱ），CT撮影（64列以上のマルチスライス型），

MRI撮影（3.0テスラ），画像診断管理加算１・２，通則４・５に掲げる手術，麻酔管理料（Ⅰ）（Ⅱ），脳血管リハ（Ⅰ），運動器リハ（Ⅰ），呼吸器リハ（Ⅰ），リハビリテーション初期加算，入院時食事療養（Ⅰ）

〔その他〕常勤放射線科医１名，常勤麻酔科医５名，常勤リハビリテーション科医１名

〔診療時間〕月〜金曜日９：00〜17：00，土曜日９：00〜12：00，日・祝日　休診

〔所在地〕神奈川県厚木市（２級地）

脳神経外科／男性　S32．5．11生（67歳）　　　　　　　　　　　　　令和６年７月分

分類番号	診断群分類区分	くも膜下出血，破裂脳動脈瘤（JCS10以上）脳動脈瘤流入血管クリッピング（開頭して行うもの）等手術・処置２なし	転帰	診療実日数
010020x101x0xx			9：その他	保険 5 日 / 公費① 日 / 公費② 日

傷病名	前交通動脈瘤破裂によるくも膜下出血	ICD 10	傷病名	I 602
副傷病名			副傷病名	

今回入院年月日　令和　6 年　7 月　27 日　　今回退院年月日　平成　　年　　月　　日

		傷病情報	（主傷病名）I 602　前交通動脈瘤破裂によるくも膜下出血 （入院の契機となった傷病名）I 602　前交通動脈瘤破裂によるくも膜下出血 （入院時併存病名）I10　高血圧症　I489　非弁膜症性心房細動　E785　脂質異常症 （入院後発症病名）I 634　心原性脳塞栓症　I 693　脳梗塞後の片麻痺　R470　運動性失語症

包括評価部分

93　〈包括評価部分〉
（7 月請求分）
入Ⅰ　　3,313 ×　　5 ＝　16,565
〈合計〉16,565 ×1.3562 ＝　　22,465

出来高部分

11　＊初診（病院）
　　　初診（時間外特例加算）　　　　521 × 1

50　＊脳動脈瘤頸部クリッピング（1 箇所）（27 日）
　　　特外2　　　　　　　　　　　159,698 × 1
　＊術中薬剤（略）　　　　　　　　6,665 × 1
　＊脳動脈瘤手術クリップ（標準型）
　　（@¥17,500）　2 個
　（材料中略）

　　　固定用内副子・F2-a-2（@¥55,600）　1 個
　　　固定用内副子・F1-a（@¥2,930）　2 本
　　　　　　　　　　　　　　　　13,690 × 1
　＊閉鎖循環式全身麻酔5（420 分）（27 日）
　　　特外　　　　　　　　　　　16,800 × 1
　＊麻酔管理料（Ⅰ）（閉鎖循環式全身麻酔）1,050 × 1

70　＊コ画2　　　　　　　　　　　175 × 1

90　＊救急医療管理加算1　　　　1,050 × 5
　＊臨床研修病院入院診療加算　　40 × 1

患者基礎情報

入退院情報：予定・緊急入院区分：3　緊急入院（2 以外の場合）

診療関連情報：JCS：10　手術・処置等：K1771　脳動脈瘤頸部クリッピング（1 箇所）令和6 年7 月27日実施

※高額療養費			円		※公費負担点数　　点
97 食事・生活	基準Ⅰ 特別 食堂 環境	（略）	円× 回 / 円× 回 / 円× 日 / 円× 日		基準（生）　　　　　円× 回 / 特別（生）　　　　　円× 回 / 減・免・猶・Ⅰ・Ⅱ・3月超	※公費負担点数　　点

療養の給付	保険	請求　　　点 226,354	※決定　　　点	負担金額　　円 減額割 （円）免除・支払猶予	食事・生活療養	保険	回 （略）	請求　　円	※決定　　円 （略）	（標準負担額）円
	公費①	点 （略）	※　　点	円		公費①	回	円	※　　円	円
	公費②	点	※　　点	円		公費②	回	円	※　　円	円

事例の経過

高血圧症，心房細動，脂質異常症にて，他院に通院中の患者。令和6年7月27日（土）18時頃，自宅トイレにて突然の激しい頭痛と後頸部痛を自覚し，当院へ救急搬送される。諸検査の結果，**前交通動脈瘤破裂によるくも膜下出血**と診断。家族にIC（インフォームド・コンセント）後，緊急開頭脳動脈瘤頸部クリッピング術を施行した。第3病日目に**失語**と**右片麻痺**を認めたため，頭部CTを施行したところ，**左中大脳動脈に血栓**を認めた。モニター上もAf（心房細動）を呈しており，**心原性脳塞栓症**を併発したと診断し，脳梗塞治療薬の点滴投与と高圧酸素療法の併用治療を行った。

カルテの記載（7月）

7月27日（土）：18時頃，自宅のトイレで突然の激しい頭痛と後頸部痛を自覚し，救急搬送された（病院着18時20分）。来院時JCS3，四肢麻痺（−），BP194／133。
降圧剤をivし，CT施行したところ，SAH（くも膜下出血）とA-com（前交通動脈）付近の円形の血腫を認めたため，動脈瘤破裂によるSAHと考えた。
瘤の部位を特定する目的でCTAを続けて施行した。その結果，A-comにφ14×10mmの動脈瘤を認めた。脳外科医へコール。また，放射線医が帰宅後であったため，放射線医宅にも連絡し，PACSクラウドによる読影を依頼した。
読影により，やはり前交通脳動脈瘤破裂によるくも膜下出血との診断。本人はJCS3であるため，家族へICを行い，緊急開頭脳動脈瘤頸部クリッピング術施行の運びとなった。

（麻酔科診察記録）：省略
（術中記録一部抜粋）：瘤は1箇所のみであったが，スタンダードクリップのみでは閉鎖圧が弱いため，ブースタークリップを組み合わせて使用した。また，親血管より末梢側の血流確保が必要であったため，頭皮血管を自家血管として頭蓋外・頭蓋内血管のバイパス術を併施した。術中に瘤の破裂は認めず，出血量的にも輸血は実施しなかった。
麻酔時間：19時30分〜2時30分
手術時間：19時50分〜2時00分
7月28日（日）：午前3時に手術室より病棟へ入室。入室時JCS10。
回診：四肢麻痺，失語等は認めない。頭部CTを施行するも，新たな出血や梗塞の合併認めない。術後経過良好。
（麻酔科術後診察）：省略
7月29日（月）：回診時は特に異常を認めなかったが，午後1時頃，病棟より，失語および右片麻痺が出現したとのコールあり。モニター上，Afを呈している。ただちに頭部CTを施行したところ，左中大脳動脈に血栓を認め，Afによる心原性脳塞栓症と診断。SAHの術後であり，出血リスクがあることから，t-PA（血栓溶解療法）は危険と判断し，脳保護剤であるエダラボンの投与とOHP（高圧酸素療法）の併用療法を行うこととした。
7月30日（火）：回診。エダラボンとOHP継続。
7月31日（水）：回診。エダラボンとOHP継続。明日よりリハビリを開始予定とする。

レセプトチェック事例

外来

入院

《病気のまめ知識（脳梗塞の種類）》

脳梗塞は以下のように発症要因や詰まる血管によって種別されます。

	①ラクナ梗塞	②アテローム血栓性脳梗塞	③心原性脳塞栓症
詰まる血管	細い血管	太い血管	太い血管
梗塞の程度	小梗塞	中梗塞	大梗塞
要因	主に高血圧	主に高血圧，脂質異常症，糖尿病等の生活習慣病	心房細動等の不整脈
備考	脳の血管は太い血管から次第に細い血管へと枝分かれしていく。この細い血管が詰まることで発症する。ラクナとは"小さなくぼみ"を意味する。	動脈硬化（アテローム硬化）で狭くなった太い血管に血栓ができ，血管が詰まるタイプの脳梗塞。	心臓にできた血栓が血流に乗って脳まで運ばれ，太い血管を詰まらせるタイプの脳梗塞。

点検事項と修正内容

① 夜間休日救急搬送医学管理料および救急搬送看護体制加算の算定もれ

平日の時間外に救急搬送された患者である。2016年改定以前は，①休日・深夜に救急搬送されており，かつ，②初診料を算定する患者——が対象であったが，2016年改定以降は，「時間外に救急搬送された患者」の算定が可能となった（初診料算定が条件であることに変更はない）。

したがって，事例ではB001-2-6夜間休日救急搬送医学管理料（600点）を算定できる。

また，2018年改定で，当該区分に救急搬送実績および救急患者受入れの対応を行う専任看護師の配置を評価した救急搬送看護体制加算が新設された。さらに2020年改定で，救急搬送看護体制加算1（400点）と2（200点）に区分され，評価が見直された。

「1」の施設基準は，年間救急搬送実績が1,000件以上で，専任看護師が複数名配置されていること，「2」の施設基準は，年間救急搬送実績が200件以上で，専任看護師が配置されていることになっている。

事例の医療機関では，当該加算1の届出が行われていることから，この加算が算定できる。合計で1,000点と高点数であり，算定もれのないようにしたい。

② 高気圧酸素治療の算定もれ

事例では術後に脳塞栓症を併発し，高気圧酸素治療を実施しているが，当該項目（J027）が算定もれとなっている。

当該項目は，これまで「1」救急的なもの（1人用5,000点・多人数用6,000点）と「2」非救急的なもの（200点）という区分けだったが，2018年改定では，「1」減圧症又は空気塞栓に対するもの（5,000点）と「2」その他のもの（3,000点）という区分けに変更された。これまで「1」救急的なものの傷病名として挙げられていた脳塞栓症が改定後は「1」の傷病名に挙げられていないため，算定もれとなったと考えられるが，「2」の対象傷病名として脳梗塞が挙げられており，3,000点（日）が算定可能なのである。

脳塞栓症は脳梗塞の一つである。脳梗塞は，発症要因や詰まる血管によって分類される（傷病名が変わる）ので，注意したい。脳梗塞の種類については，p.137「病気のまめ知識」を参照していただきたい。

③ ローフローバイパス術併用加算の算定もれ

破裂脳動脈瘤に対して，頸部クリッピング術（K177）を施行した事例である。ただし，術中記録より，頭蓋外・頭蓋内血管のバイパス術を併施されていることがわかる。

当該術式に際し，親血管から末梢側の血流確保目

的で，頭蓋外・頭蓋内血管吻合を併施した場合には，「注1」または「注2」の加算が算定できるので注意したい。

「注1」ローフローバイパス術併用加算（16,060点）は頭皮から採取した血管を用いた場合，「注2」ハイフローバイパス術併用加算（30,000点）は上肢または下肢から採取した血管を用いた場合に算定が可能だ。医師には，診療録や手術記録にバイパスに用いた血管の採取部位をしっかり記載してもらうことが必要である。

事例では，術中記録より，頭皮血管を用いたロー

分類番号		診断群分類区分	くも膜下出血，破裂脳動脈瘤（JCS10未満）脳動脈瘤流入血管クリッピング（開頭して行うもの）等手術・処置2なし
010020x001x0xx			

| 傷病名 | 前交通動脈瘤破裂によるくも膜下出血 | ICD 10 | 傷病名 | |
| 副傷病名 | | | 副傷病名 | |

| 今回入院年月日 | 令和　6年　7月　27日 | 今回退院年月日 | |

		（主傷病名）　I 602　前交通動脈瘤破裂によるくも膜下出血	包括評価部分

傷病情報
（主傷病名）
　I 602　前交通動脈瘤破裂によるくも膜下出血
（入院の契機となった傷病名）
　I 602　前交通動脈瘤破裂によるくも膜下出血
（入院時併存病名）
　I10　　高血圧症
　I489　非弁膜症性心房細動
　E785　脂質異常症
（入院後発症病名）
　I634　心原性脳塞栓症
　I693　脳梗塞後の片麻痺
　R470　運動性失語症

患者基礎情報

入退院情報
予定・緊急入院区分：3緊急入院（2以外の場合）

出来高部分

診療関連情報
JCS：3
手術・処置等：
K1771
　脳動脈瘤頸部クリッピング（1箇所）
　令和6年7月27日実施

※高額療養費

97
食事・生活

療養の給付	保険	請求	点	※決定	点	負担金額	円	食事療養	保険
		260,530				減額　割（円）免除・支払猶予			
	公費①	請求（略）	点	※	点		円		公費①

		転	9：その他	診療実日数	保険	5日
I 602					公費①	日
平成　年　月　日		帰			公費②	日

93	〈包括評価部分〉 （7月請求分） 入 I　　3,527 ×　5 ＝　17,635 〈合計〉　17,635 × 1.3562 ＝　23,917
11	〈出来高部分〉 ＊初診（病院） 　初診（時間外特例加算）　　　521× 1
13	＊夜間休日救急搬送医学管理料　1,000 × 1 　救急搬送看護体制加算1
40	＊高気圧酸素治療（その他のもの）　3,000 × 3
50	＊脳動脈瘤頚部クリッピング（1箇所）（27日） 　特外2 　─ ローフローバイパス術併用加算　182,182 × 1 　＊術中薬剤（略）　　　　　　6,665 × 1 　＊脳動脈瘤手術クリップ（標準型） 　（@¥17,500）　1個 　脳動脈瘤手術クリップ（特殊型） 　（@¥20,200）　1個 　（材料中略） 　固定用内副子・F2-a-2 （@¥55,600）　1個 　固定用内副子・F1-a （@¥2,930）　2本 　　　　　　　　　　　　　13,930 × 1 　＊閉鎖循環式全身麻酔5（420分）（27日） 　特外 　　　　　　　　　　　　　16,800 × 1 　＊麻酔管理料（ I ）（閉鎖循環式全身麻酔） 　　　　　　　　　　　　　1,050 × 1
70	＊コ画2　　　　　　　　　　175 × 1
90	＊救急医療管理加算1　　　1,050 × 5 ＊臨床研修病院入院診療加算　40 × 1

※高額療養費		円	※公費負担点数		点
			※公費負担点数		点
基準 I	円×	回			
特別	（略）円×	回	基準（生）	円×	回
食堂	円×	日	特別（生）	円×	回
環境	円×	日	減・免・猶・ I ・ II ・3月超		

	回	請求		円	※決　定		円	〔標準負担額〕		円
（略）		（略）								（略）
	回			円	※		円			

フローバイパス術を行っていることがわかるため，「注2」の加算が算定できる。

また，当該，クリッピング術に際しては，開頭の部位数および使用したクリップの数にかかわらず，**クリッピングを要する病変の箇所数に応じて算定する**ことに注意しよう。

④　DPCコーディングの誤り

事例は「破裂脳動脈瘤」および「くも膜下出血」で，MDC 6 桁は「010020」である。「未破裂脳動脈瘤」（MDC010030）と異なり，意識障害の有無（JCS10未満か以上か）を問う分岐が存在する。

基本的に，**コーディング上の意識障害の分岐を判断する場合は，DPC算定対象病棟の入院時に該当するJCSにより判断する**こととなっている。今回，記録で「病棟入室時JCS10」となっているため，「JCS10以上」でコーディングしているのだが，事例は，ERへの受診からそのまま緊急手術が行われ，術後に病棟へ入院──という流れであった。無論，全身麻酔下での手術であるため，病棟移動時には完全に覚醒していることは考えにくい。

今回のように，病棟入院前にERや手術室において鎮静や麻酔がかかった状態になっている場合は，鎮静前の受診時のJCSで判断しなければならない。

したがって，今回はER受診時のJCS3で判断することとなり，**JCSは「10未満」でのコーディングが正しいこととなる。**

⑤　脳動脈瘤手術クリップの算定の誤り

手術で使用した特定保険医療材である脳動脈瘤手術クリップ（081）には(1)標準型（17,500円）と(2)特殊型（20,200円）の2種類がある。

事例では，術中記録において，閉鎖圧を増加するために，スタンダードクリップとブースタークリップを組み合わせて使用したと記載されている。スタンダードクリップは文字どおり標準型であるが，添付文書等を調べると，ブースタークリップはスタンダードやラージタイプのクリップと組み合わせて閉鎖圧を増加する目的で使用するクリップであるとされている。

「特殊型」とは，①障害物となる正常血管又は脳神経と接触せずにクリッピングすることができる構造を有するクリップ，②突発的血管穿孔の修復を目的に穿孔部の血管全体を覆うクリップ，③標準型の閉鎖圧の増加を目的に，標準型と組み合わせて使用するクリップ──の3つのいずれかに該当するものである。**事例の場合は③に該当すると考えられるため，算定要件を満たすことがわかる。**

なお，脳動脈瘤手術には**図表1**に示す手術が代表的である。

図表1：脳動脈瘤手術の種類

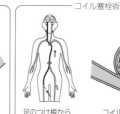

頚部クリッピング　　　　コイル塞栓術

クリップを留める　　足のつけ根から　　コイルをつめる
　　　　　　　　　カテーテルを挿入

※他に，脳動脈瘤被包術（ラッピング術）等がある。

入院事例３　精神科受診中の右膝人工関節置換等の手術事例

施設の概要　病院（外，整，内，神内，小，耳，眼，泌，精，リハ，麻），紹介率22％，一般病棟150床，精神病棟150床，救急輪番制病院（24時間365日），PACSシステム

届出等　急性期一般入院料４，精神科入院基本料（15対１），診療録管理体制加算２，医師事務作業補助体制加算１（40対１），25対１急性期看護補助体制加算（看護補助者５割以上），夜間50対１急性期看護補助体制加算，夜間看護体制加算，看護補助加算１，精神病棟入院時医学管理加算，医療安全対策加算１，感染対策向上加算２，患者サポート体制充実加算，後発医薬品使用体制加算１，データ提出加

算２，薬剤管理指導料，検体検査管理加算（Ⅱ），画像診断管理加算２，CT撮影イ（16列以上のマルチスライス型），処方箋料（抗悪性腫瘍剤処方管理加算），運動器リハビリテーション料（Ⅰ），初期加算，リハビリテーション総合計画評価料，退院時共同指導料２，手術「通則５」および「６」承認（胸腔鏡・腹腔鏡），麻酔管理料（Ⅱ），入院食事療養費（Ⅰ）

〔その他〕管理栄養士常勤
〔診療時間〕月～金曜日９：００～17：００　土曜日９：００～12：００　日・祝日　休診
〔所在地〕神奈川県座間市（５級地）

外科／女性　S25.５.８生（72歳）（一般病床199床の病院）　　　　令和６年９月分

傷病名		
（1）右変形性膝関節症（急性増悪）（主）		
（2）統合失調症，不眠症，便秘症		
（3）頭痛		
（4）		

診療開始日：（1）令６年９月17日　（2）令４年５月15日　（3）令６年９月27日　（4）

転帰：治ゆ・死亡・中止

診療実日数：保険 4日　公費① 日　公費② 日

⑪	初　診	時間外・休日・深夜	回	点	公費分点数
⑬	医学管理				
⑭	在　宅				
⑳投薬	㉑内　服		31 単位	173	
	㉒屯　服		単位		
	㉓外　用		単位		
	㉔調　剤		3 日	21	
	㉖麻　毒		日		
	㉗調　基			42	
㉚注射	㉛皮下筋肉内		回		
	㉜静脈内		回		
	㉝その他		2 回	222	
㊵処置			4 回	178	
	薬　剤				
㊿手麻術酔			2 回	22,830	
	薬　剤			60,442	
�60検病査理			3 回	400	
	薬　剤				
㋴画診像断			7 回	2,317	
	薬　剤				
㋷その他			回	460	
	薬　剤				

㉑	＊ジスロマック錠250mg　2錠	32 × 3
	＊ソレトン錠80　80mg　3錠	4 × 7
	＊デパケン細粒40％　0.375g	1 × 7
	＊アモバン錠7.5mg　1錠	1 × 7
	＊グラマリール錠25mg　4錠	5 × 7
㉝	＊点滴注射（手術日）	
	ソルデム3A輸液500mL　3袋，	
	アクメインD輸液500mL　1袋，	
	ロピオン静注50mg 5mL　1管	102 × 1
	＊点滴注射　500mL以上	
	ソルデム3A輸液500mL　1袋	120 × 1
㊵	＊酸素吸入（手術日）	
	液体酸素・可搬式液化酸素容器（LGC）	
	525L（酸素補正率1.3）（1L=0.32円）	22 × 1
	＊術後創傷処置　100cm² 未満	52 × 3
㊿	＊骨移植術1（自家骨移植）（28日）	16,830 × 1
	＊閉鎖循環式全身麻酔5（76分）（28日）	6,000 × 1
	＊セボフルラン吸入麻酔液「ニッコー」20mL，	
	フェンタニル注射液0.1mg「ヤンセン」0.005% 2mL　1管，	
	レミフェンタニル静注用2mg　1瓶，	
	プロポフォール注「マルイシ」（1%）200mg 20mL　1管，	
	キシロカイン注ポリアンプ1% 10mL 1A，	
	アナペイン注7.5mg/mL 10mL　1管，	
	ロクロニウム臭化物静注液50mg/5.0mL「マイシン」	
	5mL　1瓶，	
	エフェドリン塩酸注射液4% 1mL　1管，	
	プリンペラン注射液10mg 0.5% 2mL　1管，	
	アドレナリン注0.1%シリンジ「テルモ」1mL　1筒	
		396 × 1
	＊液体酸素・可搬式液化酸素容器（LGC）	
	90L（酸素補正率1.3）（1L=0.32円）	4 × 1

㊼入院	入院年月日	6 年　9 月　24 日		
	㊼病　診			
	㉙入院基本料・加算	点		
	2,136 ×	1 日間	2,136	
	1,464 ×	3 日間	4,392	
	×	日間		
	×	日間		
	×	日間		
	（略）			
	㉙特定入院料・その他			
	×	日間		
	×	日間		
	×	日間		

※高額療養費	円	※公費負担点数	点
㊾食事・生活	基準Ⅰ　670 円× 7 回	※公費負担点数	点
	特別　円× 回	基準（生）　円× 回	
	食堂　50 円× 3 回	特別（生）　円× 回	
	環境　円× 日	減・免・猶・Ⅰ・Ⅱ・3月超	

療養の給付	保険　請求　93,613 点	※決定　点	負担金額　円
	公費①　点	※　点	円
	公費②　点	※　点	円

食事・生活療養	保険　7 回　請求　4,830 円	※決定　円	（標準負担額）3,430
	公費①　回　円	※　円	
	公費②　回　円	※　円	

＊フィジオ140輸液500mL　1袋，
生理食塩液500mL　1瓶，
生理食塩液100mL　1瓶，
大塚生食注50mL　1瓶，
ブリディオン静注200mg 2mL　1瓶，
アセリオ静注液1000mgバッグ
1000mg 100mL　1袋　　　　　　　1,004 × 1
＊人工膝関節用材料・膝蓋骨材料
①膝蓋骨置換材料（I）1本32,000円　3,200 × 1
＊人工膝関節用材料・脛骨側材料
①全置換用材料（標準）1本140,000円　14,000 × 1
＊人工膝関節用材料・大腿骨側材料
②全置換用（間）（特殊型）1個358,000円
35,800 × 1
＊人工膝関節用材料〔インサート（I）〕1本
48,300円　　　　　　　　　　4,830 × 1
＊骨セメント（人工関節固定用）40g　1,208 × 1
⑥⓪＊非観血的連続血圧測定（一日につき）　100 × 1
＊呼吸心拍監視（3時間超）（7日以内）
（開始日：6年9月25日）　　　　150 × 2

⑦⓪＊胸部単純X-P（デジタル）1回，［電画］　210 × 1
＊頭部単純CT撮影（マルチスライス型），
［電画］　　　　　　　　　　1,020 × 1
＊膝関節部単純X-P（デジタル）1回，［電画］　168 × 1
＊膝関節部単純X-P（デジタル）2回，［電画］　224 × 1
＊コンピュータ断層診断料　　　　450 × 1
＊［写画1］　　　　　　　　　　70 × 1
＊［コ動2］　　　　　　　　　　175 × 1
⑧⓪＊運動器リハビリテーション料（I）2単位，
［初期］2単位
リハ施行日：1日
手術：R4年9月28日　　　　　230 × 2
⑨⓪＊精神病棟15対1入院基本料（14日以内），
臨床，録管2，補1，精医管，安全1，感向2，
患サポ，後使1，デ提2，5級地　2,136 × 1
＊精神病棟15対1入院基本料（14日以内），
補1，精医管，5級地　　　　1,464 × 3

事例の経過　精神疾患にて精神科，膝関節症にて他院の整形外科を外来受診中の患者である。右膝の痛みが強くなったため，9月17日に来院。診察の結果，右変形性膝関節症の急性増悪と診断し，手術することを決定した。外来にて，自己血輸血のため貯血を実施。通常の術前検査（全身麻酔手術前検査）等と，コロナ感染症のPCR法検査も施行した。

入院中は，外来時の抗精神病薬等の処方を継続することとする。しかし精神状態の不穏が強いため，配偶者の夫の同意の下，9月27日に精神合併症病棟へ入院となった。また，同日は，整形外科による手術前日のX-Pも行われ，最終的に手術が確定され，患者と配偶者に手術の説明を行う。

翌28日，人工関節置換および一部自家骨移植を実施。29日からリハビリを開始し，30日より一般病棟に転棟して，入院で経過観察を続けている。

カルテの記載（9月）
9.24（火）：予定入院のため午前11時に来院する。
前日のPCR法は陰性。精神科病棟に入院とする。
精神科的診断を行った結果，医療保護入院（医保第33条第1項）での入院とした。
X-P（胸部，膝関節骨）の結果，問題なく，明日の手術を実施予定とする。
付き添いの家族に対し，入院計画と栄養管理について説明し同意を得る。
食事は禁食。安静となるので，肺血栓塞栓予防（ガ

イドラインに即して）を実施。
精神科（精神保健指定医）より医療保護入院について説明し，患者（家族）の同意を得る。
家族に対して手術の説明も行い，同意を得る。
麻酔医（非常勤）より麻酔の危険性の説明。また，薬剤師より家族に対し医薬品の安全情報提供と服薬指導を行う。
9.25（水）：患者に対し，服薬指導を施行する。
整形外科にて，全身麻酔下に人工関節置換術と自家骨移植を実施とする。
術中の自己血回収（濾過を行う）と保存血を輸血する〔自己血輸血（液状保存）400mLも実施（Hgb値：輸血前10.1g/dL，輸血後10.6g/dL）〕。
ドレーン（吸引留置カテ・フィルム・チューブI）を挿入。明日まで継続する。
酸素吸入と点滴を開始。食事は夕より。
9.26（木）：ドレーン抜去。術後処置を行う。精神科医より入院精神療法（I）。
9.27（金）：術後創傷。本日よりリハビリ開始（運動器リハビリ2単位）。リハビリ後に一般病棟へ転棟する。

レセプトチェック事例
外来
入院

点検事項と修正内容

① 薬剤管理指導料の算定もれ

24日に，薬剤師が家族に対して医薬品の安全情報提供と服薬指導を行っている。**家族に対して実施した場合でもB008薬剤管理指導料は算定可能である。**

なお，25日にも本人に対して服薬指導を行っているが，精神状態の不穏があり，理解が十分かはわからないため，こちらは算定対象としない。

② 肺血栓塞栓症予防管理料の算定もれ

患者は昭和28年生まれの70歳である。また，右下腿に対する手術の施行予定もあるので，ガイドライン上では「リスクあり」の患者となる。以上より，**B001-6肺血栓塞栓症予防管理料の追加**が可能である。

③ 処置と材料の算定もれ

診療内容の記載より，手術日にドレーンを設置しているので処置料を追加した。

また，手術日の材料に「**吸引留置カテ・フィルム・チューブⅠ**」を追加した。

④ 手術・人工関節置換術を追加

K059 骨移植術「1」のみを算定している事例だが，診療内容を読むと，「全身麻酔下に人工関節置換術と自家骨移植を実施」していることがわかる。

手術の「通則14」より，**K059 骨移植術とK082 人工関節置換術（膝）はそれぞれ算定できる手術**なので，人工関節置換術（膝）を追加した。

⑤ 自己血回収と輸血の算定もれ

手術前に自己血を貯血し，当日，輸血を行っているので，**K920「4」自己血輸血の算定**を追加した。なお，手術日に回収した血液は，K920「3」自己血貯血には該当しないので，注意が必要だ。

さらに，診療記録より**K923術中術後自己血回収術（濾過を行う）も追加**算定した。

また，保存血を輸血する際は，一般的に血液型検査の加算（K920「注5」）を算定できる。今回は実施の有無等がはっきりしなかったため算定しなかったが，加算できるか，確認する必要があるだろう。

また，常勤の麻酔医より術前・術後に家族への説明が行われているので，**麻酔管理料も算定可能**である。

⑥ 精神科領域の追加

精神科病棟に入院しているので，**I001入院精神療法（Ⅰ）**が算定できる。

傷病名	（1）右変形性膝関節症（急性増悪）（主） （2）統合失調症，不眠症，便秘症 （3）頭痛 （4） （5）

⑪初　診	時間外・休日・深夜　回	点	公費分点数
⑬医学管理		630	
⑭在　宅			

⑳投薬	㉑内　服	31 単位	173	
	㉒屯　服	単位		
	㉓外　用	単位		
	㉔調　剤	3 日	21	
	㉖麻　毒	日		
	㉗調　基			

㉚注射	㉛皮下筋肉内	回		
	㉜静　脈　内	回		
	㉝そ　の　他	2 回	222	

㊵処置	薬　剤	5 回	203	

㊿手術麻酔	薬　剤	5 回	65,970 60,468	

㉟検査病理	薬　剤	3 回	400	

⑺画像診断	薬　剤	7 回	2,317	

⑻その他	薬　剤	回	1,760	

入院年月日	6 年	9 月	24 日

㊻病	診	⑼入院基本料・加算	点	
		2,136 × 1 日間	2,136	
		1,464 × 2 日間	2,928	
		2,493 × 1 日間	2,493	
		300 × 3 日間	900	

㊾		㊼特定入院料・その他		
入			× 日間	
			× 日間	
	（略）		× 日間	
院				

療養の給付	保険	請求	点	※決定	点	負担金額	円
		140,621					
	公費①		点	※	点		円
	公費②		点	※	点		円

診療開始日		転帰	治ゆ	死亡	中止	診療実日数		
	(1) 令 6年 9月 7日						保険	4日
	(2) 令 4年 5月 15日						公費①	日
	(3) 令 6年 9月 27日						公費②	日
	(4)							
	(5)	帰						

⑬ **＊［薬管2］（24日） 325 × 1**
＊［肺予］ 305 × 1
㉑ ＊ジスロマック錠 250mg 2錠 32 × 3
＊ソレトン錠 80 80mg 3錠 4 × 7
＊デパケン細粒 40% 0.375g 1 × 7
＊アモバン錠 7.5mg 1錠 1 × 7
＊グラマリール錠 25mg 4錠 5 × 7
㉝ ＊点滴注射（手術日）（以下略） 102 × 1
＊点滴注射 500mL 以上（以下略） 120 × 1
㊵ ＊酸素吸入（手術日）
液体酸素・可搬式液化酸素容器（LGC）
525L（酸素補正率 1.3）（1L = 0.32円） 22 × 1
＊術後創傷処置 100cm² 未満 52 × 3
＊ドレーン法 25 × 1
㊿ ＊骨移植術1（自家骨移植）（25日） 16,830 × 1
＊人工関節置換術（膝）（25日） 37,690 × 1
＊術中術後自己血回収術（濾過を行う） 3,500 × 1
＊自己血輸血（液状保存）400mL
Hgb 値 10.1g/dL（輸血前）
Hgb 値 10.6g/dL（輸血後） 1,500 × 1
＊閉鎖循環式全身麻酔5（76分）（25日） 6,000 × 1
＊セボフルラン吸入麻酔液「テルモ」20mL,
（以下略） 396 × 1
＊液体酸素・可搬式液化酸素容器（LGC）
90L（酸素補正率 1.3）（1L = 0.32円） 4 × 1
＊フィジオ 140 輸液 500mL 1袋,（以下略） 1,004 × 1
＊（材料略） 3,200 × 1
＊（材料略） 14,000 × 1
＊（材料略） 35,800 × 1
＊（材料略） 4,830 × 1
＊（材料略） 1,208 × 1
＊吸引留置カテ・フィルム・チューブⅠ @ 264
26 × 1
＊［麻管Ⅱ］ 450 × 1
(60) ＊非観血的連続血圧測定（一日につき） 100 × 1
＊呼吸心拍監視（3時間超）（7日以内）
（開始日：6年9月25日） 150 × 2
(70) ＊胸部単純 X-P（デジタル）1回,［電画］ 210 × 1
＊頭部単純 CT 撮影（マルチスライス型),［電画］
1,020 × 1
＊膝関節部単純 X-P（デジタル）1回,［電画］
168 × 1
＊膝関節部単純 X-P（デジタル）2回,［電画］
224 × 1
＊コンピュータ断層診断料 450 × 1
＊［写画1］ 70 × 1
＊［コ画2］ 175 × 1
(80) ＊運動器リハビリテーション料（Ⅰ）2単位,
［初期］2単位
リハ施行日：1日
手術：R6年9月25日 230 × 2
＊入院精神療法（Ⅰ） 400 × 1 ―ポイント⑥
＊医療保護入院等診療料 300 × 3
(90) ＊精神病棟15対1入院基本料（14日以内),
録管2，補1，精医管，安全1，感向2，
患サポ，後使1，デ提2，5級地 2,136 × 1
＊精神病棟15対1入院基本料（14日以内),
補1，精医管，5級地 1,464 × 2
＊精神科身体合併症管理加算 450 × 3

＊急性期一般入院料4（14日以内）
急25上，夜50，急夜看，補1，5級地 2,493 × 1
症状詳記
精神科加療中の患者。他院に通院していた患者だが，右膝のずれにより痛みが急性増悪した。精神科コントロールしながら，手術を施行した。
整形外科 ○○○○

また，施設基準と診療内容から**I014医療保護入院等診療料も算定もれ**と考え，追加した。

⑦ 入院料・加算の誤り

一般科病棟に転棟した**9月27日についてはA100「1」「ニ」急性期入院基本料4へ変更し，各加算等も追加**する。

また，入院当初より整形外科と共同で診療に当たっているので，24～26日の3日間について，**A230-3精神科身体合併症管理加算を追加**した。

なお，症状詳記を追加する。

《ワンポイント解説 人工関節置換術について》

人工膝関節置換術とは，変形性膝関節症や関節リウマチによって傷んで変形した膝関節の表面を取り除いて，人工関節に置き換える手術です。人工関節は，関節の滑らかな動きを再現できるように，大腿骨部・脛骨部・膝蓋骨部の3つの部分からできています。大腿骨部と脛骨部の本体は金属製ですが，脛骨部の上面と膝蓋骨の表面は耐久性に優れた硬いポリエチレンでできていて，これが軟骨の代わりになります。

使用する人工関節は，障害の程度によって異なります。障害の程度が比較的軽い場合は骨の表面だけを削って置き換えますが，膝関節の破壊が進み障害が著しい場合には，すり減った骨を補充するために複雑な膝関節部品が必要になります。

人工膝関節置換術は，日本国内で40年以上前から行われている手術です。整形外科では一般的な治療法として定着し，手術件数は年々増えており，今では年間9万例以上にも上ります。また，厚生労働省の公開データによれば，人工膝関節置換術を受ける患者さんの平均年齢は75歳と，比較的高齢の方が手術を受けていることがわかります。

■最小侵襲術：治療部位の切開（侵襲）の程度をなるべく小さくし，患者さんの体にかかる負担を少しでも軽くしようという手術手法を，最小侵襲術あるいは低侵襲術といいます。人工関節置換術における最小侵襲術では，皮膚を切開する長さを従来よりも小さくする，筋肉を切らずに温存するといった方法で，患者さんにやさしい手術の実現を図っています。

最小侵襲術は，患者さんの容態や症状等によっては行えないこともあります。また，最小侵襲術による効果は必ずしも確約されているものではありません。

■人工膝関節部分置換術：人工関節置換術には，お皿の骨の部分など膝関節の一部を人工関節に置き換える部分置換手術という手術法もあります。

入院事例４　《両側乳がんのセンチネルリンパ節生検と乳房切除の事例（出来高）》

施設の概要　病院（消内・循内・呼内・整形・呼外・消外・乳外・放射・病理），一般病床300床，救急告示病院，２次救急医療機関（救急輪番参加）

届出等　急性期一般入院料１，臨床研修病院入院診療加算１，救急医療管理加算，診療録管理体制加算２，医師事務作業補助体制加算２（75対１），急性期看護補助体制加算１（急25上），看護職員夜間12対１配置加算１，医療安全対策加算１，感染対策向上加算１，指導強化加算，患者サポート体制充実加算，後発医薬品使用体制加算１，データ提出加算２，夜間休日救急搬送医学管理料，救急搬送看護体制加算１，薬剤管理指導料，検体検査管理加算（Ⅳ），

センチネルリンパ節生検，CT撮影（64列以上のマルチスライス型），MRI撮影（3.0テスラ），画像診断管理加算２，通則４，５に掲げる手術，麻酔管理料（Ⅰ）（Ⅱ），輸血管理料Ⅱ，輸血適正使用加算，運動器リハビリテーション料（Ⅰ），がん患者リハビリテーション料，入院食事療養（Ⅰ），その他省略

〔その他〕常勤放射線科医２名，常勤麻酔科標榜医５名，常勤病理診断医２名

〔診療時間〕月～金曜日9：00～17：00，土曜日9：00～12：00，日・祝日休診

〔所在地〕神奈川県厚木市（２級地）

レセプトチェック事例
外来
入院

乳腺外科／女性　S47. 1. 24生（52歳）　　　　　　　　　　　　　　　　令和６年５月分

| 傷病名 | (1) 両側乳房上外側部乳癌（主）
(2)
(3)
(4)
(5) | | | | | 診療開始日 | (1) 令和6年 5月 15日
(2) 年 月 日
(3) 年 月 日
(4) 年 月 日
(5) 年 月 日 | 転帰 | 治ゆ 死亡 中止 | 診療実日数 | 保険 6日
公費① 日
公費② 日 |

⑪初診	時間外・休日・深夜　1回	点	公費分点数
⑬医学管理		630	
⑭在宅			

⑬　*肺予　　　　　　　　　　　　　　　305 × 1
　　薬管2　　　　　　　　　　　　　　325 × 1
㉒　*ロキソプロフェン錠60mg「EMEC」 1錠　1 × 5
㉝　*ソルデム 3A 輸液　500mL　2袋，
　　セファゾリンNa点滴静注用1gバッグ，
　　オーツカ生食100mL付　2キット，
　　（向）ソセゴン注射液15mg　1管，
　　生理食塩液「ヒカリ」50mL　1瓶　　213 × 1
　　*セファゾリンNa点滴静注用1gバッグ，
　　オーツカ生食100mL付　1キット　　77 × 1
⑳　*液体酸素CE（0.19円×1320L×1.3）　33 × 1
　　*酸素ボンベ・小型（2.31×40L×1.3）
　　（術後，手術室から病棟移動時）　　12 × 1
　　*酸素吸入　　　　　　　　　　　　65 × 1
　　*液体酸素CE（0.19円×840L×1.3）　21 × 1
　　*ドレーン法（ドレナージ）（持続的吸引）50 × 2
　　*創傷処置2　　　　　　　　　　　　60 × 2
　　*イソジン液10%　20mL　　　　　　 5 × 2
⑤　*乳腺悪性腫瘍手術〔拡大乳房切除術（郭清を併施する）〕
　　（27日）　　　　　　　　　　 52,820 × 1
　　*術中酸素（詳細省略）　　　　　　　7 × 1
　　*スープレン吸入麻酔液　105mL，
　　（麻）フェンタニル注射液0.1mg「ヤンセン」
　　0.005%　2mL　3管
　　（術中薬剤及び麻酔薬剤途中省略）　974 × 1
　　*膀胱留置カテ2管一般（Ⅱ）-1 @561円／本　1本，
　　吸引留置カテ・創部用Ⅰ @4,360円／本　2本 928 × 1
　　*閉鎖循環式全身麻酔5（163分）　7,200 × 1
　　*麻管Ⅰ　　　　　　　　　　　　 1,050 × 1

⑳投薬	㉑内　服	単位		
	㉒屯　服	5 単位	5	
	㉓外　用	単位		
	㉔調　剤	1 日	7	
	㉖麻　毒	日		
	㉗調　基			
㉚注射	㉛皮下筋肉内	回		
	㉜静　脈　内	回		
	㉝そ　の　他	2 回	290	
⑳処置		8 回	351	
	薬　剤		10	
⑤手術麻酔		5 回	62,005	
	薬　剤		974	
⑥検査病理		12 回	13,588	
	薬　剤		49	
⑦画像診断		1 回	210	
	薬　剤			
⑧その他			710	
	薬　剤			

入院年月日	6 年 6 月 25 日			
⑨入院	㊺診 ⑨入院基本料・加算　点			
	急一般1	4,115 ×	1 日間	4,115
	臨修	2,503 ×	5 日間	12,515
	録管2	×	日間	
	医2の75	×	日間	
	急25上	×	日間	
	看職12夜1	×	日間	
	安全1			
	感向1	㊾特定入院料・その他		
	感指	×	日間	
	デ提2	×	日間	
	患サポ	×	日間	
	後使1	×	日間	

	※高額療養費		円	※公費負担点数	点
⑰食事・生活	基準Ⅰ 特別 食堂 環境	（略）	円×　回 円×　回 円×　日 円×　日	※公費負担点数 点 基準（生） 特別（生） 減・免・猶・Ⅰ・Ⅱ・3月超	円×　回 円×　回

療養の給付	保険	請求 95,459 点	※決定 点	負担金額 円 減額 割（円）免除・支払猶予	食事・生活療養	保険	回	請求 円 （略）	※決定 円	（標準負担額）円
	公費①	点	※ 点	円		公費①	回	円	※ 円	円
	公費②	点	※ 点	円		公費②	回	円	※ 円	円

⑥ ＊末梢血液一般，末梢血液像（自動機械法）　36×1	＊組織診断料　520×1
＊生化学的検査（Ⅰ）（10項目以上）	＊センチネルリンパ節生検2（両側）　3,000×2
TP，Alb，BUN，クレアチニン，UA，Tcho，	＊インジゴカルミン注20mg「AFP」0.4% 5mL　2管
BIL／総，AST，ALP，γ-GT，CK，カリウム，	49×1
ナトリウム及びクロール　103×1	⑦ ＊胸部X-P，[電画]（撮影回数1回）　210×1
＊入院時初回加算　20×1	⑧ ＊[リハ総評1]　300×1
＊CRP　16×1	＊がん患者リハビリテーション料（1単位）　205×2
＊[判血] [判生Ⅰ] [判免] [検管Ⅳ]　913×1	⑨ ＊急一般2（14日以内），
＊T-M（組織切片）　3臓器	臨修，録管1，医2の75，急25上，看職12夜1，
（両側乳腺・両側腋窩リンパ節）　2,580×1	安全1，感向1，感指，デ提2，患サポ，後使1，
＊T-M/OP　1,990×1	地域加算2　4,115×1
＊エストロジェンレセプター　720×1	＊急一般1（14日以内）
＊HER2タンパク　690×1	急25上，看職12夜1，地域加算2　2,503×5

[事例の経過]　令和6年5月，人間ドックで実施したマンモグラフィーで両側乳腺の異常を指摘され，乳腺外科を受診。外来にて乳腺生検を施行した結果，両側乳房上外側部乳癌と診断された。浸潤性乳癌との生検結果であったため，触診と造影CTによりリンパ節および遠隔転移検索を行ったが，明らかな転移は認めなかった。6月25日に入院し，28日にセンチネルリンパ節生検と，両側乳房部分切除および腋窩部リンパ節郭清を行った。

[カルテの記載（令和6年6月）]

6月25日（火）：本日入院。手術予定は29日。医師，PT，OT，看護師でリハビリ計画を策定。本日から術前リハビリ開始。PTによる肩関節の可動域訓練実施を1単位実施。

6月26日（水）：麻酔科術前診察：身長164cm／体重48kg／手術歴なし／既往なし／常用薬なし／アレルギー花粉症／喫煙1日10本20年以上／口腔内異常なし

外来における術前検査所見：ECG：sinus／胸部Xp：心拡大なし，肺野に麻酔管理上問題となる所見は認めない／呼吸機能：異常なし。

問題点#1　喫煙者，術前禁煙指示。

ASAⅠ。**肺血栓塞栓症予防**：40歳以上の悪性腫瘍手術のため，中リスクとして術中フットポンプ使用。術後は早期離床，弾性ストッキング着用とする。

麻酔説明：麻酔説明書に沿い，起こり得る併発症・合併症について説明（詳細省略）。麻酔説明に同意をいただき，インフォームドコンセントを得た。

麻酔プラン：全身麻酔単独。

リハビリ：PTによる肩関節の可動域訓練実施を

1単位実施。

6月27日（木）：本日手術。

手術記事：（詳細は省略）麻酔導入後，両側乳腺の腫瘍近傍の皮下にインジゴカルミン皮下注。両側のセンチネルリンパ節同定，サンプリング採取し，迅速病理の結果，転移を認め，乳房部分切除およびレベル2の腋窩部リンパ節郭清術を両側に対して施行。ドレーンを両側腋窩に置き，創は4-0バイクリル，ステープラを使用して閉創し，手術を終了した。ER，PgR，HER2の免染を追加した。

術後疼痛に対しては，ソセゴン＋生食50mLを点滴に追加し対応。

6月28日（金）：回診異常なし。胸部XPは肺野クリアで，術後採血は，炎症反応が高めだが，感染症徴候もないことから経過観察とする。本日，リンパ浮腫に係る指導実施（指導内容の詳細は省略）。

指導概要：①リンパ液を停滞させないようにリンパマッサージをする（自身が経営しているエステサロンで行うとのこと），②保湿，清潔を維持する，③適度な運動とバランスのとれた食生活を実践し，肥満予防に努める――ことを指導。また，弾性着衣については，いったん実費でお支払いいただくが，後日，療養費払いで戻る旨も説明した。

NSAIDを頓服で処方。

服薬指導指示（指導内容省略）。

6月29日（土）：回診異常なし。がんリハビリテーションの専任医師による肩関節の可動域訓練を午前と午後に1単位ずつ実施。

6月30日（日）：省略

レセプトチェック事例

外来

入院

点検事項と修正内容

① リンパ浮腫指導管理料の算定もれ

B001-7リンパ浮腫指導管理料は，腋窩部郭清を伴う乳腺悪性腫瘍等の手術を行った患者に対して，手術の実施月またはその前月もしくは翌月のいずれかに，リンパ浮腫の重篤化抑制に関する指導を行った場合に，入院中に1回に限り算定可能だ（求められる指導項目は図表1を参照）。

事例では，**腋窩部郭清を伴う両側乳房切除術が施行されており，手術の翌日に当該指導を実施しているため，B001-7リンパ浮腫指導管理料が算定可能**だ。

なお，算定にあたっては，診療録に指導内容の要点記載も求められるので注意が必要だ。

図表1　B001-7 リンパ浮腫指導管理料の指導項目

ア）リンパ浮腫の病因と病態
イ）リンパ浮腫の治療方法の概要
ウ）セルフケアの重要性と局所へのリンパ液の停滞予防及び改善するための具体的実施方法
　（イ）リンパドレナージに関すること
　（ロ）弾性着衣又は弾性包帯による圧迫に関すること
　（ハ）弾性着衣又は弾性包帯を着用した状態での運動に関すること
　（ニ）保湿及び清潔の維持等のスキンケアに関すること
エ）生活上の具体的注意事項
　リンパ浮腫を発症又は増悪させる感染症又は肥満の予防に関すること
オ）感染症の発症等増悪時の対処方法
　感染症の発症等による増悪時における診察及び投薬の必要性に関すること

② 手術手技料の算定誤り

事例は，両側乳がんに対し，乳房部分切除と両側腋窩リンパ節郭清術を施行している。

K476乳腺悪性腫瘍手術の通知（令6保医発0305・4）において，「両側の腋窩リンパ節郭清術を併せて行った場合は，『7 拡大乳房切除術』により算定する」とされているため，一見したところでは，事例の算定は適切なように思われる。

しかし，そもそも，K476乳腺悪性腫瘍手術は，手術の「通則13」に掲げる片側ずつ算定が可能な対称器官の手術であることから，**K476「4」乳房部分切除術（腋窩部郭清を伴うもの）（42,350点）を左右それぞれについて算定する**のが正しい。

前述の「7 拡大乳房切除術により算定する」のは，片側のみの乳腺悪性腫瘍手術を施行する際，両側の腋窩部リンパ節郭清術を施行したケースの説明だと解される。

傷病名	（1）両側乳房上外側部乳癌（主） （2） （3） （4） （5）

⑪ 初　診	時間外・休日・深夜　　回	点	公費分点数
⑬ 医学管理		730	
⑭ 在　宅			

⑳投薬	㉑内　服	5 単位	5
	㉒屯　服	単位	
	㉓外　用	単位	
	㉔調　剤	1 日	7
	㉖麻　毒	日	
	㉗調　基		
㉚注射	㉛皮下筋肉内	回	
	㉜静脈内	回	
	㉝その他	2 回	290
㊵処置		8 回	351
	薬　剤		10
㊿手術麻酔		6 回	99,885
	薬　剤		974
㉒検病査理		10 回	6,908
	薬　剤		
㉓画診像断		1 回	210
	薬　剤		
㊽その他			1,120
	薬　剤		

入院年月日　　　　6 年 6 月 25 日

㊺入院	㊿ 病　　診	⑨⓪入院基本料・加算　　点	点
	急一般1	4,115 × 1 日間	4,115
	臨修	2,503 × 5 日間	12,515
	録管2	× 日間	
	医2の75		
	急25上	⑨② 特定入院料・その他	
	看職12夜1	× 日間	
	安全1	× 日間	
	感向1	× 日間	
	感指		
	デ提2		
	患サポ		
	後使1		

療養の給付	保険	請　求	127,120 点	※決　定	点	負担金額	円 減額　割（円）免除・支払猶予

《センチネルリンパ節とは》

乳がん細胞が最初に辿り着くリンパ節をセンチネルリンパ節と呼んでいます。センチネルとは「見張り」という意味を持ち，見張りリンパ節とも呼ばれています。

《センチネルリンパ節生検とは》

手術の前に乳がん近傍に放射性同位元素や色素を局所注入し，これを目印にして，術中にセンチネルリンパ節を同定し，生検組織を採取して転移の有無を調べる検査です（図表2）。

腋窩リンパ節を郭清すると，上肢の浮腫等の合併症が生じる可能性があり，日常生活に影響を及ぼします。そのため，無駄な腋窩リンパ節郭清は行わないのが今の乳がん治療の考え方です。郭清の必要性

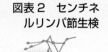

図表2　センチネルリンパ節生検

センチネルリンパ節

乳がん

診療開始日	(1) 令和6年	5月	15日	転	治ゆ	死亡	中止	診療実日数	保険	6日
	(2)　　年	月	日						公費①	日
	(3)　　年	月	日							
	(4)　　年	月	日						公費②	日
	(5)　　年	月	日	帰						

⑬ ＊肺予　　　　　　　　　　　　　　　　　305 × 1
　 ＊薬管2　　　　　　　　　　　　　　　　325 × 1
　 ＊リンパ浮腫指導管理料　　　　　　　　100 × 1
㉒ ＊ロキソプロフェン錠60mg「EMEC」1錠　1 × 5
㉝ ＊ソルデム3A輸液　500mL　2袋（以下略）290 × 1
㊵ ＊酸素吸入　　　　　　　　　　　　　　　65 × 1
　 ＊酸素（詳細略）　　　　　　　　　　　　66 × 1
　 ＊ドレーン法（ドレナージ）（持続的吸引）50 × 2
　 ＊創傷処置2　　　　　　　　　　　　　　60 × 1
　 ＊イソジン液10%　20mL　　　　　　　　 5 × 2
㊿ **＊乳房悪性腫瘍手術「4」乳房部分切除術〔腋窩部**
　 郭清を伴うもの（内視鏡下によるものを含む）〕
　 乳癌センチネルリンパ節生検加算2（27日）45,350 × 2
　 ＊酸素，麻酔薬，材料（詳細省略）　　 1,909 × 1
　 ＊閉鎖循環式全身麻酔5　　163分　　 7,200 × 1
　 ＊麻管Ⅰ　　　　　　　　　　　　　　 1,050 × 1
㉛ ＊末梢血液一般，末梢血液像（自動機械法）36 × 1
　 ＊生化学的検査（Ⅰ）（10項目以上）（詳細略）103 × 1
　 ＊入院時初回加算　　　　　　　　　　　　20 × 1
　 ＊CRP　　　　　　　　　　　　　　　　16 × 1
　 ＊判血，判生Ⅰ，判免，検管Ⅳ　　　　　 913 × 1
　 ＊T-M（組織切片）　2臓器
　 　（両側乳腺・両側腋窩リンパ節）　　 1,720 × 1
　 ＊T-M/OP　　　　　　　　　　　　　 1,990 × 1
　 ＊エストロジェンレセプター
　 プロジェステロンレセプター同一月併施加算　900 × 1
　 ＊HER2タンパク　　　　　　　　　　　 690 × 1
　 ＊組織診断料　　　　　　　　　　　　　 520 × 1
㉚ ＊胸部X-P，電画（撮影回数1回）　　　 210 × 1
㊻ ＊リハ総評1　　　　　　　　　　　　　 300 × 1
　 ＊がん患者リハビリテーション料（1単位）205 × 2
　 ＊がん患者リハビリテーション料（2単位）410 × 1
㉙ ＊急一般1（14日以内）（加算項目略）　4,012 × 1
　 ＊急一般1（14日以内）（加算項目略）　2,465 × 5

を判断するために行うのが，センチネルリンパ節生検です。最初に転移するセンチネルリンパ節への転移がなければ，他のリンパ節への転移の可能性も低いため，無駄なリンパ節郭清をしなくて済むのです（図表3）。

図表3　センチネルリンパ節生検と治療の流れ

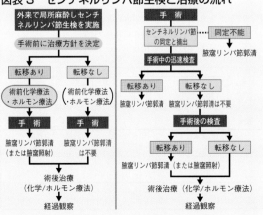

③　**穿刺診断料の算定の誤り**

　当該医療機関は，センチネルリンパ節生検の届出施設である。6月27日に色素（インジゴカルミン）を皮下注して当該生検を実施しており，問題はないように感じるが，D409-2センチネルリンパ節生検を乳房悪性腫瘍手術と同一日に行う場合は，D409-2ではなくK476乳腺悪性腫瘍手術の「注1」または「注2」で算定するとされている（『診療点数早見表』2024年版p.549）。

　したがって，**色素による単独法を両側に対して行った場合は，乳癌センチネルリンパ節生検加算2（3,000点）を左右それぞれの手術に加算する**のが正しい（手術に合わせて当該加算も両側に対して加算が可能と解される）。

　なお，当該生検に使用した色素については，所定点数に含まれることから算定は不可となる。また，センチネルリンパ節生検（K476「注1」「注2」を含む）の算定は，乳がんの手術前に触診や画像診断等で腋窩部リンパ節転移を認めていない場合のみが算定対象となるので注意が必要だ。

④　**病理組織標本作製料の臓器数の誤り**

　事例では，摘出した両側の乳腺と腋窩リンパ節の組織標本を作製し，病理検査を行っている。

　「対称器官（手術「通則13」）」については，手術の場合は左右それぞれに算定が可能だが，**病理診断では「両側で1臓器」**となる（病理診断の「通則5」）。「所属リンパ節」についても，**1臓器に複数の所属リンパ節が存在する場合，複数で1臓器**として数える。そのため，乳腺も，腋窩部リンパ節も，両側で「1臓器」と数えるのが妥当である。

　よって，事例の場合，**両側乳腺と両側腋窩リンパ節の合わせて2臓器として算定する**のが適切である。

⑤　**N002「1」「2」の同一月併施加算の算定もれ**

　N002免疫染色病理組織標本作製の「1」エストロジェンレセプターと「2」プロジェステロンレセプターを同一月に作製した場合は，**主たる所定点数〔この場合点数の高い「1」（720点）を選択〕に「注1」180点を加算する。**

⑥　**がん患者リハビリテーション料の算定もれ**

　25日と26日にPTによる肩関節可動域訓練を実施し，それぞれ1単位ずつ算定しているが，30日に行ったがんリハビリテーションの専任医師によるリハビリ（2単位）が算定されていない。当該リハビリテーション料は，疾患別リハビリテーション料と同様に，**専任の医師が直接リハビリテーションを実施した場合についても算定できる。**

レセプトチェック事例

外来

入院

入院事例5　急性期脳梗塞に対して血栓溶解療法と機械的脳血栓除去術を施行した事例（DPC）

施設の概要　病院（脳外・消内・循内・呼内・整形・呼外・消外・放射・病理），一般病床280床，救急告示病院，二次救急医療機関（救急輪番参加）

届出等　急性期一般入院料1，救急医療管理加算，患者サポート体制充実加算，超急性期脳卒中加算，協力対象施設入所者入院加算，院内トリアージ実施，夜間休日救急搬送医学管理料，救急搬送看護体制加算1，薬剤管理指導料，検体検査管理加算（Ⅱ），CT撮影（64列以上のマルチスライス型），MRI撮影（3.0テスラ），画像診断管理加算2，通則4，5に掲げる手術，運動器リハ料（Ⅰ），脳血管疾患等リハ料（Ⅰ），リハビリテーション初期加算，急性期リハビリテーション加算，入院食事療養（Ⅰ），その他省略

〔その他〕　常勤放射線医2名，常勤麻酔科標榜医5名，常勤病理診断医2名，常勤リハビリテーション科医1名

〔診療時間〕　月〜金曜日 9：00〜17：00　土曜日 9：00〜12：00　日・祝日　休診

〔所在地〕　神神奈川県厚木市（2級地）

消化器外科／男性　S29.5.1生（70歳）　　　　　　　　　　　　　　　令和6年6月分

分類番号	診断群分類区分	脳梗塞　経皮的脳血管形成術等　手術処置等2-5あり 定義副傷病名なし	転		診療実日数	保険	6日
010060xx02x50x						公費①	日

傷病名	アテローム血栓性脳梗塞	ICD10	傷病名	I633	帰		公費②	日
副傷病名			副傷病名					

今回入院年月日　令和 6年 6月 25日　　今回退院年月日　令和　年　月　日

傷病情報

（主傷病名）
　I633　アテローム血栓性脳梗塞
（入院の契機となった傷病名）
　I633　アテローム血栓性脳梗塞
（入院時併存傷病名）
　E785　脂質異常症
　J690　誤嚥性肺炎
　G819　不全片麻痺
（入院後発症傷病名）

入退院情報

予定・緊急入院区分：3緊急入院（2以外のもの）
前回退院年月日：なし
前回同一傷病での入院の有無：無

診療関連情報

手術・処置等
K178-4　経皮的脳血栓回収術
　　　（令和6年6月26日実施）
0022　t-PA
　　　（令和6年6月25日実施）

包括評価部分

⑨③

〈包括評価部分〉
（6月請求分）
入Ⅰ　　5,007 ×　　　6 ＝　　　30,042
合計　　30,042 ×　1.3890 ＝　　　41,728

出来高部分

⑪
⑬
⑤⓪
⑧⓪

〈出来高部分〉
＊初診料（特外）　　　　　　　　　　　　521 × 1
＊救搬，救搬看1　　　　　　　　　　　1,000 × 1
＊院内トリアージ実施料　　　　　　　　　300 × 1
＊経皮的脳血栓回収術
　深夜加算2（手術）　　　　　　　　 59,670 × 1
＊キシロカイン注シリンジ1%　10mL　1筒
　（中略）
　オイパロミン370注100mL 75.52%　　　775 × 1
＊血管造影用ガイドワイヤー（微細血管用）
　（@ 12,500円）　1本
　（その他略）　　　　　　　　　　　 43,952 × 1
＊脳血管疾患等リハビリテーション料(1)
　（理学療法士による場合）　2単位
　早期リハビリテーション加算　2単位
　初期加算（リハビリテーション）　2単位 630 × 2
＊脳血管疾患等リハビリテーション料(1)
　（言語聴覚士による場合）　1単位
　早期リハビリテーション加算　1単位
　初期加算（リハビリテーション）　1単位 315 × 1
＊脳血管疾患等リハビリテーション料(1)
　（言語聴覚士による場合）　2単位
　早期リハビリテーション加算　2単位
　初期加算（リハビリテーション）　2単位 630 × 1
　実施日数：3日
　疾患名：アテローム血栓性脳梗塞
　発症年月日：令和6年6月25日
　手術年月日：令和6年6月26日

※高額療養費		円	※公費負担点数	点
⑨⑦食事・生活	基準Ⅰ	円×	回	※公費負担点数　点
	特別	（略）円×	回	基準（生）　円×　回
	食堂	円×	日	特別（生）　円×　回
	環境	円×	日	減・免・猶・Ⅰ・Ⅱ・3月超

療養の給付	保険	請求　　　点	※決定　　　点	負担金額　　　円	食事・生活療養	保険	回	請求　　円	※決定　　円	標準負担額　　円
		156,721		減額 割（円）免除・支払猶予			（略）		（略）	（略）
	公費①	点	※　　　点	円		公費①	回	円	円	円
	公費②	点	※　　　点	円		公費②	回	円	円	円

＊患者サポート体制充実加算　　　　　70 × 1 ＊救急医療管理加算 1　　　　　　　1,050 × 6 ＊協力対象施設入所者入院加算 2 　（1 以外の場合）　　　　　　　　 200 × 1 ＊入所していた介護保険施設等： 　特別養護老人ホームゆめの花	＊救急医療管理加算 1 算定コメント： 　10）緊急手術，緊急カテーテル治療・検査又は t-PA 療法を 　必要とする状態 ＊緊急手術コメント： 　令和 6 年 6 月 25 日（火）20 時救急搬送。 　同日 22 時より t-PA 行うも閉塞部再開通しないため翌 26 日， 　2 時 30 分より機械的脳血栓除去術を行った。

[事例の経過]　2024（令和 6）年 6 月 25 日，入所中の特別養護老人ホームで，夕食時に突然意識障害と左片麻痺を発症した。施設スタッフから施設の協力医療機関である当院に電話連絡があり，患者の既往歴や症状から脳血管疾患が疑われたため，救急車の要請を指示し，当院へ救急搬送された。

到着後に行った精査の結果，誤嚥性肺炎を併発したアテローム血栓性脳梗塞と診断。発症後，4.5 時間を経過していなかったため，t-PA 療法を実施した。しかし，神経症状等が改善しないことから血栓溶解が不十分と判断し，血管造影下における機械的脳血栓除去術を施行したところ，血流の再開通を得た。術後はリハビリテーションを実施。

[DPC 情報]
前回入院歴：なし
主傷病名および入院契機傷病名，医療資源最投入傷病名：アテローム血栓性脳梗塞（I633）
入院時併存傷病名：脂質異常症（E785）／左不全片麻痺（G819）／誤嚥性肺炎（J690）
入院後発症傷病名：なし

[カルテの記載（6 月）]
6 月 25 日（火）：20 時 00 分：救急搬送
【主訴】意識障害，左不全片麻痺，構音障害
【現病歴】本日 19 時頃，食事中に突然茶碗を落とし，意識障害が現れ，呂律が回らなくなったため，施設スタッフが協力医療機関である当院へ電話連絡を行った。脳血管疾患が強く疑われたため，救急車を要請するよう指示し，当院へ救急搬送された。元々，ADL は自立していた。
【既往歴】脂質異常症で服薬中（他院）
【所見（来院時）】JCS100，BP165 ／ 100mmHg，HR87 ／分・不整，SPO$_2$95 ％，瞳孔 3 mm ／ 3 mm，左口角下垂，右上下肢 MMT 5 ／左上下肢 MMT 2，両眼の閉眼開眼可能，左共同偏視，発語なし。
→脳血管障害が疑われるため CT，MRI をオーダー。脳外 Dr にコール。

頭部 CT：ICH（-）/early CT sign（-）
心電図：sinus rhythm
胸部単純レントゲン：肺炎像あり
頭部 MRA：右中大脳動脈（M1）途中より閉塞
【評価】アテローム血栓性脳梗塞（Rt.M1 閉塞）および誤嚥性肺炎。家族と施設職員へ IC（内容省略）。
t-PA 禁忌チェック問題なし。
【方針】t-PA 治療（グルトパ注 600 万）およびエダラボン投与。再開通が得られない場合は機械的脳血栓除去術とする。
22 時より静注投与開始（発症から約 3 時間）。約 46mg を急速投与後，残りを 1 時間で投与とする。
6 月 26 日（水）：投与終了するも神経症状改善せず，家族へ IC し，緊急機械的血栓除去術施行を決めた。
2 時 30 分より手術開始。ガイドワイヤーで総頸動脈から右内頸動脈に誘導し，マイクロカテを右M1 部の閉塞部より末梢まで誘導。造影により血栓は遠位部と判断した。
自己拡張型カテーテル Trevo 4 mm を挿入し，血栓内で拡張して除去すると，再開通した。
左上下肢 MMT 3 まで改善。意識障害も JCS 1 程度へ改善。エダラボンおよび抗生剤点滴投与継続。
6 月 27 日（木）：t-PA，Trevo 後のフォロー CT では明らかな出血および新たな梗塞巣は認めない。本日よりリハビリ開始（PT 2 単位）。本人，家族に説明する。エダラボンと抗生剤の点滴投与を継続。
明日から ST も開始する。BI 評価：5 点。
6 月 28 日（金）：本日から ST（言語聴覚士によるリハ）開始とする。ST 1 単位を実施。点滴 do。BI 評価：5 点。
6 月 29 日（土）：リハビリ：PT 2 単位，ST 2 単位を実施。BI 評価：5 点。
6 月 30 日（日）：内容省略。

レセプトチェック事例

外来

入院

点検事項と修正内容

① 定義副傷病名のコーディングもれ

本事例は，脳梗塞（010060）で「手術あり」（K178-4 経皮的脳血栓回収術）を選択し，「手術・処置等2」と「定義副傷病」は「なし」を選択している。

しかし，脳梗塞の診断群分類における定義副傷病は図表1のとおりで，この患者は食事中に脳梗塞を発症し，誤嚥性肺炎を併発している患者であるため，**分岐上，定義副傷病名「あり」を選択する必要がある。** このコーディングミスは入院期間に大きく影響するので注意が必要である。

なお，2024年度診療報酬改定において，CCPマトリックス対象の010060 脳梗塞は，同じ支払い分類の枝を統一して簡素化が行われた。このほか，定義副傷病名や重症度についても改定された。

図表1　脳梗塞の定義副傷病と重症度等（2024年改定後）

定義副傷病名（手術あり・なし共通）		重症度等
疾患	傷病名	無症候性
040080	肺炎等	脳卒中発症時期8日目以降
040081	誤嚥性肺炎	脳卒中発症時期4日目以降7日以内
110310	腎臓又は尿路の感染症	脳卒中発症3日以内
180010	敗血症	
180035	その他の真菌感染症	

② 院内トリアージ実施料の算定誤り

【誤】院内トリアージ実施料　　　　　　　　　300×1

本事例では，B001-2-5院内トリアージ実施料（300点）を算定しているが，この項目は，**B001-2-6夜間休日救急搬送医学管理料を算定した患者については算定できない**こととなっている。

③ 造影剤注入手技料の算定もれ

中大脳動脈を造影するには，主要血管である総頸動脈から分岐する内頸動脈と外頸動脈のうち，内頸動脈を選択してカテーテルを進める必要があり（図表2），E003造影剤注入手技「3」動脈造影カテーテル法「イ」主要血管の分枝血管を選択的に造影撮影した場合（3600点）を実施している。

経皮的カテーテルによる手術の多くは「手術に伴う画像診断および検査の費用は算定できない」と規定されているが，本事例で実施された**K178-4経皮的脳血栓回収術においては，この規定がないため，算**定が可能だ。また，この点数は，**DPCにおいても出来高で算定できる。**

手術料を算定する際には，点数表の通知を確認するよう注意したい。

分類番号		診断群分類区分	脳梗塞　経皮的脳血管形成術等 手術処置等2·5あり 定義副傷病名あり
010060xx02x51x			

傷病名	アテローム血栓性脳梗塞	ICD	傷病名	I633
副傷病名	誤嚥性肺炎	10	副傷病名	J690

今回入院年月日	令和 6 年 6 月 25 日	今回退院年月日	

患者基礎情報	傷病情報	**（主傷病名）** 　I633　　アテローム血栓性脳梗塞 **（入院の契機となった傷病名）** 　I633　　アテローム血栓性脳梗塞 **（入院時併存傷病名）** 　E785　　脂質異常症 　J690　　誤嚥性肺炎 　G819　　不全片麻痺 **（入院後発症傷病名）**	包括評価部分
	入退院情報	予定・緊急入院区分：3緊急入院（2以外のもの） 前回退院年月日：なし 前回同一傷病での入院の有無：無	出来高部分
	診療関連情報	手術・処置等： K178-4 経皮的脳血栓回収術 　　（令和6年6月26日実施） 0022　t-PA 　　（令和6年6月25日実施）	※高額療養費 ⑨⑦食事・生活

療養の給付	保険	請求 点 ※決 定 点	負担金額 円 減額 割(円)免除・支払猶予	食事・生活療養	保険
		158,920			
	公費①	点 ※ 点	円		公費①
	公費②	点 ※ 点	円		公費②

図表2　脳の血管

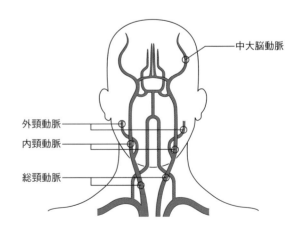

		転		診療実日数	保険	6 日
					公費①	日
					公費②	日
令和 年 月 日		帰				

㉛	〈包括評価部分〉 （6月請求分） 入 I　　3,417 ×　　6 ＝　　20,502 〈合計〉　20,502 × 1.3890 ＝　28,477
⑪	〈出来高部分〉 ＊初診料（特外）　　　　　　　　521 × 1
⑬	＊救搬, 救搬看1　　　　　　　1,000 × 1
㊿	＊経皮的脳血栓回収術 　深夜加算2（手術）　　　　59,670 × 1 　＊（薬剤略）　　　　　　　　775 × 1 　＊（材料略）　　　　　　　43,952 × 1
⑦	＊造影剤注入手技（動脈造影カテーテル法） 　（選択的血管造影）　　　　3,600 × 1
⑧	＊脳血管疾患等リハビリテーション料(1) 　（理学療法士による場合）　2単位 　早期リハビリテーション加算　2単位 　初期加算（リハビリテーション）　2単位 　**急性期リハビリテーション加算　2単位　730 × 2** ＊脳血管疾患等リハビリテーション料(1) 　（言語聴覚士による場合）　1単位 　早期リハビリテーション加算　1単位 　初期加算（リハビリテーション）　1単位 　**急性期リハビリテーション加算　1単位　365 × 1** ＊脳血管疾患等リハビリテーション料(1) 　（言語聴覚士による場合）　2単位 　早期リハビリテーション加算　2単位 　初期加算（リハビリテーション）　2単位 　**急性期リハビリテーション加算　2単位　730 × 1** 　急性期リハビリテーション加算 　・バーセルインデックス5点：令和6年6月27日 　・バーセルインデックス5点：令和6年6月28日 　・バーセルインデックス5点：令和6年6月29日 　実施日数：3日 　疾患名：アテローム血栓性脳梗塞 　発症年月日：令和6年6月25日 　手術年月日：令和6年6月26日
⑨	＊患者サポート体制充実加算　　　70 × 1 ＊救急医療管理加算1　　　　　1,050 × 6 **＊超急性期脳卒中加算　　　　12,000 × 1** ＊救急医療管理加算1算定コメント 　10）緊急手術, 緊急カテーテル治療・検査又は t-PA 療法を必要とする状態 ＊緊急手術コメント 　令和6年6月25日（火）20時救急搬送。 　同日22時より t-PA 行うも閉塞部再開通しないため翌26日, 2時30分より機械的脳血栓除去術を行った。

		円 ※公費負担点数 点			
基準 I	円× 回	※公費負担点数 点			
特別	（略）円× 回	基準 （生）	円× 回		
食堂	円× 日	特別 （生）	円× 回		
環境	円×	減・免・猶・I・II・3月超			

回	請求 円	※決 定 円	（標準負担額） 円
（略）	（略）		（略）
回	円	※ 円	円
回	円	※ 円	円

④ 急性期リハビリテーション加算の算定もれ

2024年度診療報酬改定において, 疾患別リハビリテーション料の注加算として, 急性期リハビリテーション加算（1単位50点／14日を限度）が新設された。

この加算は, 重症患者に対する早期のリハビリテーションを評価したもので, 対象患者は「特掲診療料の施設基準」の「別表第9の10」に定められている（図表3）。

今回の事例では, 急性期リハ加算の施設基準の届出がされており, カルテの記載内容から, 患者が, **ADLの評価であるBarthel Index（BI）が10以下（日常生活能力がかなり低下している）**であることが読み取れる。したがって, 当該加算が算定可能である。算定時には, **当該加算の算定の根拠となった要件を算定日ごとに摘要欄に記載**しなくてはならない。また, 当該加算は, 初期加算および早期加算と併算定が可能である点も覚えておきたい。

図表3　急性期リハビリテーション加算の算定対象患者

以下のア〜エのいずれかに該当する患者
ア　相当程度以上の日常生活能力の低下を来している患者
　　ADL の評価である BI が 10 点以下のもの
イ　重度認知症の状態にあり, 治療を送る上で介助が必要な患者
　　「認知症高齢者の日常生活自立度判定基準」の活用について」におけるランク M 以上に該当するもの
ウ　特別な管理を要する処置等を実施している患者
　　以下に示す処置等が実施されているもの
　　①動脈圧測定（動脈ライン）, ②シリンジポンプの管理, ③中心静脈圧測定（中心静脈ライン）, ④人工呼吸器の管理, ⑤輸血や血液製剤の管理, ⑥特殊な治療法等（CHDF, IABP, PCPS, 補助人工心臓, ICP 測定, ECMO）
エ　リハビリテーションを実施する上で感染対策が特に必要な感染症並びにそれらの疑似症患者
　　「A209」特定感染症入院医療管理加算の対象となる感染症, 感染症法第6条第3項に規定する二類感染症及び同法同条第7項に規定する新型インフルエンザ等感染症の患者及び当該感染症を疑うもの。ただし, 疑似症患者については初日に限り算定する。

⑤ 協力対象施設入所者入院加算2の誤算定

A253 協力対象施設入所者入院加算は, 今回の改定において, 「介護保険施設等」からあらかじめ協力医療機関として定められた医療機関において, 介護保険施設等で療養中の患者の急変等に際し, 診療を行い, 入院させたことを評価する新設項目である。

本事例の医療機関は, たしかに施設基準の届出がなされ, 当該医療機関を協力医療機関として定めた介護保険施設から救急搬送された患者を入院させている。

A253には, 「1」協力医療機関により往診が行われた場合（600点）と「2」1以外の場合（200点）の2種類がある。事例では, 往診は実施していないため「2」を算定している。しかし, 「2」については, **救急車等で搬送された患者は算定の対象外**であるため, 算定はできない。

なお, 当該点数における「介護保険施設等」とは, 介護老人保健施設, 介護医療院および特別養護老人ホームを指す。また, 当該点数を算定した場合は, **摘要欄に当該患者の入所施設名称を記載**しなければならない。

レセプトチェック事例

外来

入院

入院事例6 橈骨尺骨骨折に対して観血的整復固定術と経皮的鋼線刺入固定術を施行した事例（出来高）

施設の概要 病院（脳外・消内・循内・呼内・整形・呼外・消外・放射・病理），一般病床300床，救急告示病院，2次救急医療機関（救急輪番参加）

届出等 急性期一般入院料1，臨床研修病院入院診療加算1，救急医療管理加算，診療録管理体制加算2，医師事務作業補助体制加算2（50対1），急性期看護補助体制加算1（急25上），看護職員夜間12対1配置加算1，医療安全対策加算1，感染対策向上加算1，指導強化加算，患者サポート体制充実加算，後発医薬品使用体制加算1，データ提出加算2（200床以上），地域医療体制確保加算，夜間休日救急搬送医学管理料，救急搬送看護体制加算1，薬剤管理指導料，検体検査管理加算（Ⅱ），CT撮影（64列以上のマルチスライス型），MRI撮影（3.0テスラ），画像診断管理加算2，通則4，5に掲げる手術，麻酔管理料（Ⅰ）（Ⅱ），輸血管理料Ⅱ，輸血適正使用加算，運動器リハ（Ⅰ），脳血管疾患等リハ（Ⅰ），入院食事療養（Ⅰ），その他省略

〔その他〕 常勤放射線科医2名，常勤麻酔科標榜医3名，常勤病理診断医2名

〔診療時間〕 月～金曜日 9：00～17：00 土曜日 9：00～12：00 日・祝日 休診

〔所在地〕 神奈川 鎌倉市（3級地）

消化器内科／男性 S50.12.15生（48歳）（一般病床300床の病院） **令和6年7月分**

傷病名	診療開始日	転帰	診療実日数
（1）右尺骨骨幹部骨折（主）	（1）令 6年 7月 28日	転 治ゆ 死亡 中止	保険 4日
（2）右橈骨遠位端骨折（主）	（2）令 6年 7月 28日		公費① 日
（3）脳振盪 意識障害	（3）令 6年 7月 28日		公費② 日
（4）脂質異常症	（4）令 6年 7月 28日		
（5）病的肥満症	（5）令 6年 7月 28日	帰	

区分	項目	回数等	点数	公費分点数
⑪初診	時間外・(休日)・深夜	1回	541点	
⑬医学管理			325	
⑭在宅				
⑳投薬	㉑内服	5単位	10	
	㉒屯服	単位		
	㉓外用	単位		
	㉔調剤	4日	28	
	㉖麻毒	日		
	㉗調基			
㉚注射	㉛皮下筋肉内	回		
	㉜静脈内	1回	47	
	㉝その他	1回	98	
㊵処置		回		
	薬剤		41	
㊿手術麻酔		4回	42,625	
	薬剤		1,034	
60検査病理		15回	2,197	
	薬剤			
70画像診断		8回	2,602	
	薬剤			
80その他		回		
	薬剤			

⑪	＊初診料（休日）		541 × 1
⑬	＊薬剤管理指導料（1の患者以外）		325 × 1
㉑	＊カロナール錠200 200mg 3錠		2 × 5
㉜	＊薬剤名省略		47 × 1
㉝	＊薬剤名省略		98 × 1
㊵	＊酸素（術後病棟にて）（詳細省略）		41 × 1
㊿	＊骨折非観血的整復術（前腕）（休日）（28日）		3,672 × 1
	＊副木・F10-a-2（徒手整復時）		177 × 1
	＊キシロカイン注ポリアンプ1％ 10mL 1管		8 × 1
	＊骨折観血的手術（前腕）（尺骨）（30日） （尺骨）		18,370 × 1
	＊（尺骨） 固定用内副子（プレート）〔骨端用（生体用合金Ⅰ）・標準型〕 @68,700円／個 1個 固定用内副子（スクリュー）〔一般（生体用合金Ⅰ）・標準型〕 @5,970円／個 5個 （商品名省略）		9,855 × 1
	＊（橈骨） 固定用金属ピン（一般用・標準型）@505円／本 2本（商品名省略）		101 × 1
	＊閉鎖循環式全身麻酔5（麻酔困難な患者）（30日）（150分） 非侵襲的血行動態モニタリング加算		9,400 × 1
	＊麻酔管理料（Ⅰ）（閉鎖循環式全身麻酔）		1,050 × 1
	＊1％プロポフォール注「マルイシ」200mg 20mL 1管 スープレン吸入麻酔液 65mL ポプスカイン0.25％注25mg/10mL 2管		1,026 × 1
	（麻酔薬及び術中薬剤一部省略）		
60	（検査内容省略）		2,197 × 1
70	＊透視診断（整復時）		110 × 1
	＊撮影部位（単純撮影）：右前腕 X-P,(電画)（電子媒体保存2回）		224 × 3
	＊撮影部位（CT撮影）：頭部 （64列以上マルチスライス型機器）（その他） (電画)		1,120 × 1

90入院		
入院年月日	6年 7月 28日	
(病) 診	90 入院基本料・加算	点
(急一般1)	5,709 × 1日間	5,709
(臨修)	3,552 × 3日間	10,656
(録管2)	× 日間	
(医2の50)	× 日間	
(急25上)	× 日間	
(看職12夜1)	92 特定入院料・その他	
(安全1)	× 日間	
(感向1)	× 日間	
(感指)	× 日間	
(患サポ)		
(後使1)		
(地医体)		

※高額療養費 円	※公費負担点数 点		
97食事・生活	基準 円× 回	※公費負担点数 点	
	特別 円× 回	基準(生) 円× 回	
	食堂 円× 日	特別(生) 円× 回	
	環境 円× 日	減・免・猶・Ⅰ・Ⅱ・3月超	

療養の給付	請求 点	※決定 点	負担金額 円（減額 割(円) 免除・支払猶予）	食事・生活療養	回	請求 円	※決定 円	（標準負担額） 円
保険	65,913 点	点	円	保険	回	円	円	円
公費①	点	※ 点	円	公費①	回	円	※ 円	円
公費②	点	※ 点	円	公費②	回	円	※ 円	円

	＊コンピューター断層診断	450 × 1
	＊ 写画1	70 × 1
	＊ コ画2	175 × 1
⑨	＊急一般1（14日以内），臨修，録管2，急25上，	
	医2の50，看職12夜1，安全1，感向1，	
	感指，3級地，患サポ，後使1，地医体，	
	救医1	5,709 × 1

＊急一般1（14日以内），3級地，急25上，	
看職12夜1，救医1	3,552 × 3
＊救急医療管理加算算定コメント	
2　意識障害又は昏睡	
＊他の摘要欄コメントは省略	

事例の経過　脂質異常症で他院に通院中の患者。令和6年7月28日，自宅の階段昇降中に誤って転落。右腕が体の下敷きになる格好で床に叩きつけられ，前頭部も打撲。右前腕の変形があり，意識も朦朧としていると救急要請あり。

救急車に救急医も同乗〔派遣型救急ワークステーション体制（救急救命士が病院実習を行いながら救急搬送対応する）〕し，患家宅と救急車内で診療を行いながら救急搬送。精査の結果，右前腕の尺骨骨幹部骨折と橈骨遠位端骨折と診断。手術目的で緊急入院とし，尺骨に対して観血的整復固定，橈骨に対して経皮的鋼線刺入固定をそれぞれ施行した。

カルテの記載（7月）

7月28日（日）：午前10時頃，自宅の階段昇降中に転落。当院ワークステーションに救急車出動要請あり。意識障害もありそうなことから救急隊員と共に医師が救急車に同乗し，患家へ向かった。

患家到着時，未だ意識は朦朧としており，JCS20程度。前頭部に皮下血腫あり。右前腕は変形顕著。胸部，腹部，下肢等においては，視診および触診上は明らかな異常は認めなかった。

救急車内でもモニター監視と声掛けを行いながら搬送した。

病院着後，CTとエックス線による緊急画像診断を施行。

右橈骨尺骨骨折以外は明らかな異常所見は認めず。家族へ手術と入院治療が必要な旨を説明し，同意を得た。

尺骨の透視補助下整復（局所麻酔下）および副木固定（腫脹が顕著でギプス固定困難なため）を行い，入院とした。入院時意識レベルはJCS3まで改善。手術は木曜日に行うこととし，明日，麻酔科の術前診察を予定。

入院後，放射線診断医から，骨折以外の所見は認められなかったとの報告レポートあり。

7月29日（月）
回診：異常なし。意識レベルも改善し，JCS0。

明日10時から手術予定。

【術前麻酔科診察（標榜医が診察）】
術式：ORIF（右尺骨）+Pinning（右橈骨）
①**現病歴**：脂質異常症，病的肥満症（他院通院中），②**既往症**：現病歴以外特記すべき事項なし，③**アレルギー**：無，④**喫煙**：無，⑤**心電図**：sinus rhythm，⑥**ASA分類**：Ⅱ。
麻酔管理上の問題点：病的肥満（BMI38，身長170cm，体重110kg）。
麻酔プランは全身麻酔（挿管）＋腋窩神経ブロック併施。麻酔内容とリスクについて説明し，本人・家族から同意を得た。

7月30日（火）：本日，全身麻酔下（腋窩神経ブロック併施）にてORIF+Pinning実施。

【手術概要】　橈骨遠位端骨折に対して1.6mm k-wireでKAPANDJI法にて骨接合し，尺骨骨幹部骨折に対しては整復位をとり，1.6mm k-wireにて仮固定後，メタフィジアルプレート6穴を選択し，ロッキングスクリューを遠位に2本，近位に3本挿入・固定し，洗浄，縫合。肘までシーネ固定し終了した。術中はBMI35以上で麻酔困難者であることから非侵襲的血行動態モニタリングを施行。

7月31日（水）
回診：痛み自制内。発熱なし。本日，リハ依頼（固定範囲内での前腕・手関節の愛護的他動および自動運動等）。明日，リハビリ後に自宅退院予定。
【麻酔科術後診察】　意識：清明，呼吸：酸素化良好，喀痰喀出：良好，循環：安定，創部痛：自制内，咽頭痛：（－），嗄声：（－），嘔気・嘔吐：（－）
作業療法実施：10時8分～35分（1単位）前腕・手関節の他動，自動運動および指導。
リハビリテーション実施計画書は本日中に作成し，明日，本人，家族へ説明しサインをもらう予定。

点検事項と修正内容

① C004救急搬送診療料の算定もれ

　診療の必要性から救急搬送自動車等に医師自らが同乗し，緊急自動車内および患者の発生した場所（患家）で診療を行っているので，**C004救急搬送診療料を算定できる**。ただし，自院の入院患者を他院へ搬送する際は算定できない。

　なお，一般的にこうしたケースでは，**往診料も併算定可能である**。しかし，本事例の場合，医師が自らの意思で現場へ赴いており，患者や家族から医療機関への直接的な往診要請はないことから，往診料は算定できないと解される。

② J122四肢ギプス包帯の算定もれ

　手術終了時に，肘までのシーネ固定を施している。手術「通則1」より，手術に伴って行った処置の費用は各手術の所定点数に含まれるが，J122〜J129-4は除外される（早見表p.732）ので，**J122四肢ギプス包帯は算定できる**。

③ 手術の算定もれ

　7月30日の手術は，尺骨へのORIF（観血的整復固定術）と橈骨へのPinning（鋼線刺入固定）である。K046骨折観血的手術では，前腕の橈骨と尺骨の手術を同時に行った場合，「別皮切で実施した場合」しか，それぞれ算定できない。今回は同一皮切と思われることから，一見，正しい算定が行われているように思える。しかし，支払基金から以下の参考通知が出されている。

同一側の橈骨骨折かつ尺骨骨折に対し，前腕骨の一方にK045骨折経皮的鋼線刺入固定術を実施し，もう一方にK046骨折観血的手術を実施した場合，それぞれの所定点数の算定を認める。　（平29.4.24）

　したがって，今回の事例では，K045とK046の点数の所定点数を算定できる。

④ L008麻酔料加算の算定もれと算定の誤り

　L008「注9」神経ブロック併施加算は，閉鎖循環式全身麻酔実施時にL100神経ブロック（局所麻酔剤又はボツリヌス毒素使用）に掲げるブロック注射を併せて行った場合に加算できる点数であり，「定める患者」に対するもの（450点）と「それ以外」（45点）の2種類がある。

　事例は，**L100に該当する腋窩神経ブロックを併施しているため，神経ブロック併施加算の対象となる**。なお，「厚生労働大臣が定める患者」は，開胸，開腹，関節置換手術等の硬膜外麻酔の適応患者なので，事例は「ロ」で算定する。

　一方，非侵襲的血行動態モニタリングを実施したことからL008「注10」加算（500点）を算定して

傷病名		
（1）右尺骨骨幹部骨折（主）		
（2）右橈骨遠位端骨折（主）		
（3）脳振盪　意識障害		
（4）脂質異常症		
（5）病的肥満症		

⑪初　診	時間外・休日・深夜	1回	541 点	公費分点数
⑬医学管理			325	
⑭在　宅			**1,300**	

⑳投薬	㉑内　　服	5 単位	10
	㉒屯　　服	単位	
	㉓外　　用	単位	
	㉔調　　剤	4 日	28
	㉖麻　　毒	日	
	㉗調　　基		

㉚注射	㉛皮下筋肉内	回	
	㉜静　脈　内	1 回	47
	㉝そ　の　他	1 回	98

㉔処置		1 回	780
	薬　　剤		41

㊿手術麻酔		5 回	46,270
	薬　　剤		1,034

⑥検査病理		15 回	2,197
	薬　　剤		

⑦画像診断		7 回	2,492
	薬　　剤		

⑧その他			215
	薬　　剤		

入院年月日	6 年　7 月　28 日		

㊾病診	㊾入院基本料・加算　点		
⑨入院	急一般1	5,864 × 1 日間	5,864
	臨修	3,552 × 3 日間	10,656
	録管1	× 日間	
	医2の50		
	急25Ⅰ		
	看職12夜1	㊾特定入院料・その他	
	安全1		
	感向1	× 日間	
	感指	× 日間	
	患サポ	× 日間	
	後使1		
	デ提2		
	地医体		

療養の給付 保険	請求　71,898 点	※決定　点	負担金額　円

《血行動態モニタリングとは》

　様々なデバイスを使用して，患者の心臓の動きや心臓が送り出す血液の量や流れの状態を監視すること。術中は，出血や麻酔薬等の要因で，血液量や血流が刻一刻と変化します。血行動態を継続的に監視することで，臓器や組織に十分な酸素が供給されているかを評価し，各臓器の機能低下等を防いだり，異常に対して即座に治療を行うことが可能となります。

《血行動態モニタリングデバイスの種類》

　血行動態モニタリングには，スワンガンツ・カテーテル（図表1），動脈留置カテーテルを使用する体外式連続心拍出量測定センサー（図表2），手指に装着するカフを用いる非侵襲血行動態モニタリング（図表3）などがあります。手術や患者のリスクに応じてデバイスを選択し，いずれも専用モニターと接続して情報を得，監視します。

《診療報酬》

　D207体液量等測定やL008閉鎖循環式麻酔「注10」，特材のサーモダイリューション用カテーテルや

診療開始日					転帰	治ゆ	死亡	中止	診療実日数		保険	4 日
	(1)	令6年	7月	28日								
	(2)	令6年	7月	28日							公費①	日
	(3)	令6年	7月	28日								
	(4)	令6年	7月	28日							公費②	日
	(5)	令6年	7月	28日								

⑪	＊初診料（休日）	541	× 1
⑬	＊薬剤管理指導料（1の患者以外）	325	× 1
⑭	＊救急搬送診療料	**1,300**	**× 1**
㉑	＊カロナール錠200　200mg　3錠	2	× 5
㉜	＊薬剤名省略	47	× 1
㉝	＊薬剤名省略	98	× 1
㊵	＊四肢ギプスシーネ（半肢）（片）（観血的手術後）	780	× 1
	＊酸素　（術後病棟にて）（詳細省略）	41	× 1
㊿	＊骨折非観血的整復術（前腕）（休日）（30日）	3,672	× 1
	＊副木・F10-a-2（徒手整復時）	177	× 1
	＊キシロカイン注ポリアンプ1％　10mL　1管	8	× 1
	＊骨折観血的手術（前腕）（尺骨）（30日）	18,370	× 1
	＊骨折経皮的鋼線刺入固定術（前腕）（橈骨）（30日）	4,100	× 1
	＊（尺骨）（材料省略）	9,855	× 1
	＊（橈骨）（材料省略）	101	× 1
	＊閉鎖循環式全身麻酔5（麻酔困難な患者）（30日）（150分）神経ブロック併施加算（イ以外）	**8,945**	**× 1**
	＊麻酔管理料（Ⅰ）（閉鎖循環式全身麻酔）	1,050	× 1
	＊（麻酔薬及び術中薬剤省略）	1,026	× 1
㉔	＊（検査内容省略）	2,197	× 1
㉚	＊（透視診断省略）	**2,487**	**× 1**
㊼	＊運動器リハビリテーション料（Ⅰ）（理学療法士）　1単位　早期リハビリテーション加算　1単位	210	× 1
㊾	＊急一般1（14日以内），臨修，録管2，急25上，医2の50，看職12夜1，安全1，感向1，感指，3級地，患サポ，後使1，デ提2，地医体，救医1	5,864	× 1
	＊急一般1（14日以内），3級地，急25上，看職12夜1，救医1	3,552	× 3
	＊救急医療管理加算算定コメント　2 意識障害又は昏睡（救急医療管理加算1）：JCS3		
	＊他の摘要欄コメントは省略		

体外式連続心拍出量測定用センサー等で評価されています。都道府県によって審査状況が異なる場合があるので，算定に不安がある場合は支払基金や国保連合会に確認しましょう。

図表1　スワンガンツ・カテーテル　　**図表2　体外式連続心拍出量測定用センサー**

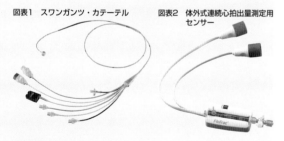

図表3　クリアサイトフィンガーカフ

※画像提供：エドワーズライフサイエンス株式会社

いるが，当該加算の対象は，腹腔鏡下手術（腹腔鏡下胆嚢摘出術及び腹腔鏡下虫垂切除術を除く）であり，事例では算定不可。

⑤ **E000透視診断料の算定の誤り**

当該点数は，撮影の時期決定や準備手段または他の検査，注射，処置および**手術の補助手段として行う場合には算定できない**。今回は，骨折の徒手整復時の補助として行われているので算定できない。

⑥ **H002運動器リハ料（Ⅰ）の算定もれ**

事例は，実施計画書作成前にリハビリを実施しているため，あえて算定しなかったものと考えられる。

しかし，2020年の診療報酬改定で，**医師自身が実施する場合や医師の具体的指示のもとセラピストが行う場合は，実施計画書作成前であっても，疾患別リハビリテーション料が算定可能**となった。なお，実施計画書の作成についてもリハビリテーション開始後7日以内，遅くとも14日以内に作成するよう期日が明確化された。

したがって，事例の場合，計画書作成前だが医師の具体的指示があることから，運動器リハビリテーション料（Ⅰ）と早期リハビリテーション加算が算定可能である。

⑦ **A245データ提出加算2の算定もれ**

2020年の改定前までは「退院時」に算定することとなっていたが，**改定後は「入院初日」に算定する**こととなったので注意が必要だ。なお，今回新設されたデータ提出加算3・4は，入院期間が90日を超えるごとに算定できる。

⑧ **A205救急医療管理加算コメントの不備**

2020年の改定で，救急医療管理加算算定根拠が，イ）意識障害又は昏睡，ウ）呼吸不全又は心不全で重篤な状態，オ）ショック，カ）重篤な代謝障害，キ）広範囲熱傷―に該当する場合は，**入院時の状態に係る指標をレセプトの摘要欄に記載すること**となった。

事例は，「イ」の対象であるためJCSの値を記載する必要がある。コメントもれがあると返戻や査定の対象となりかねないので注意したい（早見表 p.1638～1640）。

第5章
"未収金"という請求もれ

▶ ▶ ▶患者の一部負担金の未収は，医療機関にとってもっとも悩ましい"請求もれ"であるとも言えます。本章では，未収金を発生させない仕組みと回収方法について，具体的ノウハウをまとめています。

未収金が病院経営を圧迫している

民法改定による連帯保証人

　2020年4月に施行された民法改定から4年が経過した。当初は医療機関側も相当苦慮したのではないだろうか。ここでは，今一度「個人根保証契約」と「極度額」について整理しておきたい。

①入院の保証人は個人根保証契約

　病院に入院する場合，入院費の支払の保証（連帯保証）のほかに，患者が亡くなった場合の引取りなどの身元保証を入院誓約書のなかに記載するようにしている病院が多い。この入院費の保証は，入院期間が未確定で，さまざまな債権を含み，総額が未定なので「根保証」となる。

②入院保証契約には極度額を定めること

　個人根保証契約では，保証人は「主たる債務の元本，主たる債務に関する利息，違約金，損害賠償その他その債務に従たる全てのもの及びその保証債務について約定された違約金又は損害賠償の額について，その全部にかかる極度額を限度として，その履行をする責任を負う」と定められている。そのため個人根保証契約では，保証の極度額を定めないと保証契約は効力をもたない。

　したがって，2020年4月1日以降に入院保証契約を締結する場合は，保証契約書において極度額を定めておかないと保証契約に効力が生ぜず，患者が入院費を支払わない場合などに保証人に請求できなくなるので注意が必要である。また，極度額の具体的な金額をあまりに高額に定めた場合には，公序良俗違反（改正民法第90条）を理由に，保証契約が無効とされる可能性もあり注意が必要である。

高齢化・独居者における保証人不在

　高齢化が進み，地縁・血縁の希薄化が懸念される社会にあって，身寄りや交友関係が限られた入院患者に連帯保証人を求めることは，大きな負担を強いることになる。とはいえ，医療機関サイドでは，医療費未収金・緊急連絡先等が必要である

ことを伝えているのが現状ではないだろうか。総務省が2021年に実施したアンケート調査（2022年3月の結果報告書）によると，「入院の希望者に身元保証人等を求めているか」という問いには，回答数1,198に対して1,107（9割以上が）「求めている」と回答している。

　また，「身元保証人を用意できない場合の対応」（複数回答）については，「身元保証等が必要になる場面ごとに個別に対応する」が全体の約6割を占めていた。また，半数以上は身寄りがなくても患者の状況に応じて対応する方針としていた。その一方で，身元保証人が用意できなければ「入院を断る」との回答もみられ，医師法に応招義務が定められているのにもかかわらず，28病院（5.9％）が当該回答を選択している。

　病院では，身元保証人が用意できなくても「身寄りがないまま入院させる」または「保証金を預かり入院させる」旨の回答が6.6％（31病院）あったのに対し，「身元保証会社を紹介する」または「成年後見制度の利用を促す」が19.9％（156病院）となっている。複数回答のため，「入院を断る」を選択した28病院のうち12病院は，他の選択肢（「身元保証等が必要になる場面ごとに個別に対応する」，「身元保証会社を紹介する」など）との回答もあった。

　──皆さんの病院ではどのように対応しているのであろうか。ただ，言えることは，「診療に従事する医師は診察治療の求があった場合には，正当な事由がなければ，これを拒んではならない」（医師法第19条）であり，厚生労働省も，診療の拒否が可能なのは「医師が不在または病気などによって事実上診察ができない場合に限る」としている。つまり，身元引受人がいないことのみを理由として，病院は入院を拒否することはできないということになる。

未収金の現状

　「令和3年度 医療施設経営安定化推進事業 病

図表1　入院誓約書の例

入院誓約書

令和　　年　　月　　日

●●病院殿

　私は，このたびの入院に際しては，入院案内の事項および下記事項を守り，貴院に迷惑をかけません。万一，違反した時には，退院を命じられても異議は申しません。連帯保証人連署のうえ，誓約します。

記

〔※内容を理解し同意いただきましたら□にレ（チェック）を記入ください。〕

□　1.診療費等の支払いについては，連帯保証人との連帯責任において必ず期日内にお支払します。

□　2.貴院の備品，器具などを破損もしくは紛失した場合は，弁償します。

□　3.次の行為があった場合は，警察へ通報があることを承知します。

　　　また，退院を命じられた場合は，それに応じます。

　　　□1）他の患者さんや職員が不快に思う行為や暴力行為があった場合

　　　□2）暴言や大声または脅迫行為等により他の患者さんに迷惑を及ぼしたり，職員の業務を妨げた場合。

　　　□3）診療上，必要のない危険な物品を持ち込んだ場合

□　4.次の行為により，退院を命じられた場合は，それに応じます。

　　　□1）病院内，病院敷地内での喫煙

　　　□2）飲酒

□　5.退院の指示があった場合は指定期日までに退院します。

※上記の内容を理解して頂いた場合は，右側の必要事項に記載して下さい。

署名＿＿＿＿＿＿＿＿＿＿

		フリガナ			生年月日	T・S・H・R 年　月　日	性別
患者及び親権者・後見人	患者	氏名		印			男・女
		現住所	（〒　-　） TEL				
		患者本人が未成年または意識障害，心神喪失等により，親権者または後見人がいる場合には，以下もご記入下さい。					
	親権者又は後見人	フリガナ				患者との続柄	
		氏名		印			
		現住所	（〒　-　） TEL				
		勤務先	TEL				
連帯保証人		フリガナ			生年月日	T・S・H 年　月　日	性別
		氏名		印			男・女
		現住所	（〒　-　） TEL			患者との関係	
		勤務先	TEL				
		極度額	私はこのたびの入院申し込みにかかる患者の診療により生じる債務の元本，違約金，損害賠償その他の債務に従たるすべての債務について●●万円を限度として，申込人と連帯して支払いの責任を持ちます。				

院経営管理指標及び医療施設における未収金の実態に関する調査研究」によると，2021年10月単月における，1病院当たりの未収金の平均金額は，102万7000円，11月単月における未収金は119万9000円という報告があった。この2カ月分を足して2で割ると，月額113万1300円になり，年間で1335万6000円にものぼる。依然として，医療機関にとって未収金が大きな問題であることが数字からみてもわかる。

　物価高騰に加えて，猛暑での光熱費増，さらには非常にきびしかった診療報酬改定等，医療機関を取り巻く環境はますますきびしくなる一方である。そのような経営状況を少しでも改善すべく，この章では，未収金回収に対する考え方や回収方法等について具体的に解説する。

未収金要因の社会的背景

　厚労省によると，国民健康保険の保険料を滞納した加入世帯への財産差し押さえ処分が，2021年度は28万7840件に上ったという。コロナ禍のもとで減少した2020年度から一転して4万件余り増加した。2022年3月末現在，国保加入者は国民の5人に1人に当たる2537万人で，非正規雇用の労働者や年金生活の高齢者の世帯が大半を占める。貧困化が進む一方，国保料は国庫負担の削減などで高騰し，東京の特別区長会が決めた2023年度保険料率では，給与年収400万円の4人家族の場合，年46万円あまりの負担となる。

　滞納世帯数は減少傾向にあるが，約195万世帯（2022年6月現在）で，加入世帯の11.4％に上り，市区町村による財産差し押さえ処分は増加傾向にある。

　また，滞納者からの正規保険証取上げは，国民的批判の高まりで減少傾向にあるが，有効期間が短い「短期保険証」を交付された世帯は約43万世帯で，医療機関の窓口でいったん医療費10割負担を強いられる「資格証明書」を交付された世帯は約9万世帯に上る。こうした世帯では受診を控えざるをえず，症状が悪化するケースが相次いでいる。

未収金発生の原因と対策

　経験上，未収金発生原因は概ね14に分類される。もちろん医療機関の地域性により，それ以外の原因もあるとは思われるが，重要なことは患者側の問題を除き，院内全体で未収金の原因を追究する

未収金

ことから未収金防止対策がスタートする。

未収金発生原因の分類
①所持金不足
②治療内容の不満等による支払い拒否
③意図的な不払い
④診療報酬改定等による点数算定の追加変更
⑤第三者行為等による支払い方法の未決定
⑥夜間・休日等,時間外における会計体制の未整備
⑦待ち時間が長いことによる支払い前の帰宅
⑧保険資格喪失後受診
⑨公費等の医療証未提出による差額負担金の発生
⑩生活保護患者の一部負担金の連絡遅延
⑪死亡患者における債権者不明
⑫会計窓口による誤計算
⑬住所・氏名等の患者の虚偽申請
⑭その他（外国人の受診等）

そもそも医療費は，患者が医療機関から受けた医療行為の対価として支払うもので，医療契約は有償契約の性質をもっている。医療以外では，消費者は自分の懐具合と相談して必要な物を購入するが，医療は命に関わる場合もあり，必ずしも懐具合で受診を決めるわけではない。

一方，医療側も，支払い能力の有無で患者を選別したり，診療を拒否することはできないとされている（医師法第19条）。しかし，厚生労働省は2019年12月，応招義務に関する通知を出した（医政発1225第4号）。それによると，医療費不払いのみをもって診療しないことは正当化されないとする一方で，「支払能力があるにもかかわらず悪意を持ってあえて支払わない場合」は診療しないことが正当化されるとした。また，「特段の理由なく保険診療において未払いが重なっている場合」は，悪意があると推定される場合もあるとしている。ようやく法律が，未収金に関して少し実態に即した内容となったと言えるだろう。

さて，医療機関側として未収金防止対策としてまず手をつけたいのが，休日退院の場合など，事務職員が不在で後日精算となるケースである。通常は未収金になることは少ないが，できれば支払いを済ませて退院してもらいたいものである。この場合，1つの方法として前日会計が考えられる。日曜日の退院は，前日の土曜日に退院会計を行うことで，後日精算を回避し結果的に未収金を防ぐことにもなる。ただし，会計後に診療費（例えば退院時投薬など）が発生する場合もあるため，「後

日，電話で追加料金をお知らせする」旨を記載した文書を作成しておくべきである。

また，高額な未収金について，やむを得ず「分納」とすることも多い。しかし，支払い回数が多いと，途中で支払いが滞ってしまうこともよくある。最近は，多くの医療機関でクレジットカードやデビットカードが利用できるようになっている。クレジットカード等を利用できる場合は，患者から分納希望があったら，まずはカード支払い等をお願いすることも必要だろう。

分納にする場合は，支払金額・支払日等を患者と一緒に設定することになるが，約束した期日に支払われないことも想定される。そのため，支払日が近づいたら電話連絡をするなど，医療機関が未収金の存在を忘れてないというメッセージを患者に送ることも重要である。

一方，未収金につながる原因が医療機関側にあるケースもある。

①診療内容あるいは診療行為に対して不満を抱き，その結果として支払いを拒む。
②医師が検査を実施しても，その結果を説明しないため支払いを拒む。
③医師が事前に検査の意義等の説明をせず，行った検査料に対して支払いを拒む。
④指導料等，目に見えない行為に対して，支払いを拒む。

どの理由も，医師の説明不足が直接の原因あるいは間接的な原因となっているものである。逆に言えば，説明をしっかり行うことで，これらの未収金の多くは防げるということである。

特にクレームが多いのは血液検査である。患者の言い分は「血液検査がこんなに高いと知っていたら最初から拒否した」，「医者が検査の必要性をろくに説明していない。勝手にやったものに対して支払う意思はない」，「治療上，必要な検査と医師が判断したのなら，その結果も詳細に説明してほしい」，「採血する前に検査の必要性をしっかりと説明してほしい」などというものである。

私自身が経験した，医師の説明不足に伴うクレーム対応について紹介する。

患者は64歳男性。出稼ぎで，工事現場で仕事をしていた。「鼻茸」による嗅覚障害が増悪したため，手術目的で耳鼻科入院し，入院時に通常行われる採血・採尿・心電図・胸部X-P等を行った。術後

5日目に退院となり，入院費の精算の際，患者が明細書を見て「俺は鼻が悪くて手術をした。心臓は悪くないのに，病院が勝手に心電図や胸のレントゲンをやった。その分の料金は鼻の手術と無関係だから支払わない」と言ってきた。さらに，「鼻の病気に関係ない検査を勝手にやって説明もしないくせに，金だけ払えとはふざけるな」と窓口で怒鳴り始めた。

この事例も，医師が患者に，入院時に必要な検査であると説明をしておけば，おそらくクレームにはなっていなかったと思われる。その場は，私自身が世間話などをしながら，患者に検査の必要性等を説明して納得してもらった。口には出さなくても，入院時もしくは手術時に行う検査の必要性を疑問視している患者はたくさんいると考えられる。医療サイドとしては当たり前のことでも，患者の視点からはそうとは限らないのだ。

ときとして，クレームは大きなヒントと大きな反省をもたらす。そのクレームにより，検査の意義等を説明した資料を入院パンフレットに添付すべきと学び，実行した。

悪質患者の対応

未収金が増える要因の一つに「悪質患者」の存在がある。悪質患者の多くは，支払能力はあるのに，「手持ちがない」「次回支払う」「診療費が納得いかない」などと何らかの注文やクレームをつけて支払わない。支払い催促をしても無視して居留守を使う者もいる。また，事務職員が少ない夜間に受診をするなど巧妙な手口を使う患者もいる。実際，以前行われた四病協アンケートの結果でも，未収金総件数のうち悪質滞納者によるものが18.1%に上り，金額でも8.8%を占めるという結果が出ていた。

悪質患者の場合，外来受診をする際にまず保険証を持参していないことが多く，所持金もないというケースが多い。加えて問題となるのが，診療申込時の住所・電話番号等を虚偽記載することだ。結果として，未収金督促をしても連絡が取れず，請求先も不明となり，すべて病院の持ち出しとなってしまう。このような事態を多少なりとも防止するために，保険証未持参の患者が来院した場合は，運転免許証などの提示を求め，同意を得てコピーを取るなどの対策は必要だろう。

しかし，このように虚偽の申告をする患者は，自分の住所等がわかるような証拠は残さないことが多い。では，医療機関としてどうすべきなのか。警察署に確認すると，所持金なし・保険証なし・免許証なし・携帯電話も所持していない等，身分を証明するものがまったくないような場合は，①患者の同意を得て顔写真を撮る，②警察官を呼んで対応してもらう——との回答だった。いずれも患者を犯罪者扱いしている印象を与えるため，推奨することはできないが，一つの方法ではあるだろう。ただ，酒を飲んでいる患者や暴言を吐く患者については，威力業務妨害に当たる可能性もあるので，速やかに警察署に連絡すべきである。

一方，患者から聞いた連絡先が虚偽等で不明の場合は，まず診療録の写し・診療申込書等を使って，未収金発生までの経緯を文章にしておき，警察署に「被害届」を出すことも検討すべきだと思う。もちろん，被害届を出しても絶対に回収できるとは限らないが，警察官の話によれば，医療費を支払わない人はほかにも未払いをしている可能性があり，複数から被害届が出ていることで警察署も本腰を入れて調査をする可能性もあるという。

きびしい経営状況

診療報酬改定によるアップも期待できない状況のなか，国はさらなるきびしい条件を医療機関に突き付けてくる。入院料についても平均在院日数の短縮化，看護必要度要件の厳格化，さらには病床機能報告制度の導入など，次から次へと矢を飛ばしてくる。一方，不景気により，医療費支払困難者が今後ますます増えてくる可能性が大きい。しかし，残念ながら未収金を減らす特効薬はどこを探しても見当たらない。

昭和50年代前半までは，"医療機関は景気に左右されない"という神話があった。しかし，現在は医療機関の倒産が毎年のように増えている。明日は我が身とならないためにも，しっかりとした経営基盤を作っていかなければならない。そのためにも，未収金対策は必要だ。

次節では，未収金発生を未然に防ぐ方法や発生後の対応策について現場の視点から考えてみたいと思う。

未収金

② 未収金を発生させないための自衛策

保険料滞納者の状況

　厚生労働省国民健康保険課が国保の財政状況を取りまとめた調査によると，2020年度に保険料を滞納していた世帯は全加入世帯の13.4％であり，235万3千世帯である。このうち「短期被保険者証」の交付世帯は56万9千世帯，「資格証明書」の交付世帯は12万4千世帯であり，両者を合わせると69万3千世帯となる。これは滞納世帯の29.5％を占めている。

　この調査では世帯数のみで示されているため正確な人数はわからないが，2020年度の国保の加入世帯が1733万世帯，被保険者数は2660万人であることから，1世帯当たりの被保険者数は1.53人と考えられる。したがって，正規の被保険者証を取り上げられている人は約106万人と推定される。

　国は収納率を上げるために，「短期被保険者証」や「資格証明書」の交付を行っている。特に「資格証明書」は医療機関に受診する場合，医療費は全額を支払う必要があるため，実質無保険状態となる。つまり未収金になる可能性が高い。国民皆保険の日本において，すでに12万4千世帯，推定約19万人が無保険状態ということは国民皆保険の危機と言わざるを得ない。保険料の値上げは滞納者を増加させ，ますます無保険状態の人が増える可能性大である。

　医療機関において「診療」は紛れもない「商品取引」である。医師・看護師等の診療行為の対価として医療費が発生し，患者は診療を受けた時点ですでにサービスを享受している＝代金を支払う義務が発生するということである。しかし，我々が「根気」と「粘り」をもって，時間と人手をかけて督促をしても，顕著な効果を得られることは残念ながら少ない。そのため，法的な手続きを含めて検討せざるを得ない。

　以下に，医療機関が採るべき未収金防止対策と法的手段についてまとめる。

医療費の消滅時効は5年

　医療費も他の金銭債権同様に消滅時効がある。消滅時効は以前，債権の種類別・職業別に細かく分かれていたが，改正民法では統一された。

(1) 旧民法では3年

　2020年3月31日以前に施行されていた旧民法では，民間の病院や個人経営のクリニックの医療費や薬代は「医師，助産師又は薬剤師の診療，助産又は調剤に関する債権」（旧民法第170条第1号）とされていた。この「医師や助産師の報酬」の消滅時効は3年と定められていた。

　一方，公立病院の医療費は，地方自治法第236条第1項，会計法第30条でいう「公債」にあたり消滅時効が5年になっていたが，2005年に最高裁で「公立病院で行われる診療は私立病院での診療と本質的には同じなので，公立病院でも診療費にかかる債権の消滅時効は3年と解すべきである」との判決が下され，その後は公立病院でも医療費等の債権の時効は3年となった。

(2) 新民法では5年に

　2020年4月1日以降の新民法では，原則として消滅時効は以下のとおり規定された。

●債権者が権利を行使することができることを知った時から5年間
●権利を行使することができる時から10年間

　このうち，早く到来したほうが消滅時効となる（新民法第166条第1項）。通常，支払期限の把握ができているため，実質的には「消滅時効は支払期限から5年」と考えられる。

　ただし，消滅時効が5年になるのは，改正民法が施行された2020年4月1日以降に生じた債権のみである。2020年3月31日以前に生じた債権の場合は旧民法が適用され，時効も3年となる。

 自衛策1 保険証の提示を求め，コピーをとっておく

　患者が入院する際には必ず保険証の提示を求めるとともに，患者の同意を得たうえで保険証をコ

ピーすることを薦めたい。また，退院時についても再度，保険証を提示してもらう。ただし，退院時に患者が保険証を持参しているとは限らないため，退院日時が決まった段階で病室に出向くなどして退院日に保険証を持参するように促す。

外来患者についても同様に患者の同意を得たうえでコピーを取るべきである。後に述べるが，保険証のコピーが保険者に対し時として非常に有効な未収金防止対策の一つになるのである。

自衛策 2　保険証コピーと健康保険法施行規則第51条第3項

健康保険法施行規則第51条第3項では「被保険者は，その資格を喪失したとき，その保険者に変更があったとき，又はその被扶養者が異動したときは，5日以内に，被保険者証を事業主に提出しなければならない」とある。また，健康保険法第58条第1項において「偽りその他不正の行為によって保険給付を受けた者があるときは,保険者は,その者からその給付の価額の全部又は一部を徴収することができる」と規定されている。

医療機関は，仮に資格喪失後の受診であっても保険証を持参すれば，当然，資格があると考えるからカルテを作って治療を行い，患者から一部負担金を徴収する。その後，月初に保険請求業務を行うことになる。現在，支払基金の場合，12日までに事務点検を完了したあと，保険者に対して保険情報を伝送する。保険者は受給資格を確認し，返戻事由を返戻情報ファイルに記録して，15日から21日までに支払基金に送信する。その後，支払基金は，「保険者による資格返戻」であることを明確にして医療機関等に返戻をする仕組みである。現在は，オンライン請求が主流となっているため，医療機関側で資格の有無を検索することが可能になれば，資格喪失後の受診防止や返戻等もなくすことができる。早くそのような時代が来てほしいと願うばかりである。

また，最近の保険者は，資格喪失後の受診である旨を医療機関に直接連絡してくることがある。ここでのポイントは安易に返戻同意をしないことである。まず，保険証のコピーの有無を確認する。コピーがある場合は，被保険者に対し保険者が健康保険法施行規則第51条第3項を遂行させなかったということである。つまり，保険者側の問題になる。保険者から電話連絡があった場合は，コピ

ーがある旨を説明したあと，健康保険法の話をすることが返戻防止につながる。また，レセプトが直接返戻されてきた場合は，レセプトに保険証のコピーを添付して再請求を行うとよい。

自衛策 3　医療費一覧表を患者に渡しておく

医療費用には値札がないため，患者にとって，医療費は非常に不透明なものである。少しでも不透明な点を変えていくことができれば，未収金の発生率を抑えることができると思われる。

そのため，予約等の検査や件数の多い手術などは，費用一覧表を作成することで，未収金防止につながる可能性がある。

一覧表の作成は，疾病によっては入院患者にも適応する。予定されている手術などの術式が定型的なものであれば，入院手続きをする時点である程度の概算費用を説明することができる。

いずれにしても，今までと同じやり方では未収金を減らすことはできない。

自衛策 4　返済期日を決めておく

患者から「持ち合わせがない」と言われた場合に，「では，次回持参してください」といったパターンで日常の対応が行われていることも多いと思う。しかし，これが結果として未収金をつくる一番の原因になっているのだ。

そのような場合，医療機関として遠慮ばかりはしていられない。「次回」がない場合も考えなければならないのだ。とはいえ,具合の悪い人に「いったん家に帰ってお金を持ってこい」とはさすがに言えないので，帰宅させるのはやむを得ないだろう。ただし，「日を決めて返済を確約」させることが必要。たとえ外来患者であっても返済に係る確約書（図表2）を作成すべきだ。

ここでのポイントは，確約書の文中に「返済がされない場合は法的手段を取らせていただくこともございますので，ご了承ください」といった一文を明記しておくことで，患者への心理的プレッシャーになる。

自衛策 5　督促方法の優先順位（電話→手紙）と弁護士事務所への委託

督促は段階を追って行う必要がある。まず，支払い期日を決め，その日までに支払いを済ませるという誓約書を取る。次に，支払い期日2，3日

前に患者に電話を掛けて確認をする。これは，期日の確認だけでなく，「医療機関側は支払いのことを忘れていない」という姿勢を示すためでもある。お金の準備をする時間的余裕をもたせるために，前日の連絡は避けたほうがよい。

支払い期日に患者が来院しなければ，翌日に電話し，連絡がつかなければ，手紙（封書）を出す。月2，3回は必要である。また，段階を追って文章表現もきびしくするとよい。医療機関がいつどのような督促を行ったか，それに対する患者の反応や回答がどうだったかなどの経過を記録しておくことで，その後に裁判に移行した場合などに有効である。

しかしながら，医療機関で行う回収には，やはり限界がある。そのため，債権回収を主に手がける弁護士事務所に回収を委託するのも一つの手段だ。例えば，未収金が発生から3カ月を超えた場合に，（あらかじめ定めた）一定の未収金額を超えたものの回収を弁護士事務所に委託することなども未収金回収のためには必要と思われる。なお，弁護士事務所の多くは成功報酬方式で，回収できた金額の一部を手数料として支払うことが一般的のようだ。

図表2　確約書

```
　第　病棟
　_____様
　　　　　　　入院　年　月　日
　　　　　　　退院　年　月　日
　　　　残 額 確 約 書
入院費_____円
一部入金として_____円領収いたしました。
残額は_____円です。
次回お支払い約束日　令和　年　月　日
なお，お約束日に入金できない場合は必ずご連絡
願います。
ご連絡いただけない場合には法的手続きを取らせ
て頂く場合もございますので，ご了承ください。

　　　　　　　　　　　　　○△病院
住所_____
電話番号_____
名前_____印
```

自衛策6　患者に事情を聞きたいときは看護師長の協力を仰ぐ

入院中の医療費の請求は，DPC対象病院，出来高医療機関によってまちまちである。例えば前回請求した入院費が未払いの場合，そのまま放置しておくことは極めて危険である。

未収金防止は院内全体での取組みが重要である。入院中の患者に未収金がある場合は，医事職員よりも病棟看護師長等に協力を仰ぐことが必要だと思われる。患者も日頃から顔を合わせている看護師長であれば声を荒立てて騒ぐようなことはないだろう。患者の情報を得てから病棟へ出向き，必要に応じて高額療養費等の説明をするなど，患者が有利になるような情報を提供する。

また，患者が亡くなった場合の請求については，家族等が院内にいる間に精算してもらうのが一番よい。しかし，なかには悲しんでいるときに支払いの話をすることは，家族に対して失礼と考え，落ち着いた頃に連絡をする医療機関もある。実は，このような場合は未収金につながることが多い。亡くなって数日経過すると家族・親戚も通常の生活が始まるため，日中連絡をしても不在がちで，その結果，未収が続いてしまうこともある。例えば，亡くなった日に精算してもらうのが忍びないということであれば，病棟の看護師等に協力してもらい，家族への連絡方法等を聞いておいてもらうことも未収金防止策の一つだと思う。

自衛策7　公的制度は確実に利用する

患者の疾病によっては公的な制度が利用できることもある。そのため，医師や看護師長をはじめとする看護師には公費対象となる疾病リストを配付して，周知徹底しておくことが大切である。これはまた，患者への情報サービスにもなる。特に公費制度等については，MSWにも協力をしてもらうことが重要だ。このように院内の連携プレーを確立することも，未収金防止策の一つである。

自衛策8　カードによる医療費支払いを導入する

カード社会となり，金融機関も対応する時代になった。ちなみに，現在，クレジットカードやデビットカードをもつ人は，10人中6人にのぼると言われている。

ただし，カードによる代金回収について認識し

ておくべき重要ポイントは，「医療機関が決済手数料を負担」しなければならないことだ。決済手数料は，①取引金額に対する手数料率，②最低限度手数料額，③最高限度手数料額などから，金融機関との契約により決定される。外来診療の場合は，未収金の発生件数は多いが，1件当たりの単価は低いため，入院診療費のみカード払いを認めているところもある。それでも，仮に入院患者すべてがデビットカードによる支払いを行った場合には，年間数百万円のコストが医療機関の負担となってしまう。デビットカードが患者サービスに寄与するとはいえ，このコスト増は医療機関にとって大きな損失につながるため，簡単には導入できないのが現実であろう。

　したがって，デビットカード決済は単純に「現金入金に代わるもの」とするのではなく，あくまでも未収金発生防止のための手段として位置付け，利用は最小限度に抑える必要はあるだろう。しかしながら，いまや支払いはカードで行う時代に入っているのだから，医療機関でも検討していく必要はあるのではないだろうか。なお，デビットカードによる決済は図表3のようになる。

図表3　デビットカードの一般的な仕組み

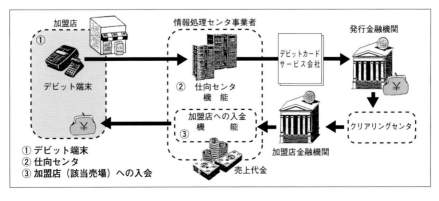

③ 未収金回収へ向けた具体的対応策

患者対応は厳格に

　未収金が発生し，長期にわたり滞留債権となった場合は，定期的に通院している患者を除いて，電話・郵便・訪問等，督促のアクションを起こし（図表4），その経過は「未収金トラブル・レポート」（図表5）などにまとめておくべきである。しかし，日々の業務に並行して，督促に多くの労力と時間を費やしたとしても，なかなか結果に結び付けることができないのが現実であると思われる。

　例えば，未収金のある患者の立場に立つと，一時的に支払い猶予が認められたことで「免れることができた」という安堵感のようなものを抱き，電話や郵便による督促では，相手が目の前にいないことや「病院ならきびしい取り立てはしないであろう」という感覚が強いものと思われる。

　また，自宅を訪問した場合でも，経験上，あまり良い結果を得たことはない。唯一効果があると

すれば，患者が会社員などの場合，朝一番で職場に電話をすることだ。患者からみれば，職場への未収金の催促は非常に都合が悪い。それも定期的に電話連絡があったとすると，職場の人の目もあるため，意外とあっさり支払いがされることもある。

対応策 1　善管注意制度

　健康保険法の第74条第2項，国民健康保険法第42条第6項に，被保険者が医療機関窓口で支払わない一部負担金を保険者が支払うという制度がある。厚生省保険局長通知（昭和56年2月25日保険発第10号）の健康保険法の一部改正に係る事務取扱のなかでも，「医療機関から保険者に対し，未払い一部負担金の処分の請求があった場合，保険者は保険医療機関が善良な管理者と同一の注意をもって一部負担金の支払いを求めたことを確認のうえ当該請求を受理するものであること」と規定されている。

未
収
金

図表4　未収金回収手順

　退院時に未収となった患者で支払い期日が過ぎても連絡がない場合，病棟担当者は以下の手順で督促を行う。
1　方法は，電話→ハガキ→簡易書留郵便→少額訴訟
2　電話連絡がとれない場合は，ハガキを送付する。
3　電話連絡する時の手順および留意点
　①未収金トラブル・レポートに患者が記載した連絡先に電話する。
　②患者本人が出たら病院名・所属名・名前を言う。
　③要件を話し，いつ精算（支払い）に来れるのかを聞き，その内容を未収金トラブル・レポートに記載する。
　④患者以外の者が出た場合は，患者本人に病院に連絡をするように伝えてほしいと依頼をする。
　⑤留守電の場合は必ずメッセージを入れる。
4　連絡先を探す場合は，カルテの中にある情報（保険証・入院申込書・看護師が記載しているアナムネ）等を見る。また，住所や勤務先などがわかる場合には電話番号案内を使用する。
5　悪質な患者については「少額訴訟制度」を利用することも念頭にいれておく必要がある。その場合，担当者から未収金トラブル・レポートの内容を管理部長に説明した上で，患者にも簡易裁判所による少額訴訟をする旨を伝える。

図表5　未収金トラブル・レポート

〈未収金トラブル・レポート〉			病棟（内・外・整・小・耳・眼・皮・産・泌）			
ID			発生日　　年　　　月　　　日			
患者氏名			電話番号			
保険の種類	健保・国保・自費	住 所				
入院時連帯保証人	連絡先					
未収額		円	入院期間			
年月日	方法	入金額	残 額		経過内容	

さらにこの場合において，「善良な管理者と同一の注意とは，保険医療機関の開設者という地位にある者に対し，一般的に要求される相当程度の注意をいうものであり，その確認は，例えば，内容証明付郵便により支払請求を行った等の客観的事実に基づき行うこと」とある。

同制度を利用するには医療機関側にも相当な努力が必要である。ポイントとしては，保険医療機関が未収金患者に対して，①一部負担金の支払義務が発生した日から2カ月間で，数回（おおむね2週間に1回）にわたり内容証明付郵便による督促を行っていること，②電話でのやり取りを記録していること，③来院の都度，催促をしたり，客観的に誰が見ても相当の徴収努力をしていること——が求められる。つまり，電話連絡やハガキによる督促だけでは同制度を利用することは認められないということである。

しかしながら，実際には「絵に書いた餅」である場合が多いのも事実だ。筆者も同制度を利用しようと，ある国民健康保険組合に連絡したことがあるが，実に驚くことに保険者から返ってきた言葉は，「なんですか，その制度は？」「まったく聞いたことありませんね」——というものだった。また，別の保険者も「制度は知っていますが，ウ

チは扱っていません」「保険料の滞納が多くて，こちらも回収に大変手こずっている状況なので，医療機関もそのあたり理解してくださいな」と，まったく意味不明の返事だった。以前，都内の医療機関に勤務していたときにも同制度（豊島区・新宿区）を数回利用したことがあり，そのときの保険者は図表6のような書式を用いて対応してくれた経緯があったのだが…。

法律として定められていても使用できないのが現状では意味がない。なぜ，保険者によって取扱いが異なるのかまったく理解できない。ただし，先ほど説明したように医療機関側として相当な努力を行った場合は，市や県の保険者に対して直接，作成した資料に図表6にある「未収金の処分請求書」を添付して送ってみるべきだろう。結果はどうであれ，制度がある以上，やるべきだと思う（現在，四病協では保険者に対して善管注意制度を実行させようとする団体としての動きがある）。

都内の某区では，書類を揃えて担当窓口に行くと，善管注意に基づき患者宅に連絡をとり，医療費を督促するところもあると聞いている。

対応策 2　少額訴訟

未収金に対して様々な努力をしても回収することができない場合，これまで医療機関が敬遠してきた「裁判」についても最終的な手段として考える必要があると思われる。

従来，裁判は時間と多額の費用を費やすため，実際に医療機関で行われることはほとんどなかったが，平成10年の民事訴訟法改正により，少額については1日で審理を終了し，ただちに判決の言い渡しを行うという画期的な制度が創設された。この制度の大きな特徴は，「早く・安く・苦労なく」不良債権を回収できること。これを「少額訴訟制度」と呼んでいる。

手数料については，請求の1％であり，例えば60万円の場合，6,000円程度である。そのほかに切手代が5,000円程度必要になる。

(1)　少額訴訟制度とは

少額訴訟制度は，60万円以下の金銭の支払いを求める訴えについて，その額に見合った少ない費用と時間で紛争を解決する訴訟制度である（図表7，図表8）。

訴訟の手続きを希望する場合は，まず請求額が

図表6　未収金の処分請求書

未収金一部負担金通知（処分請求）書				
国保診療費振込銀行名		銀行		支店
預金科目	普通預金		NO	号
	当座預金		NO	号
診療年月			年　　月分	
診療件数				件
未収金一部負担金合計額				円

上記のとおり通知（処分請求）いたします。

　　　　　　年　　月　　日

　　　　　　　　区長殿

　　　　　　　　　　名　称

　　　療養取扱機関　所在地

　　　　　　　　　　開設者

内　　訳						
被保険者証記号・番号	患者氏名	性別	入院・外来	未収一部負担額	備	考

図表7　少額訴訟の流れ

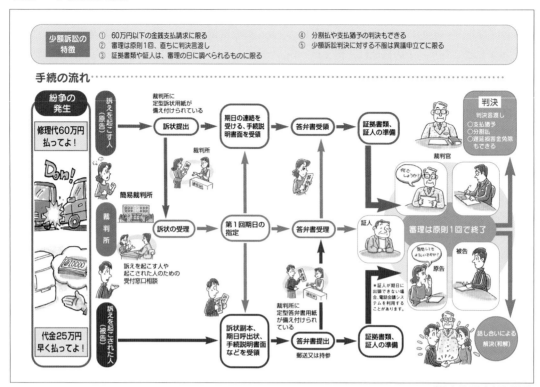

（最高裁判所事務総局）

図表8　少額訴訟の訴状

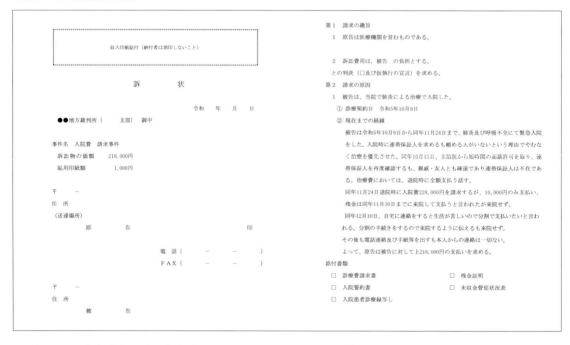

60万円以下の金額支払いを目的とすることが原則となっている。60万円を超える場合は通常の訴訟となるが，たとえ債権の額が60万円超であっても，そのうちの一部である60万円分を請求するということであれば，同制度による請求は可能である。

裁判は各地の簡易裁判所において行われ，原則としてその日（最初の口頭弁論の日）のうちに審理を終え，判決が出される（平均して1〜2時間程度。ただし訴えを提起してから実際の審理が行われる日までは，平均して40日ほどかかる）。そ

の日までにすべての証拠を提出しなければならない。よって当事者は事前に十分な準備をしておく必要がある。

少額訴訟の判決は，原則として審理終了後ただちに言い渡される。また，判決には支払の猶予や分割払いの定めが付されることがある。判決に対しては上の裁判所（地方裁判所）に控訴することはできず，原則として，その少額訴訟をした簡易裁判所に対して異議の申立てをすることのみが認められる。

なかなか複雑な特徴をもつ手続きのようにもみえるが，自分が主張したいことやその証拠などが揃ってさえいれば，あとは裁判所書記官や司法委員らの助けのもと，裁判官の指揮に従って訴訟を進めればよく，たいていの場合特別な知識はほとんど必要ない。

(2)　証拠調べ

1日の審理が原則の少額訴訟では，証拠調べは即時に取り調べることができる証拠に限られている。このため当事者（原告）は審理期日に自分の言い分の裏付け証拠を提出する必要があり，場合によっては証人も必要となる。少額訴訟の法廷では通常の訴訟とは異なり，丸いテーブル（ラウンドテーブル）に裁判官から原告，被告まで，すべての当事者が一緒に座り，対話をするような雰囲気で審理が進められる。裁判官は法服を身に着けず，当事者も「原告・被告」ではなく名前で呼ぶなど，和やかな雰囲気で審理が行われる。和やかとはいっても，もちろん通常の訴訟と同様，公正な判断がなされるということは言うまでもないだろう。

(3)　判決の言い渡しおよび支払猶予

少額訴訟は即日判決が原則となっているため，口頭弁論の終結後，ただちに判決が言い渡される。通常の訴訟の場合，被告に対してすぐに支払を命ずる内容の判決がくだされるが，少額訴訟においては，裁判所が原告の勝訴判決を出す際，「原告の同意を得ることなしに，被告の資力その他の事情を考慮して特に必要があると認めるときに，判決の言い渡し日から3年を超えない範囲内において支払猶予，分割払いを命じることができる」こととなっている。

(4)　医療機関における活用方法

先ほども述べたが，同制度のメリットは，①即

日判決の言い渡しがされること，②弁護士抜きで行うことができること，③手数料がごくわずかであること——である。

ただし60万円を超える未収金がある場合については，同制度では60万円までしか請求することができないため，デメリットも残る。実際，入院患者による未収金額は60万円を超すケースが多いと思われる。しかし，全額を回収することが不可能な場合，現状のまま放置するよりは，この制度を利用するのが効率的だと思われる。

患者宅に裁判所から出頭命令書が郵送された場合，裁判になる前に患者から診療費の支払いがなされることも十分に考えられる。実際，当院でも分娩費用に係る少額訴訟の手続きを取ったところ，ただちに患者から電話連絡があり，「支払いをするので訴訟を取り消してほしい」と申し出があった例もある。

(5)　医療機関が用意する書類

同制度を医療機関が利用する際，準備しておくべき証拠は，①診療申込書，②診療録，③請求書，④誓約書，⑤救急搬送通知書——等である。以上を事前に準備して患者宅の住所地が管轄する簡易裁判所に訴状を提出すれば，あとは裁判所からの出頭命令が来るまで待てばよいことになる。

同制度ができて20年が経過（1998年1月施行）したが，医療機関側からの訴訟件数も増えているようである。制度の利用が簡易であるからだろう。ただし，少額訴訟は「1人の患者（原告）につき，同一の簡易裁判所において，年10回まで」に限られる。金融業者や取立業者などが債権取り立てのために少額訴訟を独占し，一般市民の利用が阻害されてしまわないよう，このような利用回数制限が設けられているそうだ。なお，少額訴訟を提起し，その後訴えを取り下げた場合や，通常訴訟に移行してしまった場合なども1回としてカウントされる。

対応策3　支払督促

少額訴訟は60万円以下という縛りがあるため，高額なものには使用しにくいという現実がある。次の未収金回収方法としては「支払督促」制度である（図表9）。

この制度は，原則として申し立てる人（医療機関側）の申請書だけで審理され，その請求内容に

図表9 支払督促の流れ

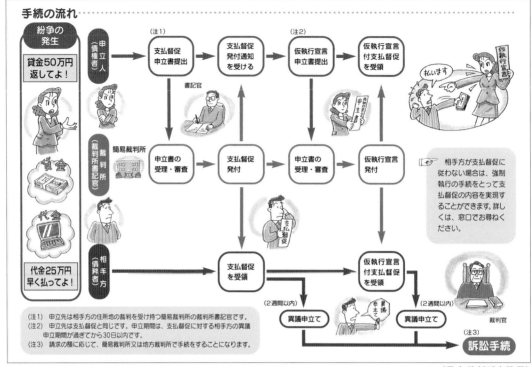

(最高裁判所事務局)

　予盾がなく，筋が通っていれば，裁判所から支払いを命ずる支払督促が医療機関側と相手方（患者）に送られる──というものである。

　しかしながら，患者側は，言い分があった場合，2週間以内に異議申し立ての手続きを行うことができる。異議申し立てがあった場合は「支払督促」としての効力はなくなり，通常裁判へと移る。

　一方，2週間を経過した時点で患者側から連絡がない場合，次に医療機関側は「仮執行宣言付支払督促」の手続きを行う（2週間を経過した時点から30日以内）。さらに，督促伝達を受けた日から2週間以内に異議申し立てがなければ支払督促が確定する。

　簡単な制度に思われるが，例えば患者から「支払いは分割で行うので」などということが裁判所に伝わっただけで，この支払督促の効力はなくなってしまうので気を付ける必要がある。

　なお，同制度に必要な書類と費用を図表10に挙げておく。

未
収
金

図表10　支払督促に係る必要書類・費用等　　　　　　　　　　　　（2024年10月１日現在）

支払督促の申立て・仮執行宣言の申立ての必要書類

1　支払督促の申立てをするときに必要な提出書類および通数
　（1）**支払督促申立書**（※1）　　**1通**
　　　Ａ４の用紙を縦長に置き横書きで表側だけの書き，左綴じにしてください（見本が受付に備え付けてあります）。
　　　※債権者の希望する送達場所（届出住所）を記載してください。
　　　申立印（個人の場合は，認め印，会社の場合は，代表者印）を押し，用紙と用紙の間に割印を押してください。所定の収入印紙を貼り，消印はしないでください。各ページに捨印を押しておくと訂正がある場合に便利です。
　（2）支払督促申立書のうちの「**当事者目録**（※2）」のコピー，「**請求の趣旨及び原因**（※3）」のコピーで印の押していないもの。
　　　それぞれ債務者の数に1を加えた通数
　（3）債権者や債務者が法人の場合には，それぞれの商業（法人）登記簿謄本又は登記事項に変更なきことの証明書1通
　　　法務局や法務局の出張所で交付を受けてください。
　（4）予納郵便切手　1204円×債務者数＋110円
　　　※なるべく長形３号という大きさ（定形郵便物で送れる最大の大きさで，縦23.5cm×横12cm）の茶色か白色の会社名などが入っていない封筒に債権者，債務者の各住所・氏名（法人の場合は商号及び代表者の資格・代表者名）を書いて債務者宛の封筒には，1204円分の，債権者宛の封筒には110円分の郵便切手を貼ったものを提出してください。
　（5）官製はがき　債務者数
　　　※あて先として債権者の住所氏名を記載しておいてください。
　　　このはがきを提出した方にはこのはがきを利用して債務者に対し支払督促正本が送達できたかどうかなどを通知します。
　（6）手形金や小切手金の請求をするときで，支払督促に対して督促異議申立てがあった場合に手形（小切手）訴訟による審判を求める申述をするときには，手形（小切手）の写し債務者の数に1を加えた通数を提出してください。
2　仮執行宣言の申立てをするときに必要な提出書類及び通数
　（1）**仮執行宣言の申立書**（※4）　　1通
　　　Ａ４の用紙を縦長に置き横書きで書いてください（見本が受付に備え付けてあります。）。印を押し，捨印を押しておくと訂正がある場合に便利です。
　（2）「**当事者目録**」のコピー，「**請求の趣旨及び原因**」のコピーで印を押していないもの。
　　　債権者と債務者の数と同じ通数。
　（3）予納郵便切手　1204円×当事者数
　　　なるべく長形３号という大きさ（定形郵便物で送れる最大の大きさで，縦23.5cm×横12cm）の茶色か白色の会社名などの入っていない封筒に債権者，債務者の各住所，氏名（法人の場合は商号及び代表者の資格，代表者名）を書いてそれぞれ1204円分の郵便切手を貼ったものを提出してください。
　（4）官製はがき　債務者数
　　　上記1（5）と同じ方法で提出してください。

支払督促申立手続費用の説明

　　　以下の①〜⑤の合計が申立手続費用となります。
①申立手数料
　　　申立ての際に裁判所に収める収入印紙のことです。
　　　あなたの請求する金額によって定まりますので受付に尋ねてください。
②督促正本送達費用
　　　支払督促正本を債務者に送達するための切手です。
　　　最低でも（債務者の数）×（1204円）と債権者の通知用（110円）が必要となります。
③申立書類提出費用
　　　申立書を提出する費用のことで，提出方法，提出に伴う出費の有無及び額にかかわりなく一律800円を請求できます。
④資格証明手数料
　　　a　あなたが資格証明を交付してもらう為にかかった費用です。
　　　　　登記簿の謄本や抄本は（　　　）円，登記事項に変更なきことの証明書は（　　　）円かかります。
　　　b　資格証明書を取り寄せるためにかかった郵便料　110円×2＝220円

未
収
金

（図表10のつづき）

（※1）

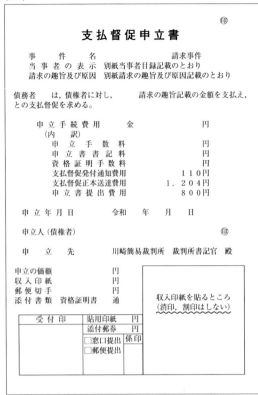

㊞

支払督促申立書

事 件 名　　　　　　請求事件
当 事 者 の 表 示　別紙当事者目録記載のとおり
請求の趣旨及び原因　別紙請求の趣旨及び原因記載のとおり

債務者　 は，債権者に対し，　　　請求の趣旨記載の金額を支払え，
との支払督促を求める。

申 立 手 続 費 用　　金　　　　　　　　円
（内　訳）
申 立 手 数 料　　　　　　　円
申 立 書 書 記 料　　　　　　　円
資 格 証 明 手 数 料　　　　　　円
支払督促発付通知費用　　　　110円
支払督促正本送達費用　　1. 204円
申 立 書 提 出 費 用　　　　800円

申 立 年 月 日　　　　令和　年　月　日

申立人（債権者）　　　　　　　　　　㊞

申 立 先　　川崎簡易裁判所　裁判所書記官　殿

申立の価額　　　　　　円
収 入 印 紙　　　　　円
郵 便 切 手　　　　　円
添付書類　資格証明書　　通

受付印	貼用印紙	円
	添付郵券	円
	□窓口提出	係印
	□郵便提出	

収入印紙を貼るところ
（消印，割印はしない）

（※2）

当 事 者 目 録

債 権 者	（〒　　−　　）（☎　　−　　−　　）
	住所（所在地）
	氏名（法人名）
送 達 場 所 （□にレをしたもの）	□上記住所等
	□勤務先　名称
	住所
	（☎　−　−　）
	□その他の場所（債権者との関係）
	住所
	（☎　−　−　）
債 務 者	（〒　　−　　）（☎　　−　　−　　）
	住所（所在地）
	氏名（法人名）
債 務 者	（〒　　−　　）（☎　　−　　−　　）
	住所（所在地）
	氏名（法人名）

※当事者が法人の場合の「氏名（法人名）」欄には，法人の商号，代表者の
資格（取締役，代表取締役，無限責任社員等）及び代表者氏名を記載する。

（※3）

請求の趣旨 （該当する□にレをする。）

1　金　　　　　　円
2　┌□上記金額
　 └□上記金額のうち金　　　　　円
　に対する，
　　┌□令和　　年　月　日
　　└□支払督促送達の日の翌日
　から完済まで年　パーセントの割合による遅延損害金
3　金　　　　　円（申立手続き費用）

請求の原因

（※4）

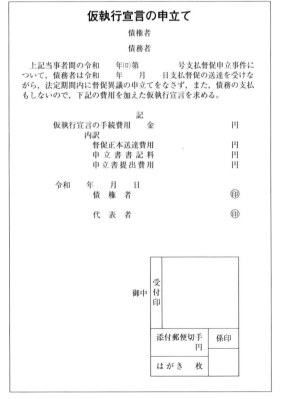

仮執行宣言の申立て

債権者
債務者

　上記当事者間の令和　年（ロ）第　　　号支払督促申立事件に
ついて，債務者は令和　年　月　日支払督促の送達を受けな
がら，法定期間内に督促異議の申立てをなさず，また，債務の支払
もしないので，下記の費用を加えた仮執行宣言を求める。

記
仮執行宣言の手続費用　　金　　　　　　　円
内訳
督促正本送達費用　　　　　　　円
申 立 書 書 記 料　　　　　　円
申 立 書 提 出 費 用　　　　円

令和　年　月　日
債 権 者　　　　　　　　㊞

代 表 者　　　　　　　　㊞

御中

受
付
印

添付郵便切手	係印
円	
は が き　枚	

（図表10のつづき）

<table>
<tr>
<td>
収 入 印 紙
証明事項1件
につき150円
貼付, 割印しな
いでください。
</td>
</tr>
</table>

送 達 証 明 申 請 書

　□原告□申立人□債権者　_____

　□被告□相手方□債務者　_____

　上記当事者間の御庁令和　　年（　）第　　号　　　　　事件について，下記書類が□被告□相手方□債務者□　　　　に対し，令和　　年　　月　　日送達されたことを証明されたく申請する。

　□ 判決正本（令和　　年　　月　　日言渡し）
　□ 第　回口頭弁論調書（和解）正本（令和　年　月　日成立）
　□ 第　回口頭弁論調書（判決）正本（令和　年　月　日言渡し）
　□ 第　回口頭弁論調書（少額訴訟判決）正本（令和　年　月　日言渡し）
　□ 和解調書正本（令和　　年　　月　　日成立）
　□ 調停調書正本（令和　　年　　月　　日成立）
　□ 調停に代わる決定正本
　□ 仮執行宣言付支払督促正本
　□

　川崎　簡易裁判所　御中

　　　　令和　　年　　月　　日

　　　　□原告□申立人□債権者　_____ ㊞

　　　　　　　ただし，該当事項欄□に∨を付したものに限る。

請 　 　 書

　御庁令和　　年（　）第　　号　　　　事件について，下記書類を1通受領しました。

　☑ 送達証明書

　□ 確定証明書

　□ 執行力のある債務名義正本

　□ 不成立等証明書

　□ 支払督促正本

　□ 仮執行宣言付支払督促正本

　□

　□

　川崎　簡易裁判所　御中

　　　　令和　　年　　月　　日

　　　　□原告□申立人□債権者　_____ ㊞

　　　　　　　ただし，該当事項欄□に∨を付したものに限る。

（「請求の趣旨及び原因」の記入例）

請 求 の 趣 旨 及 び 原 因

請求の趣旨
　1　金505,000円
　2　上記金額に対する令和○年1月1日から完済まで年5％の割合による遅延損害金
　3　金　○○○円（申立手続費用）

請求の原因
　1　契約の日　　令和○年4月25日
　2　契約の内容　①　歯科医である債権者と債務者との間に下記のとおりの医療契約
　　　　　　　　　　　　記
　　　　　　　　　　上顎前歯，金属焼付ポーセレン・ブリッヂ，上下両側大臼歯及び小臼歯鋳造床義歯＜咬合面鋳造冠＞の歯科治療
　　　　　　　　②　代金505,000円は歯科治療完了時に支払う。
　　　　　　　　③　治療完了　令和○年12月31日

未
収
金

図表11　民事調停の流れ

（最高裁判所事務総局）

図表12　民事調停申立書

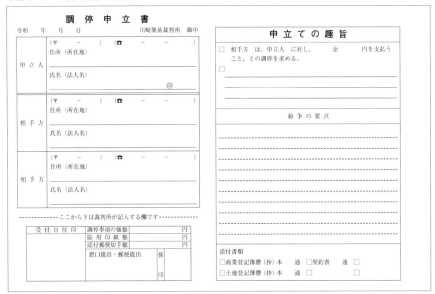

対応策 4　　民事調停

　調停をする場合は簡易裁判所で調停手続きの申立書を提出することで，簡単に調停を行うことができる。この調停はあくまでもトラブルをできるだけ円満に解決する制度である（図表11）。

　調停の申請手続き（図表12）を行うと，簡易裁判所は，相手方（患者）宅に電話連絡をして，調停依頼があった趣旨を説明し，調停期日を決める。公的な第三者が入ることで患者側にもかなりのプレッシャーになると思われ，結果的に支払いがスムースにいくことが考えられる。

　筆者の個人的な見解としては，まず民事調停を

試みてから，次のステップとして少額訴訟→支払督促を用いることがよいのではないかと思う。

対応策 5　　外国人患者による医療費トラブル

　日本の医療保険制度とは異なり，税金を財源にしてほぼ医療費が無料で受けられる国もあり，日本で受診した際にトラブルにつながる場合もある。回避するためには，状況にもよるとは思うが，診療する前に未収金対策の意味も含めて診療費について説明する必要があると思われる。

　ちなみに「訪日外国人」とは，旅行やビジネスなどで短期的に日本に訪れている外国人で，「在留外国人」は，日本に90日を超えて住んでいる外

図表13　川崎市の外国人医療費対策

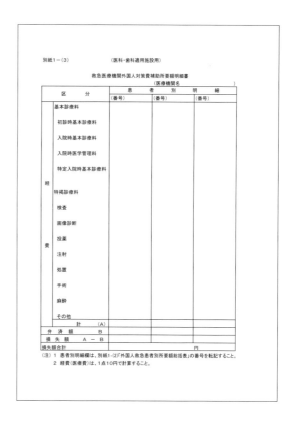

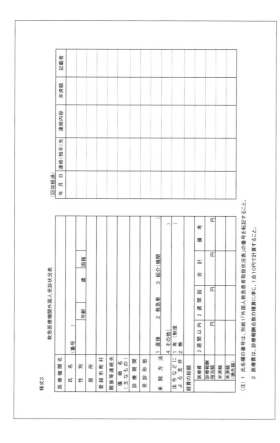

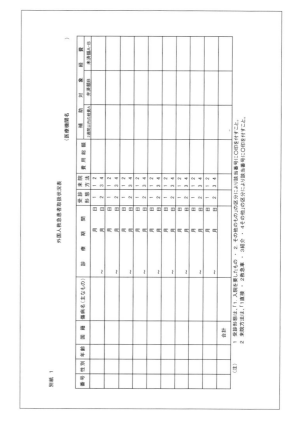

国人である。また，「渡航患者」とは，治療目的に来日している外国人である。技能実習や特別技能などの就労のための在留資格で，3カ月以上日本に滞在している外国人については，例外を除いて社会保険に加入させることが雇用者の義務となっている。当然，保険証の提示があれば日本人と同様に保険診療扱いとなる。

また，留学生やワーキングホリデーなど社会保険に入ることがなく，3カ月以上日本に滞在する75歳未満の外国人は，例外を除いて国民健康保険に加入する必要がある。75歳以上の3カ月以上の滞在者は，後期高齢者医療制度への加入が必要となる。逆に，観光などの目的で短期滞在する外国人の場合は日本の公的医療保険に加入していないため，自由診療になる。

■入院助産制度

産科若しくは産婦人科を標榜していない医療機関で勤務している医事課の方たちには，恐らく聞いたことのない制度ではないだろうか。

まず市・区によって対象者の要件が異なる場合がある。基本的には妊娠している外国人女性は，在留資格がなくても母子手帳の交付（母子保健法第16条）や出産費用がない場合の入院助産（児童福祉法第22条）を受けられる。また，助産制度を使用できる医療機関や助産院も決められている。

東京都の場合，都立病院・市立病院を中心に35の病院と財団で行っている助産院と個人助産院3か所が指定されている。いずれにしても同制度を使用する場合は，医療機関と市町村担当者とで緊密な連携が必要となる。

終わりに

平均的な病院の医業収支率は97〜98％と言われている。つまり，100円の医業利益を捻出するためには，5000円に値する保険診療を行わなければならない。これは腹部超音波検査料とほとんど変わらない。また，糖尿病患者に行うHbA1c検査10人分の診療行為に匹敵する。

未収金額は少額であっても，貸借対照表上の「資産」である。入金されていない，あるいは回収をあきらめた収入であっても，医療法人の場合，所得税・法人税が発生するということを忘れてはならない。「収入は入らない・税金は取られる」では，まさに"踏んだり蹴ったり"である。

そして，もう1点，認識しなければならないことは，未収金を回収する側（医療機関）も，督促を受けて支払う側（患者）も，ともに「嫌な気分になる」ということだ。未収金を担当する業務は決してモチベーションが上がるものではない。場合によっては，患者から怒鳴られることもあり，心が折れそうになることもあると思う。しかし，誰かが未収金管理をやらなければ，医療機関の経営に大きな打撃を受けることになるのだ。

いろいろと未収金回収について述べたが，医療機関にとって特効薬となるものは残念ながらない。しかし，何もしなければ確実に未収金は増えていく一方である。前記の制度以外にも，都道府県独自で行っている制度もあるので，利用できる制度は積極的に活用し，少しでも未収金を減らしていく努力を継続していくしかない。

【未収金チェックリスト10】

自衛策	○ or ×
① 退院などの精算後に発生した会計は，即日または翌日に連絡をしている。	
② 住所不定者が来院・入院した場合，ただちにMSWに連絡する体制が確立されている。また，MSWが不在の場合などは医事課内で福祉事務所等に連絡する体制がある。	
③ 高額療養費などに対して，院内掲示あるいはパンフレットなどを作成している。	
④ 難病など公的制度については医師・看護師にも当該疾病リストを配布している。また，該当者がいる場合にはスムーズな連絡体制が確立されている。	
⑤ 患者の支払期日を把握して前日に事前連絡を取っている。	
⑥ 日曜祭日などでも支払い方法を確保している。	
対策	○ or ×
⑦ 当日精算ができない患者に対して連帯保証人を立てている。また，連帯保証人に承諾を得ている。	
⑧ 亡くなった患者の支払いについて，連絡先を確認している。	
⑨ 支払日から1週間経過しても連絡がつかなかった場合，連帯保証人に連絡を行っている。また，患者の勤務先に電話連絡をしている。	
⑩ 1カ月以上，患者・連帯保証人等と連絡がつかない場合，法的手続きなどを取る院内体制が確立している。	

【著者略歴】

望月稔之
1989年4月　医療法人明芳会　横浜旭中央総合病院入職
1993年9月　医療法人五星会　菊名記念病院入職
　　　　　　本部事務局業務部　課長
2008年3月　医療法人尽誠会　山近記念総合病院　事務長
2023年11月　民間病院　医事課長
（神奈川県病院協会保険医療対策委員会医事研究部会委員）
（病院事務研究会運営委員）
著書　「医療事務講座テキスト」（U-CAN）2001年（共著）
　　　「文書・伝票BEST140様式」（医学通信社）2006年改訂版（共著）
　　　「よくわかる点数表の解釈」（ヘルスシステム研究所）2006年共編著
　　　「医療関連法の完全知識」（医学通信社）2024年版（共著）

持丸幸一（診療情報管理士）
1999年3月　医療法人社団相和会　渕野辺総合病院入職
　　　　　　事務部　次長
2006年12月　医療法人興生会　相模台病院入職
　　　　　　事務部　部長
（神奈川県病院協会保険医療対策事業委員幹事）
（神奈川県病院協会病院事務研究会運営委員）
（神奈川県病院協会医事研究部会会長）

武田匡弘（診療情報管理士）
1988年4月　医療法人社団緑成会　横浜総合病院入職
1999年1月　日本鋼管病院入職
　　　　　　医事部医事室　室長
2009年9月　医療法人社団相和会　管理本部医療企画部部長
（神奈川県病院協会保険対策部会副会長, 医事研究部会委員）
（病院事務研究会委員）
著書　「よくわかる労災・自賠責請求マニュアル」（医学通信社）
　　　2024～25年版（共著）
　　　「32枚のカルテ」（医学通信社）2004年（共著）

秋山貴志（診療情報管理士・病院経営管理士）
1993年7月　社会医療法人社団三思会　東名厚木病院入職
2004年4月　　　〃　　　医事課主任
2005年4月　神奈川県病院協会保険医療対策委員会医事研究部会委員
2008年4月　社会医療法人社団三思会　東名厚木病院　医事課課長
2011年4月　社会医療法人社団三思会　とうめい厚木クリニック
　　　　　　異動　事務次長
2012年4月　　　〃　　　事務長
2015年4月　社会医療法人社団三思会　東名厚木病院　診療情報管理室副部長
2019年4月　　　〃　　　診療支援部〔診療情報管理室（兼）医師事務支援室〕課長
2022年1月　岩崎学園横浜医療情報専門学校　教務課課長補佐
2024年4月　岩崎学園　横浜スポーツ＆医療ウェルネス専門学校（横浜医療情報専門学校から校名変更）
（医療秘書教育全国協議会　医事コンピューターチーフ検定委員）
（医療秘書教育全国協議会　医事コンピューター技能検定作問委員）
著書　「最新医療事務　合格最短　過去問540題　直前模試164題」（自由工房）2004年共編著
　　　「新医療秘書事務シリーズ6　DPCの実際」（建帛社）2021年共著

小笠原一志（診療情報管理士・医療情報技師）
1998年4月　医療法人愛仁会　太田総合病院入職
2004年10月　医療法人社団こうかん会　日本鋼管病院（こうかんクリニック）入職　医事部医事室勤務
2010年4月　　　〃　　　システム部兼医事部医事室　主任
2013年4月　　　〃　　　情報改革推進チーム兼システム部兼医事部医事室　主任
2014年5月　　　〃　　　情報改革推進チーム兼システム部兼医事部医事室兼入退院管理センター　主任
2017年4月　医療法人邦友会　小田原循環器病院入職　医事課課長
（神奈川県病院協会保険医療対策委員会医事研究部会委員）
（病院事務研究会　委員長）
（横浜医療秘書専門学校教育課程編成委員・学校関係者評価委員）
著書　「医療関連法の完全知識」（医学通信社）2024年版（共著）

請求もれ＆査定減ゼロ対策 2024-25年版　＊定価は裏表紙に表示してあります

2002年12月20日　第1版第1刷発行
2024年10月15日　第12版第1刷発行©

著者　　望月稔之
　　　　持丸幸一
　　　　武田匡弘
　　　　秋山貴志
　　　　小笠原一志
発行者　小野　章
発行所　医学通信社

〒101-0051　東京都千代田区神田神保町2-6　十歩ビル
TEL 03-3512-0251（代表）　FAX 03-3512-0250
03-3512-0254（書籍の記述についてのお問い合わせ）
https://www.igakutushin.co.jp
※　弊社発行書籍の内容に関する追加情報・訂正等を掲載しています。

装丁デザイン：荒井　美樹　印刷・製本：錦明印刷株式会社

落丁，乱丁本はお取り替えいたします。

ISBN978-4-87058-963-6